Handwerk und Geschichte	73	*Salzburger*
Betriebsbesichtigung & Museen	73	*Bauernherbst* 77
Bühne, Leinwand & Aktionen	76	*Festkalender* 78
Kreatives & Feste feiern	76	

GLÄSERNES TAL UND GLASKLARER SEE	81	**ATTERSEE &**
Tipps für Wasserratten	81	**ATTERGAU**
Strand- & Erlebnisbäder	81	
Wassersport & Boote	86	
Frische Luft und Sport	89	
Wandern und staunen	89	
Abenteuer & Spaß	92	*Bärlauchpesto* 90
Wintersport	92	
Umwelt erforschen	94	
Geschichte & Natur	94	
Handwerk und Geschichte	98	
Eisenbahn fahren & Museum	98	
Bühne, Leinwand & Aktionen	100	
Kino, Märkte & Feste	100	*Festkalender* 100

SEEBÄREN AHOI!	103	**IRRSEE &**
Tipps für Wasserratten	103	**MONDSEE**
Frei- & Strandbäder	103	*Die Sage vom*
Frische Luft und Sport	109	*Jungfernsee* 105
Radeln, wandern, reiten	109	
Wintersport	112	
Umwelt erforschen	113	
Natur verstehen	113	
Handwerk und Geschichte	114	
Museen	114	
Bühne, Leinwand & Aktionen	116	
Märkte & Feste	116	*Festkalender* 116

FUSCHLSEE	119	**TÜRKISGRÜN UND ALMENGLÜCK**
	119	**Tipps für Wasserratten**
	119	Frei- & Strandbäder
	123	Boot fahren
	124	**Frische Luft und Sport**
Bergwandern – aber	124	Radeln
richtig! 127	125	Wandertouren zu Almen & Hütten
Burg ohne Ritter	130	Sommerrodeln und klettern
und Burgfräulein 129	131	Wintersport
	135	**Umwelt erforschen**
	135	Der Natur auf der Spur
	137	**Handwerk und Geschichte**
	137	Betriebsbesichtigungen & Museen
	140	**Bühne, Leinwand & Aktionen**
Festkalender 140	140	Kino & Feste
WOLFGANGSEE	143	**DICKE DAMPFER UND STEILE BAHNEN**
& BAD ISCHL	143	**Tipps für Wasserratten**
	143	Frei- & Strandbäder
	145	Schifffahrt
	146	**Frische Luft und Sport**
	146	Radeln und wandern
	151	Sommerrodeln & Freizeitspaß
	152	Winterspaß
	154	**Umwelt erforschen**
Die Sesselträger vom	154	Tiere & Natur verstehen
Schafberg 158	156	**Handwerk und Geschichte**
	156	Mit der Bergbahn
Kaiserin Sisi 160	158	Schlösser & Museen
Festkalender 162	161	**Bühne, Leinwand & Aktionen**
	161	Märkte & Feste
HALLEIN &	165	**KELTEN, SALZ UND NATURSCHAUSPIELE**
TENNENGAU	165	**Tipps für Wasserratten**
	165	Frei- & Hallenbäder
	167	Strandbäder & Wasserspaß
	168	**Frische Luft und Sport**

pmv FREIZEITFÜHRER MIT KINDERN

1. Auflage 2014, Frankfurt am Main

PETER MEYER VERLAG

SALZBURG, SEEN & BERGE MIT KINDERN

Über 400 spannende Aktivitäten im Seenland, Salzkammergut & Tennengau

VON KATJA FABY

SALZBURG: NATUR & SPORT

SALZBURG: WISSEN & KULTUR

SALZBURGER SEENLAND

ATTERSEE & ATTERGAU

IRRSEE & MONDSEE

FUSCHLSEE

WOLFGANGSEE & BAD ISCHL

HALLEIN & TENNENGAU

INFO- & FERIENADRESSEN

REGISTER & KARTEN

INHALT

	6	**Vorwort**
SALZBURG:	11	**STADTLUFT MACHT FREI**
NATUR & SPORT	11	**Tipps für Wasserratten**
	11	Frei- & Strandbäder
	13	**Frische Luft und Sport**
	13	Radeln und skaten
Salzburger Almkanal:	17	Wandern
Historische Lebensader 20	22	Parks & Gärten
	23	Klettern und spielen
	28	Wintersport
	30	**Umwelt erforschen**
	30	Tiere & Natur erleben
SALZBURG:	35	**VON MUSEN UND MUSEEN**
WISSEN	35	**Handwerk und Geschichte**
& KULTUR	35	Betriebsbesichtigung
Wolfgang Amadeus	36	Burgen, Schlösser & Museen
Mozart 41	44	**Bühne, Leinwand & Aktionen**
	44	Theater & Musik
Festkalender Salzburg 50	48	Aktionen & Feste
SALZBURGER	53	**GAR NICHT SO FLACH IM FLACHGAU**
SEENLAND	53	**Tipps für Wasserratten**
	53	Strandbäder
Ein Schulfach in der	58	Auf dem Wasser
Volksschule –	61	**Frische Luft und Sport**
Heimatkunde 57	61	Radeln
	67	Erlebnisparks
	70	Wintersport
	71	**Umwelt erforschen**
	71	Entdeckungen auf Themenwegen

Radeln	168	*Eine glatte, runde Sache:*
Abenteuer, Sport & Spiel	177	*die Marmorkugeln* 174
Ski fahren & rodeln	179	
Umwelt erforschen	185	*Skisport mit Rücksicht*
Natur verstehen und entdecken	185	180
Handwerk und Geschichte	188	
Bahnen & Besichtigungen	188	*Das weiße Gold* 190
Museen	192	
Bühne, Leinwand & Aktionen	194	*Festkalender* 196

GUT INFORMIERT STARTEN	201	**INFO & FERIEN-**
Orte & Infostellen	201	**ADRESSEN**
Salzburg	201	
Irrsee & Mondsee	210	
Fuschlsee	212	
Wolfgangsee & Bad Ischl	215	
Mobil mit Bus & Bahn	220	
Unterwegs in Salzburg und Umgebung	220	
GUT GEBETTET	222	
Familienunterkünfte	222	
Ferien auf dem Bauernhof	223	
Jugendherbergen & Gästehäuser	227	
Übernachten auf der Alm	231	

Register	238	**REGISTER &**
Impressum	242	**KARTEN**
Karten	254	
Kartenlegende	256	

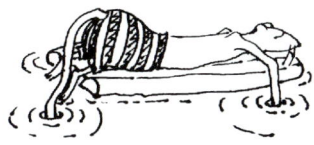

VORWORT

Seit nunmehr 6 Jahren ist das Salzburger Land meine Heimat. Und meine Begeisterung für diese Region wächst immer mehr. So viel Abwechslung habe ich bisher selten in meiner direkten Umgebung gehabt. Denn das Salzburger Land bietet für alle etwas.

Seid ihr begeisterte Spurensucher und Entdecker? Dann warten eine Vielzahl von Wanderungen und Lehrpfade auf euch. Oder eher Badenixen und Schiffspiraten? Dann ab zu den Seen im Salzburger Seenland oder im Salzkammergut. Auch die Stadtbummler und Museumsgeher haben viel zu tun, denn schließlich gibt es nicht nur in der Stadt Salzburg tolle Museen. Die gemütlichen Almenwanderer können im Tennengau und der Fuschlseeregion auf großen Almgebieten wandern und köstlich speisen. Alle Sportskanonen aufgepasst, radeln, skaten und klettern könnt ihr in allen Teilen der Region. Ich sage es euch – hier gibt es viel zu erleben! Und das Tolle ist, der Spaß hört im Winter nicht auf. Ski fahren, rodeln, eislaufen und Fackelwanderungen vertreiben euch dann die Langeweile. Ich wette, es wird schwer, zu entscheiden sein, wo ihr zuerst hinwollt!

Bei allen Ausflügen und Aktivitäten wünsche ich euch und euren Familien ganz viel Spaß und hoffe bald wieder »Griaß enk« sagen zu können.

Eure Katja Faby

Lieben Dank an alle, die mich wieder unterstützt haben. Allen Tourismusverbänden, die mich mit Informationen versorgt haben. Karin und Silke für die tollen Bilder. Meinem Mann und meinen Kindern, die mit mir gewandert, geschwommen und geradelt sind, Museen und Almen besucht und Skigebiete getestet haben!

Auf Entdeckertour: Autorin Katja Faby mit ihrer Jüngsten

Über die Autorin

Seit 2008 lebt Katja Faby mit ihrer Familie in Salzburg. Seitdem ist sie begeistert von der Vielfalt, die diese Region bietet. Gemeinsam mit ihrem Mann und ihren drei Kindern liebt sie es, Neues zu entdecken. Ihr aktueller Lieblingsplatz ist das Salzburger Seengebiet – viel Wasser und die Berge im Blick. Ihren ersten Freizeitführer *Berchtesgadener Land & Chiemgau mit Kindern* kennt ihr vielleicht schon.

Zum Gebrauch dieses Buches

▶ Das Buch *Salzburg und Umgebung, Seen & Berge mit Kindern* ist in **8 geografische Griffmarken** aufgeteilt: *Salzburg Natur & Sport, Salzburg Wissen & Kultur, Salzburger Seenland, Attersee & Attergau, Irrsee & Mondsee, Fuschlsee, Wolfgangsee & Bad Ischl* sowie *Hallein & Tennengau*. Diese Griffmarken sind wiederum unterteilt in eure Lieblingsaktivitäten:

Los geht es mit **Tipps für Wasserratten.** Hier findet ihr alle Adressen und Tipps rund ums kühle Nass. Von Frei- und Hallenbädern über Strandbäder (sehr viele, bei all den Seen) bis hin zu lustigen Bootsfahrten.

Weiter geht es mit **Frische Luft & Sport.** Wanderungen, Radeltouren, Kletterparks und Abenteuerspielplätze habe ich für euch ausprobiert – allesamt mit dem Prädikat lohnenswert. Ein besonderes Augenmerk liegt auf dem Thema Wintersport. Die ausgewählten Skigebiete und -pisten sind alle eher klein, kostengünstig und prima geeignet für Kinder und Anfänger.

Umwelt erforschen heißt es in Tierparks, Sternwarten und auf diversen Lehrpfaden. Außerdem entdeckt ihr hier spannende Naturphänomene.

Handwerk und Geschichte hautnah erleben könnt ihr bei Betriebsbesichtigungen, Bahn- und Seilbahnfahrten, in Museen und auf Burgen. Viele bieten Kinderprogramme und sind daher richtig spannend.

Zu guter Letzt informiert euch **Bühne, Leinwand & Aktionen** über Kindertheater, Kinos und Kinderprogramme. Gerade beim berühmten *Salzburger Schnürlregen* sind diese Tipps oft lebensrettend, bevor euch urfad wird. Und dass in der Region gefeiert werden kann, das seht ihr am ausführlichen **Festkalender.**

Unter **Info & Verkehr** erhaltet ihr und eure Reisebegleiter einen Überblick über die Orte der Region sowie Adressen der Tourist-Informationen und praktische Hinweise zu öffentlichen Verkehrsmitteln, damit

Gestatten?

Ich bin Sam, die Wasserratte. Meine Clique und ich begleiten euch mit noch ein paar Freunden auf euren Entdeckertouren durch dieses Buch und das Salzburger Seenland. Darf ich vorstellen:

Karlinchen, unsere sportliche Naturfreundin,

Herr Mau, Experte für Handwerk und Geschichte,

und Mockes, der liebt Kunst und Feste.

das Auto auch mal stehen bleiben kann. Aus einer Vielzahl von **Ferienadressen** könnt ihr eure Lieblingsunterkunft wählen, denn in und um Salzburg ist es so schön, dass man gut und gern ein paar Nächte bleiben möchte.

Den Abschluss eures Freizeitführers bildet eine **Karte,** damit ihr trotz Navi und GPS den Überblick behaltet und nicht verloren geht.

Habt ihr Neues entdeckt?
Dann schreibt an:
Peter Meyer Verlag
– SUmK –
Schopenhauerstraße 11
60316 Frankfurt a.M.
info@PeterMeyerVerlag.de
www.pmv-Verlag.de

▶ pmv-Leser sind neugierig und mobil – nicht nur in der Fremde, sondern auch in der eigenen Umgebung. Den Wissensdurst ihres Nachwuchses wollen sie fördern, seinem Tatendrang im Einklang mit der Natur freie Bahn lassen. Daher finden Sie in diesem Ausflugsführer Tipps und Adressen zu allem, was kleine und große Kinder begeistert, je nach Wetterlage und Jahreszeit. Alle Adressen und Aktivitäten wurden von der Autorin persönlich begutachtet und strikt nach Kinder- und Familienfreundlichkeit ausgewählt. Es ist nicht möglich, einen Eintrag ins Buch zu erkaufen.
Wir freuen uns über eure Tipps und Anregungen! ◀

SALZBURG: NATUR & SPORT

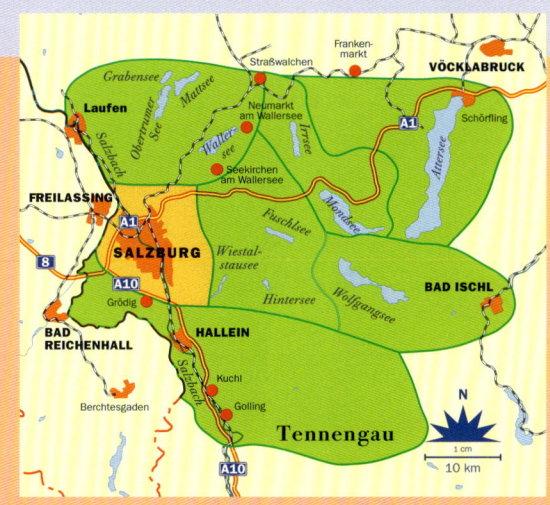

SALZBURG: NATUR & SPORT

SALZBURG: WISSEN & KULTUR

SALZBURGER SEENLAND

ATTERSEE & ATTERGAU

IRRSEE & MONDSEE

FUSCHLSEE

WOLFGANGSEE & BAD ISCHL

HALLEIN & TENNENGAU

INFO & FERIENADRESSEN

REGISTER & KARTEN

STADTLUFT MACHT FREI

Hättet ihr gedacht, dass ihr mitten in der Stadt auch das Gras wachsen hören könnt? Und es wie in Venedig einen Kanal gibt? Die Mozartstadt bietet viel Grün und Aktivitäten an der frischen Luft, bei denen ihr Abwechslung und Bewegung findet!

In den netten Orten um Salzburg lässt sich prima Rad fahren oder skaten. Wie wäre es zum Beispiel mit einem Radelausflug zu den Wildschweinen in Anthering? Für alle, die gern klettern, habe ich insgesamt zwei Kletterhallen und zwei Klettergärten für euch als Tipps.

Frei- & Strandbäder

Freibad Volksgarten
Hermann-Bahr-Promenade 2, A-5020 Salzburg. ✆ +43/662/80724374 (Bademeister), 623411. www.stadt-salzburg.at. **Lage:** Direkt am Salzachufer. **Bahn/Bus:** O-Bus 6, 7, 10 bis Volksgarten. **Auto:** B150 bis Volksgarten. **Rad:** Am RKS-Radweg. **Zeiten:** Mai – Aug 9 – 19, bei Badewetter bis 20 Uhr, bei Schlechtwetter So und Fei 9 – 12 Uhr. **Preise:** 4,40 €, 10er-Block 34,70 €; Kinder 3 – 15 Jahre 2,40 €, 10er-Block 18,50 €; Ermäßigung mit Salzburger Familienpass.

▶ Das älteste Freibad der Stadt Salzburg bietet mit zwei Schwimmbecken, einem Kinder- und einem Planschbecken viel Abwechslung an heißen Tagen. Große Bäume spenden Schatten. Ein Volleyballfeld und Tischtennisplatten sorgen für Spaß an Land.

Freibad Leopoldskron, das »Lepi«
Leopoldskronstraße 50, A-5020 Salzburg-Leopoldskron. ✆ +43/662/829265 (Bademeister), 623411. www.stadt-salzburg.at. **Bahn/Bus:** Bus 22 bis Firmianstraße. **Auto:** Moosstraße, auf Nußdorferstraße, weiter auf Leopoldskronstraße. **Rad:** Am Antenne-Salzburg-Radweg. **Zeiten:** Mai – Aug 9 – 19 Uhr, bei Badewetter bis 20 Uhr, bei Schlechtwetter So und Fei 9 – 12 Uhr.

TIPPS FÜR WASSERRATTEN

Neben dem Freibad bietet der Volksgarten noch viel Raum zum Spielen und Verweilen. Es gibt einen Spielplatz mit Geräten für verschiedene Altersgruppen.

Aufi geht's: Wie hoch hinauf schafft ihr es?

SALZBURG: NATUR & SPORT

Minigolf Sportanlage Leopoldskron, Firmianstraße 2, Salzburg-Leopoldskron. ✆ +43/650/2773731. März – Okt 10 – 22 Uhr. 18-Loch-Anlage aus Beton. 3,50 €, Kinder 2,50 €. Spezielle Angebote für Kindergeburtstage.

Hunger & Durst
Bergxi-Treff, Iselstraße 20a, Bergheim. ✆ +43/662/451445. www.bergxitreff.at. Mai – Sep bei Schönwetter 10 – 22, bei Schlechtwetter 13 – 22 Uhr, Okt – April Di – Sa 13 – 23, So, Fei 12 – 22 Uhr. Schattiger Gastgarten.

Der See friert im Winter regelmäßig zu und wird dann zum Eislaufen freigegeben.

Preise: 4,40 €, 10er-Block 34,70 €; Kinder 3 – 15 Jahre 2,40 €, 10er-Block 18,50 €, Saisonkarte 23,50 €; Ermäßigung mit Salzburger Familienpass.

▶ Im »Lepi«, wie die Leute hier ihr Bad nennen, findet ihr alles, was man für 'nen gscheiten Ausflug ins Freibad braucht: viele Wiesen mit schattigen Plätzen, fünf unterschiedliche Becken, eine 72 m lange Wasserrutsche und eine 14 m lange Breitrutsche, einen 10-m-Sprungturm und, und, und. Müde vom Toben im Wasser? Dann spielt eine Runde Minigolf oder Beachvolleyball. Langeweile gibt es sicher keine, könnte nur sein, dass ein Tag in Salzburgs größtem Freibad nicht ausreicht und ihr gleich wiederkommen wollt. Dann holt euch doch die günstige Saisonkarte!

Bergxi in Bergheim

Iselstraße 20, A-5101 Bergheim. ✆ +43/662/4515-92, www.bergheim.at. **Bahn/Bus:** S1 bis Bergheim b. Salzburg Bhf, 15 Min Fußweg. **Auto:** Bergheim B156 Dorfstraße, rechts Metzgerstraße, rechts Iselstraße, Beschilderung folgen. **Rad:** Salzachradweg bis Bergheim. **Zeiten:** Mai – Sep bei Schönwetter 9 – 20 Uhr. **Preise:** Tageskarte 5 €; Kinder 3 – 15 Jahre 3 €; mit Salzburger Familienpass 3,60 €, Kinder 3 – 15 Jahre 2 €. Minigolf 2,50 €, Kinder 2 €, Pfand für Schläger 5 €

▶ Riesenrutsche, Wellenrutsche und Wasserpilz – im Spaßbecken ist jede Menge los. Die Kleinsten haben ihren eigenen Bereich, dieser ist zum Teil mit einem Sonnensegel überdacht. Genug getobt und geplanscht? Wie wäre es mit einer Partie Minigolf? Für den Hunger zwischendurch gibt es Stärkung im **Bergxi-Treff.**

Salzachseen

A-5020 Salzburg-Liefering. **Lage:** Am Zusammenfluss von Salzach und Saalach. **Bahn/Bus:** O-Bus 7 bis Salzachseen. **Auto:** A1 Ausfahrt 291 Messezentrum, Kreisverkehr 2. Ausfahrt, rechts auf Schmiedingerstraße. **Rad:** Salzachradweg bis Salzachseen. **Zeiten:** Badeauf-

sicht Anfang Mai – Sep bei Badewetter 9 – 19 Uhr.
Preise: Frei zugänglich.
Infos: Umkleidemöglichkeit am See und Duschen.

▶ Das weitläufige Gelände mit Badesee und Liegefläche bietet viel Platz für allerlei Aktivitäten in und am Wasser. Der See wird aus Grundwasser gespeist und ist bis zu 3 m tief. Für viel Spaß sorgt der große angrenzende Spielplatz mit verschiedenen Schaukeln, Klettergeräten und Sandspielbereichen. Beim Kiosk gibt es die gewünschten Erfrischungen.

Bei Badewetter ein toller Tipp: Die Salzachseen

Radeln und skaten

Gemüselandroute Wals

A-5071 Wals-Siezenheim. **Länge:** Rundweg 15 km, ohne nennenswerte Steigung, auf kleineren Straßen, nur in Wals führt die Route über die befahrene Hauptstraße. Markierung: Grüner Kopfsalat. **Bahn/Bus:** Bus 27 bis Viehhausen Schweizersiedlung. **Auto:** Kendlerstraße stadtauswärts bis Laschensky. **Rad:** Stiegl-Radweg von Zentrum entlang der Glan.

▶ Die Gemüselandroute führt durch Ortsteile der Gemeinde Wals, am Fuße des mächtigen *Untersberg*. Über Feld- und Wirtschaftswege geht es vorbei an Gemüsefeldern, durch die *Goiser Wiesn* und entlang der *Saalach*, durch Ortsteile mit den netten Namen *Viehhausen* und *Käferheim*. Da die Gemüselandroute eine Rundtour ist, könnt ihr überall einsteigen.

Zum Beispiel startet ihr beim **Laschenskyhof.** Haltet Ausschau nach dem Grünen Kopfsalat – dem Symbol der Route und folgt dieser in Richtung Autobahn. Nachdem ihr die Autobahn überquert habt, liegen vor

FRISCHE LUFT UND SPORT

🍎 In Wals gibt es eine Menge Gemüsebauern. Hier könnt ihr euch frisches Gemüse direkt vom Hof kaufen.

Hunger & Durst
Laschenskyhof, Josef-Hauthaler-Straße 2, Wals. ✆ +43/662/852361. www.laschensky.at. Täglich warme Küche 11 – 21.30 Uhr. Großer Spielplatz mit Kletterspinne, Kleinkindbereich.

euch die **Goiser Wiesn.** Vielleicht habt ihr Glück und seht Rehe auf der Lichtung stehen. **Käferheim** erreicht ihr nach weiteren 3 km. Ein Stück geht es jetzt durch die Au, ein tolles Waldgebiet zum Toben und Rasten. An der Saalach entlang kommt ihr zu einer Holzbrücke, die über die Saalach nach Deutschland führt. Ihr fahrt an der *Hammerauer Brücke (D)* weiter geradeaus. Nach 350 m biegt ihr rechts ab und verlasst die Saalach. Etwa 2,5 km geht es durch **Wals,** dann überquert ihr die B1 Richtung Viehhausen. Nach weiteren 2,5 km erreicht ihr wieder den Startpunkt Laschensky. Jetzt habt ihr euch die Einkehr im **Laschenskyhof** sicher verdient. Ein großer Spielplatz lädt hier zum Spielen ein. Für die verdiente Pause bieten sich aber auch die Goiser Wiesn oder die Saalach-Au an.

Skaten entlang der Glan
A-5020 Salzburg. **Strecke:** Von der Glansiedlung entlang dem Stiegl-Radweg Richtung Zentrum, Wendepunkt: Schließbergerbrücke. **Länge:** Etwa 5 km.
Bahn/Bus: Bus 27 bis Kräutlerweg, Fußweg zur Glan.
Auto: Kendlerstraße stadtauswärts Richtung Laschensky, links in Schwarzgrabenweg, 2. links Kräuterlerweg.
Rad: Stiegl-Radweg von Zentrum entlang der Glan.
▶ Eine schöne und einfache Skaterstrecke findet ihr entlang der *Glan.* Der Weg ist durchgängig asphaltiert und relativ breit, sodass ihr nicht mit Radfahrern oder Fußgängern in Konflikt kommt. Startet eure Tour bei der **Glansiedlung.** Auf dem Rad- und Fußweg geht es Richtung Zentrum. Vorbei am Rollfeld des Flughafens, immer entlang der *Glan.* Drei Brücken können als Wendepunkt genutzt werden, so könnt ihr, je nach Kondition, die Strecke auch verkürzen. Wir haben bei der Brücke am Spielplatz **Schliesselberger Gründe** den Rückweg gewählt. Es liegen drei **Spielplätze** am Weg, hier könnt ihr Pausen einlegen, packt also ein paar Schuhe in den Rucksack.

🦋 Am Spielplatz Kendlerstraße/Rollbahn gibt es eine Skaterbahn.

Glanrunde am Untersberg

A-5071 Wals-Siezenheim. **Länge:** Etwa 7,5 km, keine Steigung, keine befahrenen Straßen. **Bahn/Bus:** ↗ Gemüselandroute.

▶ Diese Route kann als Erweiterung zur Gemüselandroute oder als eigene Radtour gefahren werden. Ihr startet wieder beim Gasthaus **Laschenskyhof.** Nach der Autobahnüberführung verlasst ihr die Gemüselandroute und folgt der grünen Beschilderung mit Hinweis *Rund um den Untersberg* nach links. Ein Stück verläuft der Weg nun parallel zur Autobahn, bevor ihr dann nach 900 m rechts abbiegt und dem Verlauf der *Glan* folgt. Ihr überquert die Glan und erreicht bald darauf den *Gasthof Esterer.* Folgt weiterhin der Beschilderung *Rund um den Untersberg* in Richtung Grödig. Kurz nach dem **Schloss Glanegg** verlasst ihr allerdings diese Route und biegt links ab in Richtung Salzburg. Nun befindet ihr euch auf der *Augustiner Bräu Route,* die euch von Glanegg auf der Moosstraße in Richtung Stadt führt. Nach etwa 1 km verlasst ihr auch diese Route und biegt links in die Hammerauer Straße Richtung **Hammerauer Brücke (A)**. Bis zu dieser fahrt ihr 1,4 km durch ein Wohngebiet. Nach der Brücke, die über die Glan führt, haltet ihr euch kurz links und folgt der Josef-Hauthalerstraße, bis ihr nach 900 m wieder auf die Gemüselandroute in Höhe der Autobahnüberführung stoßt. Spätestens jetzt habt ihr euch eine Erfrischung beim **Laschenskyhof** verdient. Nach diesem Abstecher folgt ihr der Gemüselandroute wie zuvor beschrieben.

Hand in Hand über die Wiese: Da kommt Freude auf

© Karin Besel

Achtung! Die in dieser Erweiterungstour erwähnte **Hammerauer Brücke** ist nicht die selbe Brücke wie die in der zuvor beschriebenen Gemüselandroute.

Zu den Wildschweinen in der Antheringer Au

A-5102 Anthering.
www.anthering-info.at.
Start: Mozartsteg Salzburg Zentrum.
Länge: Einfache Strecke 10 km bis zum Auengebiet, 1,5 km führt die Hauptroute durch die Au zum Lokalbahnhof. **Bahn/Bus:** ↗ Salzburg. Rückfahrt ab Lokalbahnhof Anthering S27 bis Salzburg Hbf.

Schwein gesehen: Bei den Wildschweinen in der Au

▶ Diese einfache Tour führt euch entlang der *Salzach* zu den Wildschweinen in die Antheringer Au. Ihr startet eure Fahrt am **Mozartsteg** im Zentrum von Salzburg. Auf der rechten Salzachseite radelt ihr am Fluss entlang und habt einen tollen Blick auf die Stadt. Hoch oben seht ihr die Festung, vorbei geht es an Cafés und dem berühmten Hotel Sacher. Nach zwei Unterführungen radelt ihr an der ↗ *Salzburger Kletterhalle* vorbei. Jetzt verlasst ihr das Stadtgebiet, bleibt aber weiterhin auf dem Radweg, der parallel zur Salzach verläuft. Durch Wiesen und Auen fahrt ihr über **Bergheim** nach Anthering. Nach rund 6 km nehmt ihr die zweite Abzweigung zum **Naturschutzgebiet Antheringer Au.** Es geht über die Fahrradrampe und jetzt heißt es Augen auf! Wer findet zuerst die Wildschweine? Vielleicht schiebt ihr eure Räder oder schließt sie an und macht euch zu Fuß auf die Pirsch. Auf flachen Wegen könnt ihr das Augebiet durchqueren und an einigen Fütterungsstellen gibt es Aussichtsplattformen. Selbst dürft ihr die Tiere nicht füttern, denn sie sollen die natürliche Scheu vor den Menschen nicht verlieren. Besondere Vorsicht ist im Frühjahr geboten, denn dann haben die Wildschweine Frischlinge und wollen wirklich ungestört sein. Für den Rückweg könnt ihr bequem die Lokalbahn wäh-

🦉 *Die Antheringer Au ist ein naturbelassenes Schutzgebiet der Salzachauen und umfasst 1120 Hektar. Zu jeder Jahreszeit gibt es hier viel zu entdecken. Geführte Exkursionen in die Au bietet unter anderem das ↗ **Haus der Natur** an.*

len (durchquert die Au 1,5 km auf der Hauptroute, dann kommt ihr automatisch zum Lokalbahnhof Anthering) oder ihr fahrt auf gleicher Strecke zurück in die Stadt. Dann würde sich noch ein Abstecher ins ↗ *Bergxi* in Bergheim empfehlen.

Wandern

Wanderung über den Kapuzinerberg

A-5020 Salzburg. **Strecke:** Linzer Gasse – Stefan-Zweig-Weg – Kapuziner Kloster – Franziskischlössl. **Länge:** Ab 4 km variabel, nicht kinderwagentauglich. **Bahn/Bus:** O-Bus Linien bis Hanuschplatz oder bis Mirabellplatz, Fußweg bis Linzer Gasse. **Auto:** ↗ Salzburg, Parkhaus Linzer Gasse. **Rad:** Salzachradweg bis Linzer Gasse. **Zeiten:** Ganzjährig, bei Nässe und Schnee Vorsicht.

▶ Von der Staatsbrücke kommend geht ihr in die Haupteinkaufsstraße von Salzburg, die **Linzer Gasse.** Diese verlasst ihr nach etwa 100 m und wandert rechts durch einen Torbogen den sehr steilen **Stefan-Zweig-Weg** hinauf. Ihr geht weiter durch die Felixpforte und erreicht nach der nächsten Kehre das **Kapuziner Kloster.** In den mächtigen Klostermauern leben heute noch fünf Mönche. Hier könnt ihr erst mal verschnaufen und einen Blick auf die Altstadt am anderen Flussufer werfen. Folgt nun weiter der geteerten Straße, bis ihr wieder zu einem Torbogen gelangt. Nun haltet euch rechts und folgt dem Schild Franziskischlössl über den Basteiweg entlang der **Wehrmauer.** Dieser Weg ist sehr abwechslungsreich, mit vielen Treppen und schmalen Pfaden. An der Wehrmauer fallen euch sicherlich viele Spiele und Geschichten ein. Eine tolle Aussicht auf die Stadt und die umliegenden Berge habt ihr von hier oben. Ein letzter langer Treppenaufstieg und ihr seid am **Franziskischlössl** angekommen. Das Ausflugsziel mit großem Gastgarten lädt zur Einkehr ein. Von hier ist ein Abstieg in den Stadtteil *Schallmoos* möglich. Wollt ihr

*Auf dem **Kapuzinerberg** leben die einzigen Stadtgämsen von Salzburg.*

Hunger & Durst

Wiazhaus im Franziskischlössl, Kapuzinerberg 9, Salzburg. ✆ +43/662/872595. www.franziskischloessl.at. Mi – So 11 – 17 Uhr. Kein Spielplatz, aber rund ums Schlössl gibt es viel zu entdecken.

Auf geht's zu den Gämsen: Edna ist schon neugierig

© Karin Besel

aber zurück zum Ausgangspunkt, wandert ihr entlang der Nordseite des Berges. Bleibt unbedingt auf den befestigten Wegen, denn es geht steil bergab! Ein kurzes Stück lauft ihr auf der geteerten Straße zurück, dann nehmt ihr den Abzweig nach rechts. Viele Stufen bringen euch jetzt wieder zurück zum **Kloster** und von dort aus geht ihr den Stefan-Zweig-Weg weiter bis zum Torbogen zur Linzer Gasse. Dieser Rundweg lässt sich noch durch unzählige Abzweige variieren. Letztendlich treffen die verschiedenen Wege immer wieder aufeinander. Zur Orientierung dienen die Beschilderungen Richtung Franziskischlössl bzw. Zentrum oder die geteerte Straße.

Vom Mönchsberg zum Festungsberg

Mönchsbergaufzug, Gstättengasse 13, A-5020 Salzburg. ✆ +43/662/8884-9750, www.salzburg-ag.at. **Lage:** Spaziergang westliches Salzachufer. **Länge:** Etwa 1 km, kinderwagentauglich. **Bahn/Bus:** O-Bus 1, 4, 10 bis Mönchsbergaufzug. **Auto:** ↗ Salzburg, Altstadtgarage A, Ausgang Mönchsbergaufzug. **Rad:** Salzachradweg bis Haus der Natur. **Zeiten:** Do – Di 8 – 19, Mi 8 – 21 Uhr, Juli und Aug 8 – 21 Uhr. **Preise:** Berg- oder Talfahrt 2,10 €, Berg- und Talfahrt 3,40 €; Kinder 6 – 14 Jahre 1,10 bzw. 1,80 €; Familie (min. 1 Erw, 1 Kind) 4,20 bzw. 6,70 €. Gesonderte Preise für Aufzug inkl. Museumseintritt.

▶ Auf den **Mönchsberg** kommt ihr ganz bequem mit dem Mönchsbergaufzug. Der bringt euch zum ↗ *Museum der Moderne*. Von hier aus wandert ihr immer oberhalb der Stadt zur Festung, der Weg ist durchgängig ausgeschildert. Hier oben könnt ihr einiges sehen. Es geht vorbei an der **Stadtalm**, ihr seht Überreste der Stadtmauer und habt immer wieder tolle

Hunger & Durst

Stadtalm, Am Mönchsberg 19c, Salzburg. ✆ +43/662/841729. www.diestadtalm.com. Sep – April 10 – 18, Mai 10 – 22, Juni – Aug 10 – 23 Uhr. Die städtischste Alm, die es gibt.

Ausblicke auf die Stadt und die umliegenden Berge. Bei der Festung angekommen solltet ihr dem Wahrzeichen der Stadt natürlich auch einen Besuch abstatten, ⁊ Festung Hohensalzburg. Die Fahrscheine des Mönchsbergaufzugs können auch für die Festungsbahn genutzt werden – also rauf mit dem Aufzug und runter mit der Festungsbahn (oder umgekehrt). Wollt ihr euch den Mönchsbergaufzug sparen, dann kommt ihr von Mülln aus oder über die Reichenhaller Straße auf den Mönchsberg.

 *Der **Mönchsberg** wurde nach den Mönchen des Klosters St. Peter benannt. Sein höchster Punkt ist 540 m hoch.*

Vorbei an Schleusen und Surfern: Salzburger Almkanal

Wolfgang Peter (Almmeister), Brunnhausgasse 5, A-5020 Salzburg. ✆ +43/662/ 846419, www.almkanal.at. **Strecke:** Leopoldskroner Weiher – Gneis – Eichetwald. **Länge:** Circa 4 km, kinderwagentauglich. **Bahn/Bus:** Bus 22 bis Salzburg Zwieselweg, 5 Min Fußweg zum Leopoldskroner Weiher. **Auto:** Moosstraße stadtauswärts, links auf Firmianstraße, rechts auf Gütratweg, links auf Zwieselweg, am Weiher parken.

▶ Beginnt eure Wanderung am Südufer des **Leopoldskroner Weiher** und biegt bei der Gärtnerei Zmugg links ab, überquert den Almkanal, haltet euch rechts und wandert an seinem linken Ufer stadtauswärts. Vorbei geht es an den bizarr geformten Kopfweiden. Etwa auf der Hälfte der Strecke nach gut 2 km kommt ihr an einem schönen, schattigen **Spielplatz** vorbei. Nach einem weiteren Kilometer wurde eine Gefällstufe ausgebaut. Hier tummeln sich waghalsige Surfer, die gegen die Strömung ankämpfen. Überhaupt finden sich hier und da an sonnigen, heißen Tagen Schwimmer im Almkanal, die auch mal wie Tarzan an einem Seil über den Kanal schwingen. Kurz nach der Surfwelle kommt ihr zur Obuskehre und könnt mit dem O-Bus 5 zurück in die Stadt fahren. Allerdings lohnt es sich auch, noch einen halben Kilometer weiter zu laufen. Durch den **Eichetwald** kommt ihr schon bald zum **Gasthaus Pflegerbrücke**.

 **Besichtigung Stiftsarmstollen,** Brunnhausgasse 5, Salzburg-Nonntal. ✆ +43/699/13790310 www.stiftsarm.jimdo.com. Im Sep zur Zeit der Almabkehr. 8 €, mit Familienpass Salzburg 5 €, Schüler 5 €. Gummistiefel, warme Kleidung und Taschenlampe einpacken. Frühzeitige Anmeldung erforderlich.

Hunger & Durst

Die Pflegerbrücke, Pflegerstraße 53, Salzburg. ✆ +43/662/821725. www.pflegerbruecke.at. Fr – Di und Fei 11 – 21 Uhr. Schöner Spielplatz.

▶ Habt ihr euch auch schon einmal gefragt, was das für übervolle, schnurgerade Wasserläufe sind, die die Stadt Salzburg von Süd nach Nord durchqueren? Das ist der Almkanal mit seinen Nebenkanälen.

SALZBURGER ALMKANAL: HISTORISCHE LEBENSADER

Das Wasser kommt aus der *Königsseeache* und wird bei einer Wehranlage südlich von Salzburg in das künstlich angelegte Bachbett des Almkanals geleitet. Jetzt durchfließt das Wasser mit hoher Geschwindigkeit die südlichen Stadtteile und versorgt auf seinem Weg 17 Kraftwerke, in denen Strom für etwa 2400 Haushalte erzeugt wird. Aber auch Nutzwasser kommt vom Almkanal. Das heißt, dass ihr eure Lampen und Wasserhähne in Salzburg aufdrehen könnt, kann es sein, dass ihr das dem Almkanal verdankt. Das Kanalsystem ist schon sehr alt und steht unter Denkmalschutz. Das Kernstück bildet der **Stiftsarmstollen,** der durch den Mönchsberg führt. Seine Baugeschichte geht zurück bis ins Jahr 1150 und es wird vermutet, dass er der älteste Wasserleitungsstollen Mitteleuropas ist. Einmal im Jahr kann er zur Zeit der Almabkehr besichtigt werden. Dann wird 2 – 3 Wochen lang die Schleuse zur *Königsseeache* geschlossen, sodass kein Wasser mehr nachfließt. In dieser Zeit wird das Bachbett gesäubert. Die **Almpassage** ist der Bereich, wo der Almkanal aus dem Stollen austritt. Ihr findet sie in der Talstation der Festungsbahn (Zugang durch den Bernsteinshop oder Talfahrt mit der Festungsbahn). Hier erfahrt ihr ganz viel über den Almkanal. ◀

Hier werdet ihr sicher mit einem leckeren Eisbecher belohnt. Zurück geht es bis zur Obuskehre.

Schi-Scha-Schaukelweg

A-5102 Anthering. www.anthering-info.at. **Start:** Am Kindergarten. **Länge:** 4 km, Hin- und Rückweg sind gleich, 2 Std und mehr einplanen, einfacher Weg für Kinder 4 – 10 Jahre. **Bahn/Bus:** S27, Bus 111 bis Anthering Ortsmitte. **Auto:** B156 Richtung Anthering, im Ort Richtung Volksschule/Kindergarten. **Rad:** Ab Lokalbahnhof Richtung Ortsmitte.

▶ Ob gemütlich in der Hollywoodschaukel oder rasant im Piraten-Kahn, auf allen sechs Schaukelstationen kommt Spaß auf. Ihr startet am **Kindergarten.** Nach einem Ritt auf dem **Wildpferd** nehmt ihr die Straße in Richtung Volksschule. Nun geht es links die Riederstraße bergauf. Der gesamte Schaukelweg ist mit dem Symbol der *Schaukelnden Kinder* markiert. Schon bald biegt ihr rechts in den Bäckerweg ein. Am Ende überquert ihr ein kleines Bächlein und seid schon an der zweiten Schaukelstation angekommen. Wie Herkules könnt ihr hier eure Kräfte auf der **Brett-Wippschaukel** messen. Entlang dem Bach führt der Weg weiter. Wieder geht es über eine Brücke und nun müsst ihr euch rechts Richtung Wald halten. Im Schatten der Bäume und direkt am Bach könnt ihr euch in der **Hollywoodschaukel** entspannen – oder ihr geht auf Entdeckungstour entlang dem Bachverlauf. Nun müsst ihr den Berg hinauf. Am Ende erwartet euch eine **Vogelnestschaukel.** Legt euch hinein und beobachtet die Wolken am Himmel. Das folgende Stück führt euch entlang der Straße weiter bergauf. Achtung, Autoverkehr! Seht ihr die Schweine vom **Sperlbauern?** Drollig, wie die neugierigen Tiere über die Wiese toben. Gleich neben der Weide steht die **3-Freunde-Schaukel.** Nehmt Platz mit euren Freunden und schaukelt bis in luftige Höhen. Bis zur letzten Station ist es nicht mehr weit. Folgt dem Schotterweg zum Bienenhaus. Nun könnt ihr es noch mal richtig rund gehen lassen. Der **Piraten-Kahn** lädt zur wilden Fahrt ein. Auf dem Rückweg habt ihr noch mal die Möglichkeit, an eurer Lieblingsschaukel einen Stopp einzulegen.

@ Einen Plan zum Herunterladen findet ihr auf der Internetseite.

Fühlt sich an wie fliegen: Schaukeln in luftigen Höhen

Parks & Gärten

Mirabellgarten

Mirabellplatz, A-5020 Salzburg. ℅ +43/662/8072-2536 (Obergärtner Mirabell, Spielplatzmanager), www.stadt-salzburg.at. **Lage:** Östliches Salzachufer. **Bahn/Bus:** O-Bus 1, 2, 3, 5, 6 bis Mirabellplatz. **Auto:** ↗ Salzburg, Parkgarage Mirabellplatz. **Rad:** Radweg entlang der Salzach, innerörtlicher Beschilderung folgen. **Zeiten:** Ganzjährig frei zugänglich.

*Das **Schloss Mirabell** wurde 1607 erbaut und diente als Sommerresidenz des Erzbischofs Wolf Dietrich und seiner Geliebten Salome Alt. Heute befinden sich im Schloss das Rathaus und das Standesamt.*

▶ Rund um das **Schloss Mirabell** befindet sich ein schöner Schlosspark, in dem es eine Menge zu entdecken gibt. Berühmt ist der **Zwergerlgarten** mit seinen buckligen und gar nicht so märchenhaften Zwergen. Vom Zwergerlgarten aus seht ihr auch schon den **Zauberflötenspielplatz,** ein Themenspielplatz mit Riesenrutsche, Vogelnestschaukel und Klangspiel, der Szenen und die Idee der Mozartoper *Die Zauberflöte* zum Inhalt hat. Von hier aus macht ihr euch auf den Weg ins **Heckentheater.** Dafür verlasst ihr den Spielplatz in südliche Richtung durch einen Durchgang – hört ihr die Melodien der Zauberflöte? Auf einer kleinen Bühne bieten von Zeit zu Zeit junge Künstler ihr Können dar. Wenn ihr das Heckentheater durchquert habt, kommt ihr wieder auf die Hauptwege des Schlossparks.

Auf der gegenüberliegenden Seite befindet sich noch die **Orangerie** mit dem *Palmenhaus.* Schaut einmal rein ins Palmenhaus, hier haben ein paar exotische Tiere ihr zu Hause.

Privatkonzert: Auf der Bühne des Heckentheaters

Schlosspark Hellbrunn

Schlossverwaltung Hellbrunn, Fürstenweg 37, 5020 Salzburg. ℅ +43/662/820372-0, www.hellbrunn.at. **Bahn/Bus:** Bus 25 bis Schloss Hellbrunn. **Auto:** A10 Ausfahrt 8 Salzburg Süd, Richtung Anif, Beschilderung Hellbrunn folgen, P gebührenpflichtig. **Rad:** Schöne Radroute entlang der Hellbrunner Allee (Salzburger Nachrichten-Radweg). **Zeiten:** Ganzjährig zugänglich.

▶ Der 60 Hektar große öffentliche Schlosspark von Hellbrunn schließt sich an das ↗ Lustschloss mit Wasserspielen an. Verlasst das Schloss in östlicher Richtung, schon bald kommt ihr zum **Wundergarten der Sinne.** Im Kneippbecken und beim Regenvorhang könnt ihr euch an heißen Tagen abkühlen. Weiter den Berg entlang erreicht ihr nach etwa 5 Minuten das **Steintheater.** Das ist ein Freilichttheater, das in eine große Höhle gebaut wurde. Das Theater entstand zu Zeiten von *Markus Sittikus* im Jahr 1616. Schaut euch ein wenig um und klettert einmal auf und hinter die Bühne. Wenn ihr nun wieder Richtung Hellbrunner Allee geht, kommt ihr über eine große Wiese, hier könnt ihr Drachen steigen lassen, Ball spielen, picknicken oder ihr geht weiter zum großen **Spielplatz.**

Klettern und spielen

Spielen und Toben am Gaisberg

A-5026 Salzburg. **Lage:** Östlich der Stadt. **Länge:** Rundweg 5,5 km. **Bahn/Bus:** Mirabellplatz Bus 151 bis Gaisberg Zistelalpe. **Auto:** B158 stadtauswärts Richtung St. Gilgen, Ortsteil Guggenthal rechts auf Gaisberg Landesstraße.

▶ Rund um den **Gaisberg,** den Hausberg der Salzburger, führt ein einfacher – aber wenn ich ehrlich bin auch ein bisschen langweiliger – Wanderweg. Für Familien mit Kinderwagen und etwas Kondition ist er aber ideal, denn er ist breit und geschottert. Start ist bei der **Zistelalm** und da es ein Rundweg ist, könnt ihr links oder rechts herum den Berg umwandern. Startet ihr links (westwärts), geht über den Parkplatz und orientiert euch am Holzschild **Rundweg.** Dann

Sehen, fühlen, hören: Im Wundergarten sind alle Sinne gefordert

Beim Wundergarten kann es nass werden. Nehmt Handtuch und Wechselkleidung mit.

Hunger & Durst
Zistelalm, Am Gaisberg, Salzburg. ✆ +43/662/641067. www.zistelalm.at. Mi – So 10 – 22 Uhr. Großer Spielplatz in der Nähe, regionale Küche.

Bei der **Zistelalm** gibt es im Winter immer einen tollen Rodelhang. Eine Winterwanderung rund um den Gaisberg ist auch möglich.

kommt ihr direkt zu einem tollen **Abenteuerspielplatz** mit Rutschen und Aussichtsplattformen, der für euch das eigentliche Ziel der Wanderung ist. Während ihr spielt, können sich eure Eltern die tolle Landschaft und die tollkühnen Paraglider ansehen. Vielleicht geht ihr doch noch ein Stückchen in die vorgegebene Richtung und erreicht bald eine frei schwebende Holzbrücke mit gigantischen Ausblicken auf die Stadt Salzburg. Rückweg oder Rundweg? Das müsst ihr mit euren Eltern ausmachen!

Fußball oder Golf? Wie wäre es mit Soccergolf!

Soccerpark Salzburg, Hans Klegraefe, Oberaustraße 33, A-5072 Wals-Siezenheim. ✆ 0049/8652/975029, Handy 0049/171/4062888. www.soccerpark.at. **Bahn/Bus:** Salzburg Hans-Schmid-Platz Bus 28 bis Siezenheim Ortsmitte, 10 Min Fußweg. **Auto:** A10 Ausfahrt 293 Klessheim, Richtung EM Stadion, nach 150 m Richtung Siezenheim, im Gewerbegebiet rechts, nach 40 m Beschilderung folgen. **Rad:** Am Saalach-Radweg, Austraße Richtung Siezenheim, der Beschilderung folgen. **Zeiten:** Mo – Do ab 10, Fr – So und Fei ab 9 Uhr – Sonnenuntergang. **Preise:** 9 €; Kinder 6 – 13 Jahre 6 €, bis 17 Jahre 7,50 €; Familienticket 2 Erw, 1 Kind 22,50 €, 2 Erw, 2 Kinder 25 €, jedes weite-

Den eigenen Ball könnt ihr mitnehmen, aber eure Stollen- und Noppenschuhe lasst bitte zu Hause.

Soccergolf: Golf spielen mit dem Fuß

© Soccerpark Salzburg

re Kind bis 13 Jahre 5 €, bis 17 Jahre 7 €. **Infos:** Kinder bis 10 Jahre nur in Begleitung eines Erwachsenen. Bälle werden gegen Pfand zur Verfügung gestellt.

▶ Nicht nur für Fußballer und Ballakrobaten gibt es eine Neuheit in Wals-Siezenheim. Beim Soccergolf kann jeder sein Ballgefühl unter Beweis stellen. Auf einer 18-Loch-Bahn heißt es, mit wenigen Kicken alle Hindernisse zu überwinden und den Ball ins Loch mit Zielfahne zu schießen. Hört sich einfacher an, als es tatsächlich ist und am Ende stehen nicht unbedingt immer die Fußballprofis als Sieger fest. Viel Spaß und Bewegung bietet der 2 km lange Parcours, für den ihr etwa 2 Stunden Zeit einplanen solltet.

Spiderman und Klettermaxe unter sich: Kletterhalle Salzburg

denkundstein Sportkletter GmbH, Wasserfeldstraße 23, A-5020 Salzburg. ✆ +43/699/11212001. www.kletterhalle-salzburg.at. **Bahn/Bus:** O-Bus 6 bis Austraße. Fußweg bis Wasserfeldstraße. **Auto:** Itzlinger Hauptstraße L118, links in Austraße, rechts Wasserfeldstraße. **Rad:** Salzachradweg vor Heizkraftwerk rechts, 1. Straße rechts. **Zeiten:** Mo – Do 10 – 23, Fr – So 10 – 21 Uhr. **Preise:** 12 €, 11 € für ÖAV-, DAV- und NF-Mitglieder; Kinder bis 12 Jahre 5,70 €, 13 – 17 Jahre 8,50 €; Familienrabatte. **Infos:** Verleih von Kletterschuhen 3 €, Klettergurt 2,50 €, Seil 3,50 € und Sicherungsgerät 1,90 €.

▶ Spielerisch werdet ihr hier an den Klettersport herangeführt. Aber auch die Profis unter euch können in der großen Kletterhalle in Salzburg immer wieder neue Routen entdecken. Sicherheitstrainings und Kletterkurse werden regelmäßig angeboten.

Klettern über den Dächern der Stadt

Kletterparcours Müllner Schanze, A-5020 Salzburg-Mülln. ✆ +43/662/8072-4901, www.stadt-salzburg.at. **Lage:** An der Mönchsbergwand, direkt an der Müllner Kirche. **Bahn/Bus:** O-Bus 7, 8 bis Bärenwirt.

Hunger & Durst

Pfenningeralm, Oberaustraße 33, Wals-Siezenheim. ✆ +43/664/4032709. www.pfenningeralm.at. Mi – Fr ab 16, Sa ab 14, So ab 11.30 Uhr. Urige Hütte mit Spielplatz direkt am Soccerpark.

In den Sommerferien könnt ihr wochenweise Kletterkurse besuchen. Preis 149 €, Termine auf www.denkundstein.at.

Abenteuertraining, Kuenburgstraße 8/3, Salzburg. ✆ +43/650/7345265. www.abenteuertraining.at. In Mülln: Mai – Sep, Sa ab 10 Uhr bei trockenem Wetter. Das Team von Stefan Meingassner unterstützt euch beim Klettern, 1 Std 15 €. Auch Verleih von Ausrüstung. Auf der Internetseite findet ihr noch viele weitere Kletter- und Abenteuertermine.

Auto: Parkplatz Mülln Bräu. **Rad:** Salzachradweg bis Müllnersteg. **Zeiten:** Ganzjährig frei zugänglich.

▶ Beim öffentlichen Kletterparcours in **Mülln** könnt ihr klettern und an verschiedenen Stationen eure Balance, Kondition und Koordination verbessern. Als Anfänger startet ihr am *Klettermeister* mit Kletterwand, Holzsteg, variablem Holzsteg, schrägem Seilnetz, Balancierteller und geradem Kletterseil. Auf den drei Bouldersteinen könnt ihr erste Übungen zum freien Klettern machen. Schaut mal auf die Hinweistafeln, hier findet ihr noch tolle Tipps und Übungen zum Klettern. Fortgeschrittene können sich direkt an der Kletterwand mit 12 Kletterrouten (Schwierigkeitsgrade 1 bis 6+) versuchen. Kletterausrüstung müsst ihr mitbringen! Als Gruppe könnt ihr an drei Stationen Team- und Strategiespiele ausprobieren.

Kletterpark Waldbad Anif

Kletterpark Waldbad Anif GmbH, Edi Schmöller, Waldbadstraße, A-5081 Anif. ✆ +43/664/4309380. www.kletterpark-salzburg.at. **Bahn/Bus:** Bus 170 bis Maximarkt, 1 km Fußweg. **Auto:** A10 Ausfahrt 8 Salzburg Süd, Richtung Anif, 1. Ampel rechts, nach 1 km Kreisverkehr beim Maximarkt 2. Ausfahrt Richtung Waldbad, P nach 500 m. **Rad:** Salzachradweg bis Wasserkraftwerk Urstein, führt direkt ins Waldbad. **Zeiten:** April Sa, So 10 – 17, Mai – Juni Fr – So 10 – 18 Uhr, Juli – Schulbeginn Salzburg täglich 10 – 18, Sep Fr – So 10 – 18, Okt Sa – So 10 – 17 Uhr. **Preise:** 22 €; Kinder bis 13 Jahre 15 €, 14 – 17 Jahre 18 €, Minikletterpark Kinder ab 3 Jahre 5 €; Family Happy Hour 10 – 11 Uhr: Familien mit Kindern unter 14 Jahre zahlen nur 15 €. Mit Salzburger Familienpass ganztägig Happy Hour.

Hier ist Balance gefragt: Hochseilakt im Kletterpark Anif
© Kletterpark Waldbad Anif

▶ Auf dem Gelände des Waldbades Anif befindet sich der Kletterpark Anif. Hier könnt ihr euren Mut, eure Kreativität und eure Kondition unter Beweis stellen. Auf 6 Parcours und an insgesamt 110 Stationen schwingt ihr euch wie Tarzan und Jane durch die Bäume. Für den großen Parcours müsst ihr 1,40 m groß sein oder in Begleitung eines Erwachsenen klettern. Für kleine und etwas größere Kletterfreunde 3 – 8 Jahre gibt es einen abgegrenzten Bereich. Hier könnt ihr euch auf überschaubarer Höhe von 1 m mit dem Klettern vertraut machen, balancieren und hangeln. Wer noch Lust auf ein kühles Bad hat – nur zu, das Badevergnügen im *Waldbad Anif* ist im Eintritt mit drin!

Klettern in der Südwand

Südwand Kletterhalle Anif, Eisgrabenstraße 32, A-5081 Anif. ✆ +43/6246/74256431, www.suedwand-anif.at. **Bahn/Bus:** Bus 25 bis Anif Reschbergerweg. **Auto:** A10 Richtung Villach, Ausfahrt 8 Salzburg Süd, B150 Alpenstraße Richtung Salzburg, nach 500 m links. **Zeiten:** Mo – Fr 10 – 14 und 17 – 22 Uhr, Sa 10 – 13 und 17 – 22 Uhr, So 10 – 22 Uhr. **Preise:** 12 €, 11 € für ÖAV, DAV und NF Mitglieder; Kinder bis 12 Jahre 5,70 €, 13 – 17 Jahre 8,50 €; Familienrabatte. **Infos:** Verleih von Kletterschuhen 3 €, Klettergurt 2,50 €, Seil 3,50 € und Sicherungsgerät 1,90 €.

▶ Klettern und kraxeln, das machen alle gern – doch wenn auch noch sportlicher Spaß hinzukommt, dann seid ihr in der Kletterhalle Südwand gut aufgehoben. Es gibt 50 verschiedene Kletterrouten, zwei Selbstsicherungsautomaten und 120 qm Boulderfläche. Für jeden ist etwas dabei. Und wenn ihr noch ein bisschen Training braucht, dann bucht einen Kletterkurs – die werden in der Halle angeboten.

Happy Birthday!
Kraxeln, spielen und eine zünftige (mitgebrachte) Jause verdrücken. So könnt ihr euren Geburtstag im Kletterpark feiern. Preis pro Kind mit Animation 15 €. Nur Miete Mini-Kletterpark pro Kind 5 €.

Happy Birthday!
Am Geburtstag wird geklettert. Min. 7 Kinder, 17,50 € pro Kind, Geburtstagskind und Erw frei. 2 Std Klettereinführung durch Trainer 40 € pro Std.

Wer hängt da in den Seilen?

Happy Birthday!
Geburtstagsfeiern im Hoppolino: Das Geburtstagskind erhält freien Eintritt. Je nachdem, wie viele Freunde mit euch feiern, zahlt ihr 11 – 13,50 € pro Kind. Mit Betreuung und Animationsprogramm wird es teurer.

Happy Birthday!
Geburtstagskinder können sich mit ihren Gästen bei Popcorn und Getränken im reservierten Zuschauerbereich exklusiv ein Heimspiel ansehen. Für Kinder 6 – 12 Jahre. Infos unter icehockeyrbs@redbulls.com.

Kinder-Spiel-Paradies Hoppolino
Eisgrabenstraße 32, A-5081 Anif. ✆ +43/6246/72161, Handy +43/664/1640223. www.hoppolino.at. **Bahn/Bus:** Bus 25 bis Anif Reschbergerweg. **Auto:** A10 Ausfahrt 8 Salzburg Süd, B150 Alpenstraße Richtung Salzburg, nach 500 m links. **Zeiten:** Mo – Fr 14 – 19 Uhr, Sa, So, Fei und Schulferien (Sommerferien nur bei Schlechtwetter) 10 – 19 Uhr. **Preise:** 3 €; Kinder 1 – 4 Jahre 5 €, 5 – 12 Jahre 7,90 €, ab 12 Jahre 10,50 €, Kinder ohne Begleitung 6 – 12 Jahre 9,80 €, 12 – 16 Jahre 13,50 €, ab 17 Uhr wird es günstiger; freien Eintritt haben am Wochenende vor 12 Uhr Erw, Mo Oma und Opa und Mi die Väter. **Infos:** In der Halle sind keine Straßenschuhe erlaubt. Socken mitbringen oder Hoppolino Anti-Rutschsocken für 5 € kaufen.

▶ Das Hoppolino ist ein großer **Indoor-Spielplatz** mit jeder Menge Spaßgarantie. Ob die Riesenrutsche hinuntersausen, mit den Spielzeugautos herumbrausen oder auf dem Trampolin in luftige Höhen hüpfen – ihr dürft laut sein und Spaß haben. Für die Minis gibt es einen abgetrennten Bereich.

Wintersport

Red Bull in der Eisarena
Hermann-Bahr-Promenade 2, A-5020 Salzburg. ✆ +43/662/630752, www.redbull.at. **Bahn/Bus:** O-Bus 6, 7, 10 bis Volksgarten. **Auto:** B150 bis Volksgarten. **Rad:** RKS-Radweg. **Zeiten:** Mo, Di, Do und Fr 18 – 20, Mi 16 – 18 Uhr, an Spieltagen ab 13 Uhr und an Tagen vor den Spieltagen 15 – 20 Uhr. **Preise:** 14,50 – 23,50 €; Kinder bis 14 Jahre 7 – 13 €; 2-Generationen-Ticket (1 Elternteil und 1 Kind) 15,50 – 33 €.

▶ Schon vier Mal war Red Bull österreichischer Eishockeymeister. Um die Stars bei einem Heimspiel zu sehen, solltet ihr mit euren Eltern in die Eisarena kommen. Die Stimmung ist einmalig und dem schnel-

Eislaufvergnügen mitten in Salzburg: Clara und Milan auf dem Mozarteis

len Spiel zu folgen, macht riesigen Spaß. Bekommt ihr da nicht auch Lust, mal wieder die Eislaufschuhe anzuziehen?

Eisarena im Volksgarten

Hermann-Bahr-Promenade 2, A-5020 Salzburg. ✆ +43662/623411, www.stadt-salzburg.at. **Bahn/Bus:** O-Bus Linie 6, 7, 10 bis Volksgarten. **Auto:** B150 bis Volksgarten. **Rad:** RKS-Radweg. **Zeiten:** Okt – März täglich 10 – 16.15 Uhr, Mo, Mi und Sa Abendlauf 19.15 – 20.30 Uhr. **Preise:** 4,20 €; Kinder 3 – 15 Jahre 2,40 €; mit Salzburger Familienpass je Elternteil 3,40 €, 1 Kind 2 €, 2 Kinder und mehr 3 €. **Infos:** Schlittschuhverleih 3,50 €.

▶ Das pure Eisvergnügen gibt es für alle in der Eisarena. Beim Publikumslauf könnt ihr auf zwei großen Eisflächen, davon ist eine im Freien, eure Runden drehen. Ein wenig fetziger wird es für die Älteren von euch beim Abendlauf, hier sind sicher die Profis unter sich. Habt ihr selbst keine Lust zu laufen, dann schaut euch doch ein temporeiches Heimspiel des *EC Red Bull Salzburg* in der Eisarena an.

Eislaufhalle Wals-Siezenheim

Josef Jobst (Platzwart), Steinerstraße 22, A-5071 Wals-Siezenheim. ✆ +43/662/850151, www.wals.salzburg.at. **Bahn/Bus:** Bus 32 bis Kindergarten Grünau.

 Wollt ihr hinter die Kulissen der Red Bull Arena schauen? dann schlagt in der nächsten Griffmarke nach!

Der Spielplatz an der Eishalle ist im Sommer ein beliebtes Ausflugsziel mit vielen Klettermöglichkeiten, Picknicktisch, Beachvolleyballfeld und viel Platz zum Spielen.

Auto: ↗ Wals, Richtung Käferheim, Käferheimer Straße, rechts Steinerstraße, P am Sportplatz. **Zeiten:** Nov – Feb Mi – Do 15 – 18, Fr 14 – 19, Sa, So, Fei 15 – 18 Uhr. **Preise:** 2 €; Kinder 6 – 15 Jahre 1,50 €; 10er-Block 15 €, Kinder 7 €. **Infos:** Leihgebühr für Schlittschuhe 2 €.

▶ Die kleine Eislaufhalle liegt direkt am Sportplatz in Grünau. Die Eisfläche ist nicht riesig, aber genau richtig für kleine Schlittschuhkünstler und solche, die es werden wollen. Denn hier könnt ihr ganz entspannt eure ersten Runden auf den Kufen drehen. Am Kiosk gibt es warme und kalte Erfrischungen.

Hunger & Durst
Berghof Dachsteinblick, Bergweg 2, Eugendorf. ✆ +43/6225/8289. www.berghof-dachsteinblick.at. Täglich 11 – 22 Uhr. Sonnenterrasse mit Spielgeräten, regionale Speisen.

Am Rande der Piste könnt ihr Schlitten fahren.

Ski fahren mit Ausblick
Familie Schweitzer, Bergweg 2, A-5301 Eugendorf. ✆ +43/6225/8289, www.berghof-dachsteinblick.at. **Lage:** Am Eugendorferberg. **Bahn/Bus:** Bus 140 bis Eugendorf Straß, Fußweg. **Auto:** B1 Eugendorf, ab Autobahnkreisverkehr Beschilderung Skilift folgen. **Zeiten:** Bei entsprechender Schneelage 9 – 16 Uhr. **Preise:** Halbtageskarte 12,50 €; Kinder 6 – 15 Jahre 9,50 €.

▶ In der Flachgauer Gemeinde Eugendorf bei Salzburg gibt es einen netten Skihang mit Schlepplift. Die etwa 1 km lange Abfahrt sausen Anfänger und Profis mit ihren Skiern oder Snowboards hinunter.

UMWELT ERFORSCHEN

Tiere & Natur erleben

Zoo Salzburg
Anifer Landesstraße 1, A-5020 Salzburg. ✆ +43/662/820176-0, www.salzburg-zoo.at. **Bahn/Bus:** Bus 25 bis Anif Zoo Salzburg. **Auto:** A10 Ausfahrt 8 Salzburg Süd, Richtung Anif, 1. Ampel links Richtung Zoo etwa 1 km. **Zeiten:** Jan – März täglich 9 – 16, April – Juni 9 – 17, Juli – Aug 9 – 18.30, Sep – Okt 9 – 17, Nov – Dez 9 – 16 Uhr. **Preise:** 9,50 €; Kinder 4 – 14 Jahre 4 €, 15 – 19 Jahre 7 €; Familie (2 Erw und 1 Kind) 21,50 €, jedes weitere Kind 3,50 €, mit Salzburger Fa-

milienpass pro Kind 2 €. **Infos:** Futter für den Streichelzoo gibt es an der Kasse für 2,70 €.

▶ Wo liegt Europa direkt neben Asien und keine 500 m weiter befindet ihr euch schon mitten in Afrika? Klar, im Salzburger Zoo! Denn hier könnt ihr Tiere aus allen Kontinenten der Welt bestaunen. Seit 2010 gibt es auch wieder einen Bewohner im neuen Löwenhaus. Eine Attraktion bei den kleinen Besuchern ist der Streichelzoo. Hier dürft ihr die kleinen Ziegen nach Herzenslust streicheln und füttern. Warum die Flamingos rot sind, wie die Nashörner geschützt werden oder wie weit der Leopard springt – diese und andere Fragen werden euch auf anschauliche Art erklärt. Die Fütterungszeiten und wann es bei den Zootieren kürzlich Nachwuchs gab, seht ihr auf einer Informationstafel am Eingang. Und solltet ihr selbst Hunger bekommen, findet ihr im Selbstbedienungsrestaurant **Mahlzeit im Zoo** sicherlich etwas, was euch schmeckt. Besondere Attraktionen an Tagen wie Fasching, Ostern oder Halloween machen den Zoo immer wieder zu einem besonderen Ausflugsziel.

Haus der Natur
Verein Haus der Natur, Museumsplatz 5, A-5020 Salzburg. ✆ +43/662/842653, www.hausdernatur.at. **Bahn/Bus:** O-Bus 1 bis Mönchsbergaufzug. **Auto:** ↗ Salzburg, Altstadtgarage A, Ausgang Haus der Natur. Parkticket entwerten lassen. **Rad:** Salzachradweg bis Haus der Natur. **Zeiten:** Täglich 9 – 17 Uhr. **Preise:** 6 €; Kinder 4 – 15 Jahre 4 €; Familienkarte 1 Erw und 1 Kind 9,50 €, 2 Erw und 1 Kind 15,50 €, jedes weitere Kind 3,50 €, mit Salzburger Familienpass je 1 € weniger.

▶ Sehen, erleben, experimentieren – Forscher und kleine Naturwissenschaftler aufgepasst! In mehr als 35 Ausstellungen werden verschiedenste Phänomene der Natur aufgedeckt und erklärt. Entdeckt Urzeittiere und Dinosaurier, unternehmt eine Reise durch

Eindeutig ein Einhorn, oder?

© Zoo Salzburg

Happy Birthday!
Tolles Programm von und mit Zoopädagogen. Für Kinder ab 6 Jahre, Dauer circa 90 Min. 35 € plus Eintritt. Anmeldungen und Infos unter ✆ 820176-11. Soll es nur ein besonderes Geburtstagsessen sein, bekommt ihr dies im Zoorestaurant für 5,90 € pro Kind.

Happy Birthday!
Wenn ihr 6 – 12 Jahre alt seid und mit max. 10 Kindern feiern wollt, dann bietet das Haus der Natur eine Menge Möglichkeiten. Weltraum, Insekten oder Dinosaurier? Preis: 43 €.

den menschlichen Körper oder lasst euch in den Weltraum entführen. Im neuen *Science Center* sind eigene Muskelkraft und Köpfchen gefragt. Fühlt euch wie ein Weltmeister, wenn ihr auf dem interaktiven *Ski glider* steht und im simulierten Abfahrtslauf das Gleichgewichtsgefühl testet. Oder erlebt am eigenen Leib, wie sich mobilitätseingeschränkte Menschen im Alltag fühlen, wenn sie mit ihrem Rollstuhl unterwegs sind. In der Abteilung *Akustik & Musik* gibt es eins auf die Ohren. Setzt euch auf einen der Schwingungsstühle und fühlt die Musik am ganzen Körper. Ausprobieren ist hier ausdrücklich erwünscht! Extra Ferienprogramme lassen auch die Sommerferien kurzweilig werden. Insgesamt ein echter Schlechtwettertipp, der eigentlich keiner ist – denn bei Regenwetter ist es in den Sommermonaten extrem voll im Haus der Natur.

Sternwarte Bergheim
Helmut Winhager, A-5101 Bergheim. ✆ +43/662/454505, Handy +43/664/617600. http://astronomie.hausdernatur.at. **Lage:** Auf dem Voggenberg in Bergheim. **Bahn/Bus:** Bus 111 bis Bergheim b. Salzburg Bhf, ab Bergheim Bhf Bus 110 bis Voggenberg Ortsmitte. **Auto:** In Bergheim Beschilderung folgen. **Zeiten:** Do bei sternklarem Himmel, Führungsbeginn Jan – März 20, April 21, Mai 22, Juni 22.30, Juli – Aug 22, Sep 2, Okt – Dez 20 Uhr. **Preise:** Kostenfrei, aber Spende für den Betrieb und Erhalt der Sternwarte erwünscht.

▶ Jeden Donnerstag Abend könnt ihr in Bergheim auf eine kosmische Reise gehen. Lasst euch, bei guter Sicht, das Sternenbild von einem Profi zeigen. Und am Ende ist die Frage geklärt, wo der Große Wagen ist. Hat euch die Astronomie in ihren Bann gezogen? Dann besucht doch einmal das Jugendtreffen der Arbeitsgruppe für Astronomie im ÖNJ-Heim (links neben dem Haupteingang des Hauses der Natur), immer am letzten Samstag im Monat (außer Juli und August) um 18 Uhr.

Hunger & Durst
Landgasthof Windinggut, Windingstraße 1, Bergheim. ✆ +43/662/450196. Täglich 10 – 22 Uhr. Vor dem In-die-Sterne-Gucken könnt ihr euch noch stärken.

*Der Überlieferung nach, stand an der Stelle der Sternwarte schon früher ein **keltisches Orakel** für astronomische Beobachtungen.*

SALZBURG: WISSEN & KULTUR

SALZBURG: NATUR & SPORT

SALZBURG: WISSEN & KULTUR

SALZBURGER SEENLAND

ATTERSEE & ATTERGAU

IRRSEE & MONDSEE

FUSCHLSEE

WOLFGANGSEE & BAD ISCHL

HALLEIN & TENNENGAU

INFO & FERIENADRESSEN

REGISTER & KARTEN

VON MUSEN UND MUSEEN

Sicherlich kennt ihr den bekanntesten Sohn Salzburgs, Wolfgang Amadeus Mozart. Wenn ihr Spannendes über Mozart und seine Familie erfahren möchtet, dann besucht doch das Mozartgeburtshaus in der Getreidegasse. Für alle Fans der klassischen Musik, empfehle ich eines der tollen Familienkonzerte der Salzburger Kinderfestspiele.

Überhaupt könnt ihr in Salzburg viel Kultur erleben. Ob Kino oder Theater, Museum oder Konzert – überall haben sich die Erwachsenen tolle Sachen für euch Kinder einfallen lassen, sodass garantiert keine Langeweile aufkommt!

Betriebsbesichtigung

Führung durch die Red Bull Arena

FC Red Bull Salzburg, Stadionstraße 2/3, A-5071 Wals-Siezenheim. ✆ +43/662/433332, www.redbulls.com. **Bahn/Bus:** O-Bus 1 bis Red Bull Arena. **Auto:** A1 Ausfahrt 293 Klessheim, Beschilderung Stadion. **Rad:** Rossbräu-Europark Radweg. **Zeiten:** Jeden Sa 10 – 11.30 Uhr (Voranmeldung bis Mi im Internet). Anmeldung für Gruppen über 15 Pers unter ✆ +43/ 662/ 433332. An Heimspieltagen keine Führungen. **Preise:** 4 €. **Infos:** Jeder Teilnehmer einer Führung erhält einen Wertgutschein über 4 €, der für ein Heimspiel des FC Red Bull Salzburg eingelöst werden kann.

▶ Möchtet ihr einmal sehen, wo eure Helden sich vor dem Spiel und während der Pausen aufhalten? Dann werft doch einen Blick hinter die Kulissen des Vereins und des Stadions. Lauft selbst durch den Spielertunnel und nehmt auf der Trainerbank Platz.

Die Stadionführung ist für alle großen und kleinen Fußballfans ein Muss. Habt ihr noch mehr Lust auf Fußball und Bullidibumm, das Maskotchen der Roten Bullen, schaut euch auf der Internetseite www.bullidikidz.com um.

HANDWERK UND GESCHICHTE

Happy Birthday!
Min. 6 Kinder feiern 15 – 18 Uhr in der Red Bull Arena mit Stadionführung, Torwand-Schießen, Fußball-Quiz, Foto-Shooting mit Bullidibumm und Verpflegung. 17 € pro Kind, info@bullidikidz.com.

Salzburgs Wunderknabe: Wolfgang Amadeus Mozart

Burgen, Schlösser & Museen

Festung Hohensalzburg

Mönchsberg 34, A-5020 Salzburg. ✆ +43/662/842430-11, www.hohensalzburg.com. **Lage:** Oberhalb der Stadt. **Länge:** Aufstieg zur Festung etwa 30 Min, sehr steiler Anstieg, kinderwagentauglich bei entsprechender Kondition der Eltern. **Bahn/Bus:** O-Bus 1, 4 und 10 bis Herbert-von-Karajan-Platz, Fußweg zur Festungsbahn. **Auto:** ↗ Salzburg, Altstadtgarage B Ausgang Toskanihof. **Zeiten:** Jan – April, Okt – Dez 9.30 – 17 Uhr, Mai – Sep 9 – 19 Uhr, Adventwochenenden und Ostern 9 – 18 Uhr. **Preise:** Ohne Festungsbahn 7,80 €; Kinder 6 – 14 Jahre 4,40 €; Familie (1 Erw, bis zu 5 Kinder) 17,70 €, mit Salzburger Familienpass freier Eintritt in das Festungsareal (Museen und Audioguide sind zu zahlen). **Infos:** Preise mit Festungsbahn plus 3 €.

▶ Wollt ihr rauf auf die Festung, dann steht ihr vor der Entscheidung: Fahrt mit der Festungsbahn oder Fußmarsch? Ein Fußmarsch ist zwar anstrengend, aber durchaus zu empfehlen. Fühlt euch ein wenig wie die Ritter, die den steilen Berg hinauf kamen und sicherlich von der imposanten Burg beeindruckt waren. Immerhin wurde die Festung Hohensalzburg in 900 Jahren nie erstürmt. Auf dem Weg nach oben geht ihr durch vier Sperrtore, die alle einzeln geschlossen werden konnten. Oben angekommen, müsst ihr erst mal verschnaufen und könnt euch dann auf Entdeckungstour machen. Ein Rundgang durch die Fürstenzimmer mit Audioguide ist sehr zu empfehlen, hier gibt es auch eine extra Kinderversion. Habt ihr die lustigen Marionetten im **Marionettenmuseum** schon gesehen? Wenn euch der Hunger erwischt, könnt ihr in der **Burgschenke** oder der **Burgtaverne** einkehren. Müde von den vielen Stufen und den weiten Wegen? Dann wählt doch für den Rückweg die Festungsbahn.

Hunger & Durst

Restaurant zur Festung Hohensalzburg, Am Mönchsberg 34, Salzburg. ✆ +43/0662/841780. www.festungs-restaurant.at. April 10.30 – 17, Mai – Sep 9.30 – 21.30, Okt – Dez 10.30 – 21, März Mi – So 10.30 – 17 Uhr. Ein bisschen ritterlich fühlt man sich hier oben schon.

Der Salzburger Stier ist kein Tier, sondern eine alte mechanische Orgel. Sie spielte drei Mal täglich als Zeichen, dass die Stadttore geöffnet oder geschlossen wurden.

Lustschloss und Wasserspiele: Hellbrunn

Schlossverwaltung Hellbrunn, Fürstenweg 37, A-5020 Salzburg.
✆ +43/662/820372-0, www.hellbrunn.at. **Lage:** Salzburg-Süd. **Bahn/Bus:** Bus 25 bis Schloss Hellbrunn. **Auto:** A10 Ausfahrt 8 Salzburg Süd, Richtung Anif, Beschilderung Hellbrunn folgen. **Rad:** Salzburger Nachrichten Radweg. **Zeiten:** April, Okt, Nov täglich 9 – 16.30, Mai, Juni, Sep 9 – 17.30, Juli, Aug 9 – 21 Uhr (ab 18 Uhr nur Wasserspiele). **Preise:** 10,50 €; Kinder 4 – 18 Jahre 5 €; Familie (2 Erw und 2 Kinder) 24 €, jedes weitere Kind 2 €, Studenten 19 – 26 Jahre 6,50 €, Ermäßigung mit Salzburger Familienpass. **Infos:** Es gibt Kombitickets für Wasserspiele und Zoo Salzburg.

Auf diesem Tisch hat sich schon die Verlegerin einen nassen Hintern geholt: »Pepi« Magnus, dem schelmischen Restaurator der feuchten Spiele, sei Dank

© Bayern Tourismus

▶ *Markus Sittikus von Hohenems* war 1612 – 1619 **Fürsterzbischof** zu Salzburg und in dieser Zeit ließ er ein Lustschloss erbauen, rein für sein Vergnügen. Und dass der Halbitaliener Sittikus ein Faible für Italien hatte, das spürt ihr auch heute noch. Flaniert ein wenig durch den kunstvoll angelegten Teil des Parks, vorbei an Goldfisch- und Karpfenteichen. Aber aufgepasst: Der alte Hausherr war ein wahrer Schelm! Warum, erfahrt ihr, wenn ihr euch auf die geführte Tour durch die Gartenanlagen mit den Wasserspielen macht. Hier seht ihr allerlei Grotten, ein mechanisches Theater und einen ganz besonderen Fürstentisch. Im Schloss selbst gibt es eine Audiotour, die ebenfalls ziemlich kuriose Dinge aus dem Leben des Füsterzbischofs verrät. Besonders bunt und schön sind die Decken und Wände im Festsaal bemalt.

*Ein **Fürsterzbischof** vereinigte die kirchliche und weltliche Macht. Sittikus ließ das Monatsschlösschen auf dem Hellbrunner Berg in nur einem Monat bauen.*

@ Das Programm zur diesjährigen Museumswoche findet ihr hier: www.salzburg.gv.at/museumswoche

Ab ins Museum!

Landesverband Salzburger Museen und Sammlungen, Zugallistraße 12, A-5020 Salzburg. ✆ +43/662/80422604, www.tagdermuseen.at. **Zeiten:** Im Mai. **Preise:** An diesen Tagen in vielen Museen kein Eintritt.

▶ Rund um den internationalen Museumstag (am 3. So im Mai) öffnen im ganzen Land viele große und kleine Salzburger Museen seit 2008 ihre Türen für euch. Eine Woche lang könnt ihr schauen, staunen, probieren und euch informieren. Viele Museumsleute haben sich ein besonderes Programm für Kinder ausgedacht.

Dommuseum und Salzburger Dom

Domplatz 1a, A-5010 Salzburg. ✆ +43/662/8047-1860, 8047-1870. www.kirchen.net/dommuseum. **Bahn/Bus:** O-Bus 1, 4 und 10 bis Herbert-von-Karajan-Platz, 2 Min Fußweg. **Auto:** ➚ Salzburg, Altstadtgarage B, Ausgang Toskaninihof. **Zeiten:** Museum Juli – Aug täglich 10 – 17 Uhr, Sep – Juni Mi – Mo, Dom ganzjährig Jan, Feb, Nov Mo – Sa 8 – 17, So, Fei 13 – 17 Uhr, März, April, Okt, Dez Mo – Sa 8 – 18, So, Fei 13 – 18 Uhr, Mai – Sep Mo – Sa 8 – 19, So, Fei 13 – 19 Uhr. **Preise:** Dom kostenfrei, Museum 12 €; Kinder 6 – 18 Jahre 5 €, freier Eintritt mit Salzburger Familienpass; Familie (2 Erw und Kinder bis 15 Jahre) 27 €. **Infos:** Eintrittskarte gilt für Domquartier sowie Ausstellungen.

@ Klickt euch durch die von Kindern gestalteten Seiten www.meindeindom.at. Schaut euch die Videos an und ihr bekommt richtig Lust auf einen Besuch des Salzburger Doms.

☀ *Das Domquartier besteht aus Dommuseum, Museum St. Peter, Residenzgalerie und Residenz-Prunkräume.*

Hier könnt ihr den Domkapellknaben lauschen: Salzburger Dom

▶ Im Dommuseum könnt ihr euch einen Kinder-Audioguide (gratis) holen oder an einer Führung teilnehmen. So erfahrt ihr Spannendes und Kurioses über den Dom und seine Geschichte.

Den Dom könnt ihr jederzeit besuchen. Schaut auf der Seite www.meindeindom.at nach. Hier findet ihr unter *Schätze im Dom* eine Domrallye zum Ausdrucken. Damit kommt ihr zu den spannendsten Plätzen im Dom. Natürlich könnt ihr den Dom auch bei einem feierlichen Gottesdienst besuchen und vielleicht habt ihr Glück und es singen die **Domkapellknaben und -mädchen,** ein Chor, den es schon seit 1393 gibt.

Hier wird gspiiieeelt!

Spielzeugmuseum, Bürgerspitalgasse 2, A-5010 Salzburg. ✆ +43/662/620808-301, www.spielzeugmuseum.at. **Bahn/Bus:** O-Bus 1, 4, 10 bis Herbert-von-Karajan-Platz. **Auto:** ↗ Salzburg, Altstadtgarage A, Ausgang Bürgerspital. **Rad:** Radweg am Rudolfskai bis Haus der Natur, Richtung Innenstadt. **Zeiten:** Museum Di – So 9 – 17 Uhr, 24. und 31.12. 9 – 14 Uhr, 1. Jan 13 – 17 Uhr, 1. Nov und 25. Dez geschlossen. Kreativ- und Theaterwerkstatt jeden Monat verschiedene Termine, jeweils 1,5 Std. **Preise:** 4 €; Kinder 4 – 15 Jahre 1,50 €, Jugendliche 16 – 26 Jahre 2 €, Kreativ- und Theaterwerkstatt Kinder ab 5 Jahre etwa 4 €, Museumskasperl 4 € inkl. Museumseintritt; Familie (2 Erw und Kinder) 8 €, mit Salzburger Familienpass 20 % Ermäßigung auf Familienkarte.

▶ Bunt geht es zu im **Spielzeugmuseum.** Ob Balanceübungen, überdimensionale Murmelbahnen oder Puppenstuben und Kaufmannsladen – in allen Räumen gibt es was zu erleben und zu entdecken. Di und Do 15 – 16 und Sa 10 – 12 Uhr lädt eine große Carrera Rennbahn zu schnellen Rennen ein.

Happy Birthday!
Ob spielen, kreativ basteln oder eine tolle Schatzsuche machen – ihr habt die Wahl. 2 Std kosten 120 € (inkl. Eintritt, Begleitpersonen frei, ohne Verpflegung). ✆ 620808-301, katharina.speil@salzburgmuseum.at.

Geht auch mit Gipsarm: Bauen im Spiezeugmuseum
© Spielzeugmuseum Salzburg

Bringt eure Autos vom Typ Carrera Digital 124 oder Carrera Digital 132 mit. Spannende Nachmittage erlebt ihr in der **Kreativ- und Theaterwerkstatt.** Dann wird mit Fantasie gebastelt oder ihr schaut hinter die Kulissen und steht als Schauspieler auf großer Bühne. Das aktuelle Programm findet ihr auf der Internetseite.

Jede Woche kommt das **Museumskasperl** zu Besuch (ab 3 Jahre), genaue Termine findet ihr im Internet.

Museum der Moderne Salzburg Rupertinum

Wiener-Philharmoniker-Gasse 9, A-5020 Salzburg. ✆ +43/662/842220-351, www.museumdermoderne.at. **Lage:** Altstadt, Nähe Festspielhaus. **Bahn/Bus:** O-Bus 1, 4 und 10 bis Herbert-von-Karajan-Platz, 2 Min Fußweg. **Auto:** ↗ Salzburg, Altstadtgarage B, Ausgang Toskaninihof. **Rad:** Radparkplatz Anfang der Hofstallgassse. **Zeiten:** Di – So 10 – 18, Mi 10 – 20 Uhr, alle beschriebenen Veranstaltungen beginnen um 15 Uhr, Dauer etwa 1,5 Std, Sommer-Ferienatelier Beginn 10.15 Uhr, Dauer 2 Std; für alle Veranstaltungen telefonische Anmeldung. **Preise:** 6 €; Kinder 6 – 18 Jahre 4 €, Miniatelier (3 – 5 Jahre) 4 €, Atelier 6+ (6 – 9 Jahre) 4 €, Sommer-Ferienatelier (9 – 12 Jahre) 6 €; Familienkarte max. 2 Erw und eigene Kinder (bis 15 Jahre) 8 €, Ermäßigung mit Salzburger Familienpass.

▶ Das Rupertinum ist dem Museum der Moderne angegliedert. Das bereits 1350 erwähnte Rupertinum diente zunächst als Priesterseminar und wurde bis 1974 als Schüler- und Studentenheim geführt. Seit 1983 befindet sich das Museum für moderne Kunst und Graphische Sammlung in dem barocken Bauwerk. In den Räumlichkeiten des Rupertinums finden eine Menge spannender Workshops für Kinder statt. So schärfen im Miniatelier die 3- bis 5-Jährigen ihren Künstlerblick und erproben ihr Können auch gleich im Atelier. Die 6- bis 9-Jährigen können sich im Atelier 6+ künstlerisch austoben. Gemalt, geschnitten,

Happy Birthday!
Zum Geburtstag könnt ihr auf eine Entdeckungsreise durch die Welt der Kunst gehen. In der Bastelwerkstatt werdet ihr anschließend selbst kreativ. Dauer 2 Std, 90 €, max. 12 Kinder.

geklebt und gefachsimpelt wird hier einmal in der Woche zu unterschiedlichen Themen. Und in den Sommerferien geht es ins Sommer-Ferienatelier.

Mozarts Geburtshaus

Getreidegasse 9, A-5020 Salzburg. ✆ +43/662/844313, www.mozarteum.at. **Lage:** Innenstadt, Fußgängerzone. **Bahn/Bus:** O-Bus bis Hanuschplatz oder Rathaus, 2 Min Fußweg. **Auto:** ↗ Salzburg, Altstadtgarage A, Ausgang Getreidegasse. **Rad:** Salzachradweg bis Staatsbrücke. **Zeiten:** Täglich 9 – 17.30 Uhr, Juli, Aug 9 – 20 Uhr, letzter Einlass 30 Min vor Schließung. **Preise:** 10 €; Kinder 6 – 14 Jahre 3,50 €, Jugendliche 15 – 18 Jahre 4 €; Familie (2 Erw mit Kindern) 21 €, mit Salzburger Familienpass 15 €. **Infos:** Kombitickets für Geburts- und Wohnhaus. Auf Anfrage werden von der Stiftung Mozarteum Führungen und Workshops für Jugendgruppen und Schulklassen organisiert.

▶ In der **Getreidegasse 9** wurde am 27. Jänner 1756 *Wolfgang Amadeus Mozart* geboren. Ein Besuch des Hauses lässt euch eintauchen in die Welt der Musik, aber auch in die damalige Zeit. Wie hat die Familie Mozart gelebt? Wie ist sie gereist? All das erfahrt ihr hier. Wenn ihr schon lesen und schreiben könnt, dann holt euch an der Kasse ein Faltblatt mit

 Café Konditorei Fürst, Alter Markt/Brodgasse 13, Salzburg. ✆ +43/0662/8437590. www.original-mozartkugel.com. Mo – Sa 8 – 20, So 9 – 20 Uhr. Ein richtiges Salzburger Caféhaus und hier gibt es die original Mozartkugeln – aufwändig von Hand getunkt.

 Wenn ihr die Getreidegasse (einst die wichtigste Gasse in Salzburg) besucht, dann schaut einmal über die Eingänge der Geschäfte. Seht ihr die hübschen schmiedeeisernen Schilder? Sie zeigen euch, um welche Art von Geschäft es sich handelt.

▶ Am 27. Januar 1756 in Salzburg geboren, galt Wolfgang Amadeus Mozart schon früh als Wunderknabe. Er komponierte Stücke und Opern, die weltbekannt wurden, wie z.B. die *Zauberflöte,* und spielte schon als kleiner Junge wunderbar Klavier. Sein Vater Leopold und auch seine Schwester, genannt Nannerl, waren ebenfalls sehr musikalisch. In Salzburg könnt ihr das Geburtshaus von Mozart in der **Getreidegasse** besuchen. Gelebt hat er später dann am **Makartplatz** – auch das Wohnhaus könnt ihr besuchen. Gestorben ist er allerdings in Wien und zwar im Alter von nur 35 Jahren. ◀

WOLFGANG AMADEUS MOZART

allerlei Fragen rund um das, was ihr im Museum seht und erlebt. Eine kleine Belohnung bekommt ihr, wenn ihr das ausgefüllte Heft beim Shop wieder abgebt.
Acht Jahre lebten die Mozarts auf der anderen Seite der Salzach. Das *Wohnhaus* der Familie am *Makartplatz* könnt ihr auch besuchen und auf einem Rundgang vieles aus der damaligen Zeit entdecken.

Kunst entdecken: Museum der Moderne
Mönchsberg 32, A-5020 Salzburg. ✆ +43/662/842220-403, www.museumdermoderne.at. **Bahn/Bus:** O-Bus 1, 4 und 10 bis Mönchsbergaufzug. Eingang rechts. Eintrittskarten für Museum an der Liftkasse. **Auto:** ↗ Salzburg, Altstadtgarage A, Ausgang Mönchsbergaufzug. **Rad:** Salzachradweg Höhe Haus der Natur abbiegen bis Mönchsbergaufzug. **Zeiten:** Di – So 10 – 18, Mi 10 – 20 Uhr, Familiensonntage Beginn 15 Uhr, Dauer etwa 1,5 Std. **Preise:** 8 €; Kinder 6 – 18 Jahre 6 €, Familiensonntag 4 € pro Kind; Familienkarte max. 2 Erw und eigene Kinder (bis 15 Jahre) 12 €, Ermäßigung mit Salzburger Familienpass.

▶ Das Museum der Moderne liegt hoch über der Stadt Salzburg auf dem *Mönchsberg (540 m)*. Es bietet **zeitgenössische Kunst** in Wechselausstellungen und besitzt eine große Sammlung zeitgenössischer Exponate. Für die Kunstvermittlung an Kinder haben sich die Museumsleute einiges einfallen lassen. Einmal im Monat finden die Familiensonntage statt. Während eure Eltern eine Führung mitmachen, geht ihr mit einer Museumspädagogin und anderen Kindern zu einzelnen Ausstellungsstücken, betrachtet diese, besprecht, was ihr seht und was der Künstler wohl mit seiner Kunst aussagen will. Anschließend seid ihr selbst die Künstler und begebt euch in die Bastelwerkstatt, hier könnt ihr aktiv Kunst gestalten.

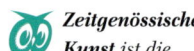 *Zeitgenössische Kunst* ist die Kunst, die von Zeitgenossen, also von Menschen, die noch leben, gestaltet wird. Sie spiegelt oft Dinge und Probleme der Gegenwart wider.

Mit Little Amadeus die Stadt erkunden
Tourist-Info Mozartplatz, Mozartplatz 5, A-5020 Salzburg. ✆ +43/662/88987-330, www.salzburg.info.

Bahn/Bus: O-Bus Linien bis Mozartsteg. **Auto:** A1 oder A10 (mautpflichtig), Park & Ride Parkplätze nahe der Autobahn nutzen, Shuttlebus in die Innenstadt. **Zeiten:** Jan – März Mo – Sa 9 – 18 Uhr, April, Mai täglich 9 – 18 Uhr, Juni täglich 9 – 18.30 Uhr, Juli, Aug täglich 9 – 19 Uhr, Sep – Dez Mo – Sa 9 – 18 Uhr (Advent, Weihnachten und Silvester länger).

▶ Möchtet ihr die Stadt Salzburg als Stadtforscher erkunden und einen tollen Rundgang entlang den wichtigsten Sehenswürdigkeiten machen? Dann druckt euch aus dem Internet das pdf-Dokument *Stadtforscher unterwegs* aus. Insgesamt 13 Stationen müsst ihr aufsuchen und dort eine Frage beantworten. Augen auf, denn die Fragen können tatsächlich nur an der jeweiligen Station richtig beantwortet werden. Alles ausgefüllt? Dann schreibt noch euren Namen und eure Adresse auf, gebt alles bei der Tourist-Info ab und nehmt am Stadtforscher-Gewinnspiel teil. Den Spielplan bekommt ihr unter www.salzburg.info, Menüpunkt Service, Klick auf *Salzburg für …*, Klick auf *Familien. Kinder entdecken Salzburg: Stadtforscher unterwegs.*

Bitte lächeln: Ein Foto mit dem berühmten Komponisten Mozart

© Zauchtalerhof

Auf Zeitreise im Freilichtmuseum

Hasenweg, A-5084 Großgmain. ✆ +43/662/850011, 850011-14 (Geburtstagsfeiern). www.freilichtmuseum.com. **Bahn/Bus:** Bus 180 bis Großgmain Freilichtmuseum. **Auto:** B1 Richtung Deutschland, links auf Salzburger Straße Richtung Großgmain, Ortsteil Hinterreit. **Zeiten:** März – Anfang Nov Di – So 9 – 18, Juli und Aug täglich 9 – 18, ab Mitte Okt 9 – 17 Uhr. **Preise:** 10 €, mit Gästekarte 8 €; Kinder ab 6 Jahre, Studenten 5 €; Familie (Eltern mit Kindern bis 18 Jahre) 20 €, Ermäßigung bei Anreise mit dem Postbus, Salzburger

❓ Ein tolles Stadtentdecker-Malbuch zu den wichtigsten Sehenswürdigkeiten ist *Entdecke Salzburg – der Löwe Leo zeigt dir die Stadt.* 6,99 €, www.bestofsalzburg.org. ISBN 978-3-2000-2545-5.

Happy Birthday!
Freier Eintritt für Geburtstagskinder! Feiert mit Seilziehen und Stelzenlauf. Für Kinder 6 – 10 Jahre, 50 € plus 3 € Eintritt, 1 Begleitperson frei, Dauer: 1,5 Std.

Hunger & Durst
Gasthaus Salettl, Hasenweg, Großgmain. ✆ +43/0662/850011-27. www.freilichtmuseum.com. Öffnungszeiten wie Museum. Großer Gastgarten, Erlebnisspielplatz.

Familienpass, Salzburgerland Card. **Infos:** Bollerwagenverleih.

▶ Wie sah es in der alten Dorfschule aus? Oder interessiert ihr euch für Oldtimer-Traktoren? Auf dem weitläufigen Gelände des Freilichtmuseums taucht ihr ein in die Welt der letzten sechs Jahrhunderte. Spaziert in die original aufgebauten Höfe hinein und erfahrt viel über das Leben auf dem Land. Die Arbeit mit den einfachen, schweren Geräten war oft mühsam. Erlebt hautnah das enge Zusammenleben von Mensch und Tier. Zu entdecken gibt es in jedem Winkel der Häuser so viel, dass ein Tag im Freilichtmuseum kaum ausreichen wird, um alles zu sehen. In den Sommermonaten finden jeden So 10 – 17 Uhr Handwerksvorführungen in verschiedenen Höfen statt. Im Eintrittspreis inbegriffen ist die Fahrt mit der Museumseisenbahn. Für eine Verschnaufpause könnt ihr im **Gasthaus Salettl** einkehren.

BÜHNE, LEINWAND & AKTIONEN

In jedem Stück des Marionettentheaters treten 20 – 90 **Marionetten** *auf. Insgesamt gibt es etwa 500 Puppen im Salzburger Marionettentheater.*

Theater & Musik

Salzburger Marionettentheater
Schwarzstraße 24, A-5020 Salzburg. ✆ +43/662/872406, www.marionetten.at. **Bahn/Bus:** Bus 27 bis Landestheater, O-Bus 3, 5 bis Makartplatz, Fußweg. **Auto:** ↗ Salzburg, Ignaz-Harrer Straße, Lehener Brücke überqueren, 1. Ampel rechts in Schwarzstraße, nach 500 m links. **Zeiten:** Kassenöffnungszeiten Weihnachten, Ostern, Mai – Sep 9 – 13 Uhr und 2 Std vor jeder Vorstellung. **Preise:** Verschiedene Sitzplatzkategorien 18 – 35 €; Kinder bis 12 Jahre 14 €.

▶ In Salzburg tanzen die Puppen, nach Melodien aus zahlreichen Opern oder bekannten Kinderstücken, wie *Peter und der Wolf*. Lasst euch verzaubern von den **Marionetten** und taucht ein in die Welt der Puppen, der Musik und des Theaters. Für Kinder empfiehlt sich die einstündige Vorstellung am Nachmittag.

Große Musik für kleine Zuhörer

Kinderfestspiele der Philharmonie Salzburg, Ticketverkauf Salzburger Kulturvereinigung, Waagplatz 1a, A-5020 Salzburg. ✆ +43/662/845346, www.kinderfestspiele.com. Die Konzerte finden im Amadeus Terminal 2 Salzburg Airport oder in der Großen Universitätsaula statt. **Bahn/Bus:** O-Bus 2 bis Salzburg Airport. **Auto:** Innsbrucker Bundesstraße B1 bis Airport. **Zeiten:** Verschiedene Termine pro Saison. **Preise:** 18 €, 5er-Abo 64 €, 6er-Abo 72 €; Kinder 3 – 18 Jahre 11 €, 5er-Abo 39 €, 6er-Abo 44 €; 10 % Ermäßigung mit Salzburger Familienpass.

Ausprobieren ausdrücklich erlaubt: Vielleicht steckt in euch auch ein Wunderkind

▶ Seit 2007 verzaubern die jungen Musiker der Philharmonie Salzburg die kleinen Klassikneulinge. Auf dem Programm stehen Stücke wie *Peter und der Wolf, Till Eulenspiegel* aber auch bekannte klassische Werke wie *Die Moldau* oder *Schwanensee*. Mit viel Spaß und unterhaltsamen Elementen werdet ihr einen Ohrenschmaus der besonderen Art erleben. Bei den Konzerten im Amadeus Terminal könnt ihr im Anschluss an das Konzert selbst die Musikinstrumente ausprobieren und es erwartet euch noch eine Überraschung – aber die wird jetzt nicht verraten.

@ Für alle Informationen rund um die Familienkonzerte, Teeniekonzerte und Workshopkonzerte für Kindergartengruppen und Schulklassen klickt euch auf www.kinderfestspiele.com durch.

Kleines Theater für junges Publikum

kleines theater.haus der freien szene, Schallmooser Hauptstraße 50, A-5020 Salzburg. ✆ +43/662/872154 (Mo – Fr 10 – 14 Uhr), www.kleinestheater.at. **Bahn/Bus:** Salzburg Hbf O-Bus 2 bis Salzburg Robinigstraße, 5 Min Fußweg, Salzburg Mirabellplatz O-Bus 4 bis Salzburg Canavalstraße. **Auto:** A1 Ausfahrt 288 Salzburg Nord, Richtung Salzburg Stadt, nach etwa 2,5 km links in Schallmooser Hauptstraße. **Preise:** Kinder

Theateranfänger freuen sich aufs Kleine Theater

bis 14 Jahre 7,50, über 14 Jahre 12,50 € bei Kindertheater-Vorstellungen.

▶ Die Theaterleute vom kleinen theater haben tolle Produktionen für Kinder und Jugendliche im Programm. Da könnt ihr im Märchentheater Helden, wie *Das tapfere Schneiderlein* oder *Hänsel und Gretel* sehen oder als Jugendliche euch mit Themen wie Ausländerfeindlichkeit oder Gewalt auseinandersetzen. Was läuft, seht ihr auf der Internetseite oder in der Tageszeitung.

Vorhang auf für Kasperle & Co.

OVAL – die Bühne im Europark, Kartenbüro Neubaur Europastraße 1, A-5020 Salzburg. ✆ +43/662/845-110, www.oval.at. **Lage:** 1. OG im Europark. **Bahn/Bus:** S3 bis Salzburg Taxham Europark. **Auto:** A10 Ausfahrt 293 Klessheim. **Zeiten:** Mi, Fr, Sa. **Preise:** Kasperle ab 4,50 €, Film ab 5 €.

▶ Mittwochs, freitags und samstags heißt es immer: Kinderzeit im OVAL. Hier könnt ihr euren Lieblingsfilm sehen. Gezeigt werden echte Klassiker wie *Pippi Langstrumpf* oder Geschichten von *Janosch,* aber auch aktuelle Kinderfilme. Die Kleineren werden immer wieder begeistert dem Kasperl und dem Seppel zuschauen. Kurzweilig und abwechslungsreich ist das Programm. Was genau läuft, erfahrt ihr auf der Internetseite oder in der Tageszeitung.

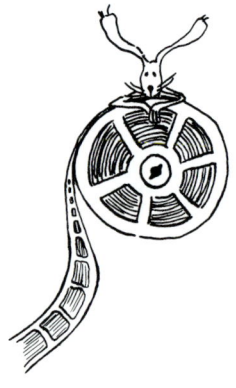

Kino und Kasperl

Salzburger Filmkulturzentrum, Das KINO Giselakai 11, A-5020 Salzburg. ✆ +43/662/873100, 871200. www.daskino.at. **Bahn/Bus:** O-Bus 3, 5 bis Makartplatz, 5 Min Fußweg. **Auto:** ↗ Salzburg, Parkgarage Mirabellplatz. **Rad:** Direkt am Salzachradweg. **Preise:** Kasperl im Kino Erw und Kinder ab 2 Jahre 4,50 €; Kino 5 €.

▶ Im Kinderkino am Sa und So kommen immer wieder tolle Filme, die nicht unbedingt in den großen Kinos der Stadt laufen. Auch der Kasperl besucht das Kino regelmäßig. Schaut im Internet (www.kasperl.at) oder in der Tageszeitung nach Terminen und Programm. Karten für den Kasperl im Kino unter ✆ 0662/871200 reservieren.

Statt Mathe lernen ins Kino gehen: Das Kino organisiert spezielle Schulvorstellungen. Min. 50 Schüler für Programmfilme, 60 Schüler, wenn der Film bestellt werden muss. ✆ 873100-11.

Musik und mehr im Klangkarton
Stiftung Mozarteum, Antje Blome-Müller, Schwarzstraße 26, A-5020 Salzburg. ✆ +43/662/8894023, www.mozarteum.at. **Bahn/Bus:** O-Bus 3, 5 bis Makartplatz. **Auto:** ↗ Salzburg, Parkgarage Mirabellplatz. **Rad:** Salzachradweg bis Makartsteg, rechts Richtung Landestheater. **Zeiten:** Aktuelle Termine im Internet. **Preise:** Erw mit Kind 10 €, weitere Begleitperson 10 € (Mittendrin- und Lausch-Konzerte), 9 € (Piccolo-Konzerte); Kinder 3 – 10 Jahre (Lausch- und Piccolo-Konzerte) 5 €, jedes weitere Kind 2 €.

▶ Das Kinder- und Jugendprogramm *Klangkarton* des **Mozarteums** richtet sich mit Konzerten, Workshops und Spezialführungen in den **Mozart-Museen** an verschiedene Altersgruppen. Die Kleinsten (bis 3 Jahre) sitzen *Mittendrin,* die Kindergartenkinder (3 – 6 Jahre) lauschen bei den *Lausch-Konzerten* und Volksschulkinder (6 – 10 Jahre) begeistern sich für die *Piccolo-Konzerte.* Allen gemeinsam ist das Erleben der Musik. Lasst euch entführen in das Reich der Töne und Klänge.

Mit viel Gefühl blasen: Im Klangkarton dürft ihr ein Alphorn ausprobieren

Theater für die Kleinsten
Toihaus Theater, Franz-Josef-Straße 4, A-5020 Salzburg. ✆ +43/662/874439-0, www.toihaus.at. **Bahn/Bus:** O-Bus 3, 5, 6 bis Kongresshaus. **Auto:** ↗ Salzburg, Parkgarage Mirabellplatz. **Rad:** Salzachradweg bis Müllnersteg, Mirabellgarten durchqueren Richtung Kongresshaus, Rainerstraße bei Kongresshaus überqueren. **Preise:** Vormittags-/Nachmittagsvorstellung 8 €; Kinder 1,5 – 6

© Internationale Stiftung Mozarteum, Foto: Erika Maye

Jahre 5 €, 7 – 18 Jahre 6 €; mit Salzburger Familienpass ermäßigt.

▶ So klein und schon ins Theater? Aber sicher! Das Toihaus Theater entwickelt und spielt Stücke für Kinder ab 1,5 Jahre. Mit viel Musik, Tanz und Fantasie werden die Minis in die Welt des Theaters entführt. Das aktuelle Programm findet ihr auf der Internetseite oder in der Tageszeitung.

Aktionen & Feste

Bastelmäuse aufgepasst!

Bastlerecke, Maxglaner Hauptstraße 18, A-5020 Salzburg-Maxglan. ✆ +43/662/847027, www.bastlerecke-neu.at. **Bahn/Bus:** O-Bus 1, 10 bis Schwedenstraße. **Zeiten:** Verkaufszeiten Mo – Do 9 – 13 und 15 – 18, Fr 9 – 18, Sa 9 – 12 Uhr. Kurszeiten Fr 15 Uhr, Dauer 2 Std. Salzburger Ferien Kurse Mo. **Preise:** 15 € (inkl. Material), min. 3 Pers.

▶ Wollt ihr einen Weihnachtsengel im Advent basteln oder einen niedlichen Osterhasen für das Osternest? In der Bastlerecke stehen euch das ganze Jahr, an jedem Fr ab 15 Uhr, die Profis mit Rat und Tat zur Seite. Mitbringen braucht ihr nur eine große Portion an Bastelspaß. Die jeweiligen Themen entnehmt ihr dem Kursplan im Internet.

Buntes Kinderprogramm

Verein Spektrum e.V., Schumacherstraße 20, A-5020 Salzburg. ✆ +43/662/434216, www.spektrum.at. **Zeiten:** Bürozeiten Mo – Fr 8.30 – 13.30 Uhr. **Preise:** Kostenfrei.

▶ Beim Verein Spektrum könnt ihr tolle Sachen gemeinsam mit anderen Kindern erleben. Werdet Kinderjournalist für die Kinderzeitung **Plaudertasche** oder besucht die **Kinderstadt Mini-Salzburg.** Sie findet alle 2 Jahre auf dem Gelände des Volksgartens statt. Hier habt ihr Gelegenheit, alleine eine Stadt zu

🍎 Alles, was ihr für euren Bastelnachmittag zu Hause braucht, findet ihr in der Bastlerecke. Dazu bekommt ihr viele Tipps und Kniffe gezeigt.

☀ Auch Mama oder Papa können am Fr ab 19 Uhr kreativ basteln.

✎ Eine Zeitung von Kindern für Kinder ist die *Plaudertasche*. Sie erscheint vier Mal im Jahr. Die Redaktion trifft sich regelmäßig in den Räumen der ↗ Stadt:Bibliothek. Bestellen könnt ihr die Plaudertasche unter: info@spektrum.at.

verwalten, verschiedene Berufe auszuüben und eigenes Geld zu verdienen. Eure Eltern bekommen nur stundenweise ein Visum. Beim wöchentlichen **Kinderprogramm** in den Stadtteilen *Taxham* und *Lehen* könnt ihr zum Beispiel töpfern, kochen oder einfach nur zusammen spielen. Schaut euch auf den Internetseiten um, unter dem Punkt *Kinderprogramm* findet ihr die aktuellen Veranstaltungen in eurer Nähe.

Nicht nur für Leseratten: Stadt:Bibliothek

Schumacherstraße 14, A-5020 Salzburg. ✆ +43/662/8072-2450, www.stadt-salzburg.at. **Bahn/Bus:** O-Bus Linien 1, 2, 4, 7, 8 und Bus 24. **Auto:** B155 Ignaz-Harrer-Straße stadteinwärts, links auf Schumacherstraße. **Rad:** Salzachradweg linke Salzachseite bis Lehener Brücke, links halten Richtung Stadtteil Lehen. **Zeiten:** Mo, Do, Fr 10 – 18 Uhr, Di, Mi 15 – 19 Uhr, Sa 10 – 15 Uhr. **Preise:** Kostenfrei.

▶ Diese Bibliothek ist ein richtiges Medienzentrum. Hier könnt ihr nicht nur jede Menge tolle Bücher ausleihen, sondern auch Hörspiele auf CD und DVDs sowie Wii- und Nintendo-Spiele.
Do you speak English? Regelmäßig finden kostenlose Englischkurse für Kinder in der Bibliothek statt, in denen englischsprachige Kinderbücher vorgestellt und besprochen werden. Anmeldung unter ✆ 0662/8072-4212.

Hellbrunner Adventzauber

Schloss Hellbrunn, Gassner & Partner OG Fürstenweg 37, A-5020 Salzburg. ✆ +43/0662/825608, www.hellbrunneradventzauber.at. **Bahn/Bus:** Bus 25 bis Schloss Hellbrunn. **Auto:** A10 (mautpflichtig) Richtung Villach, Ausfahrt Salzburg Süd, Richtung Anif, Be-

Quasselstrippen lesen die Plaudertasche
© Verein Spektrum

Am 1. Sa im Monat könnt ihr 10.15 – 11 Uhr ein wenig französische Luft schnuppern. Es werden zu verschiedenen Themen Texte, Lieder und Spiele angeboten. Vorkenntnisse sind nicht erforderlich. Eintritt frei.

Im Winter werden im Schlosspark Langlaufloipen gespurt, es wird gerodelt und im Schnee gewandert.

🦉 *Kirtag und Dult, das ist der Jahrmarkt, die Kirmes in Bayern und Österreich. Meist am Jahrestag der Kirchenweihe oder am Festtag des Kirchenpatrons. Neben Fahrgeschäften und Altbekanntem gibt es auch Hausrat und Kinderspielzeug zu kaufen.*

schilderung Hellbrunn folgen. **Zeiten:** Mitte Nov – 24. Dez Mi – Fr 13 – 20, Sa, So, Fei 10 – 20 Uhr, ab 1. Dez auch Mo 13 – 20, 24. Dez 10 – 14 Uhr.

▶ Ein Adventsmarkt mit besonderem Flair findet alljährlich um das Schloss Hellbrunn statt. Besonders für Kinder wird mit Ponyreiten, Würstlgrillen am Lagerfeuer und anderen Attraktionen viel geboten. Die Atmosphäre ist durch die Lichter und Stände besonders märchenhaft. Und wenn dann auch noch Frau Holle mitspielt, ist das Winterweihnachtsmärchen perfekt.

FESTKALENDER SALZBURG

Mai:	Pfingsten, Salzburg: **Salzburger Dult** am Messezentrum mit Festumzug mit Pferden und Schnalzern, Riesenrad. 9 Tage.
August:	Salzburg: im Festspielmonat auf dem Kapitelplatz, verschiedene **Opernfilme für Kinder** auf Großbildleinwand, immer Fr – So, 16 Uhr, kostenfrei.
September:	5 Tage um den 24.: **Rupertikirtag** rund um den Dom mit traditionellen Fahrgeschäften, Musik und Puppentheater.
	Ende Sep/Anfang Okt, Salzburg: **Weltkindertag:** verschiedene Veranstaltungen.
Oktober:	1. Wochenende: **Lange Nacht der Museen,** tolles Programm 18 – 1 Uhr, freier Eintritt für Kinder bis 12 Jahre.
	Anfang: **Salzburger Spieletage** im Petersbrunnhof. Hier dürft ihr nach Lust und Laune Brett-, Gesellschafts- und Kartenspiele ausprobieren und mit Gleichgesinnten spielen.
Dezember:	Rund um das Schloss Hellbrunn **Adventzauber.**
	Advent Do – So 10 – 20 Uhr, Oberndorf: **Weihnachtsmarkt** am Stille-Nacht-Platz.
	Alle Adventswochen bis 2. Weihnachtstag, Salzburg: **Christkindlmarkt** rund um den Residenzplatz.

SALZBURGER SEENLAND

SALZBURG: NATUR & SPORT

SALZBURG: WISSEN & KULTUR

SALZBURGER SEENLAND

ATTERSEE & ATTERGAU

IRRSEE & MONDSEE

FUSCHLSEE

WOLFGANGSEE & BAD ISCHL

HALLEIN & TENNENGAU

INFO & FERIENADRESSEN

REGISTER & KARTEN

Weites Hügelland und Badeseen mit angenehmen Wassertemperaturen lassen mit Sicherheit euer Herz höher schlagen. Wollt ihr eine gemütliche Radltour unternehmen, teuflisch gute Naturpfade entdecken oder einfach den ganzen Tag im und am Wasser verbringen?

Dann ist das Seenland mit Obertrumer See, Grabensee, Wallersee und Mattsee nördlich von Salzburg für euch der richtige Fleck. Und während ihr so gemütlich im Schlauchboot über die Seen schippert und die Berge am Horizont seht, könnt ihr ja schon mal überlegen, ob ihr morgen nicht eine Wanderung zu den Wildfrauen und Hexenplätzen am Buchberg machen wollt.

GAR NICHT SO FLACH IM FLACHGAU

Um den richtigen Weg zu finden, nehmt die Wander-, Rad- und Freizeitkarte des freytag & berndt Verlages (WK391) zur Hand. ISBN 978-3-85084- 730-8.

Strandbäder

Strandbad Obertrum

Hilde Oitner, Seestraße 16, A-5162 Obertrum am See. ✆ +43/6219/6435, www.salzburger-seenland.at. **Lage:** Am Südufer des Obertrumer Sees. **Bahn/Bus:** Bus 120 bis Obertrum Staffl Seebad. **Auto:** ↗ Obertrum, Kreisverkehr Richtung Seeham, nach 1 km auf der rechten Seite. **Zeiten:** Mitte Mai – Mitte Sep täglich 8 – 21 Uhr bei Schönwetter. **Preise:** 4 €, ab 14 Uhr 3,20 €; Kinder 6 – 14 Jahre 2 €, ab 14 Uhr 1,60 €; kostenfrei mit der Seenland Card.

▶ Große Liegewiese mit Bäumen, Schwimmfloß, Spielplatz mit Sandkiste, Kieselstrand und Steg, Trampolin und Tischtennis – im Strandbad Obertrum bleiben kaum Wünsche offen. Und da so ein Tag voller Bewegung hungrig macht, gibt es am **Buffet** eine Stärkung. Buffet ist übrigens der österreichische Begriff für Kiosk oder Imbiss.

Direkt am Strandbad könnt ihr auch den öffentlichen Beachvolleyballplatz kostenfrei nutzen. Es gibt Umkleidekabinen und Duschen.

TIPPS FÜR WASSERRATTEN

 **Bootsvermietung Strasser,** Seestraße 20, Obertrum am See. ✆ +43/6219/6249. Täglich Mai – Sep. Elektro-, Segel-, Ruder-, Tretboote.

Vielseitig und voller Möglichkeiten für eigene Entdeckungen: Die Salzburger Seen

SALZBURGER SEENLAND

*Das **Strandbad** wurde schon in den 1920er Jahren gebaut. Die alten Gebäude erinnern daran.*

*Der **Grabensee** ist ein Moorsee und erwärmt sich schon im Frühsommer auf über 20 Grad. Im Hochsommer kann die Wassertemperatur dann schon mal 28 Grad betragen!*

Strandbad Mattsee

Strandbad, A-5163 Mattsee. ✆ +43/6217/5252, www.mattsee.co.at. **Lage:** Südwestliches Ufer. **Bahn/Bus:** Bus 120 bis Mattsee Ortsmitte, 10 Min Fußweg. **Auto:** ↗ Mattsee, Mattsee Nord, Ausschilderung Strandbad folgen. **Rad:** Innerörtliche Radwege nutzen. **Zeiten:** Mai, Juni, Sep 9 – 19, Aug 8 – 19 Uhr. **Preise:** Tageskarte 5 €; Kinder 6 – 15 Jahre 2,50 €; Familie (3 Pers) 10 €.

▸ Alle kleinen Wasserflöhe aufgepasst: Im Strandbad Mattsee könnt ihr im flachen Wasser herrlich planschen und eine kleine Wasserrutsche sorgt für Spaß. Die größeren Wasserratten hingegen sausen durch die 80-m-Erlebnisrutsche oder schwimmen raus und erobern Wasserfloß und Eisberg. Am Spielbach könnt ihr euch die Zeit an Land vertreiben. Große Liegewiesen mit Schattenplätzen, Kiosk und ausreichend Parkmöglichkeiten sind vorhanden.

Badeplatz am Grabensee

Bade- und Campingplatz Grabensee, Edt 4, A-5163 Perwang am Grabensee. ✆ +43/6217/8288, www.perwang.at. **Lage:** Am Nordufer des Grabensees. **Bahn/Bus:** Bus 131 bis Berndorf Gransdorf. **Auto:** ↗ Perwang, hinter Gransdorf scharf rechts auf Edt. **Rad:** Liegt am Radweg ↗ Mit dem Rad um den Grabensee. **Zeiten:** Mai – Sep. **Preise:** 3 €, ab 13 Uhr 2,50 €; Kinder 6 – 15 Jahre 1 €, ab 13 Uhr 0,60 €; ab 18 Uhr kostenfrei.

▸ Durch die angenehme Wassertemperatur bietet sich der **Grabensee** im Naturschutzgebiet für einen Badeausflug mit der Familie an. Am seichten Uferbereich mit Naturstrand könnt ihr ausgiebig und naturnah spielen. Eine Steganlage führt hinaus auf den See. Die Mutigen unter euch springen mit einem Kopfsprung von hier aus ins Wasser und erklimmen das Floß weit draußen auf dem See. Lust auf eine Partie Tischtennis? Dann vergesst eure Schläger nicht.

Strandbad Seeham

Dorf 12, A-5164 Seeham. ✆ +43/6217/5493, www.seeham-info.at. **Bahn/Bus:** Bus 120 bis Seeham Strandbad. **Auto:** ↗ Seeham, Ausschilderung Seebad. **Zeiten:** Mai – Sep täglich 9 – 18 Uhr bei Schönwetter. **Preise:** Tageskarte 4,20 €, Halbtageskarte ab 13.30 Uhr 3,50 €; Kinder 6 – 15 Jahre 2,50 bzw. 2,10 €; Ermäßigung mit Gästekarte. Familie (2 Erw und 1 Kind bis 15 Jahre) Tageskarte 8,50 €, Halbtageskarte 7,10 €. Jedes weitere Kind bis 15 Jahre der Familie ermäßigt.

Wartet auf Strandliegenpiraten: Relaxliege auf dem Obertrumer See

▶ Im Strandbad Seeham könnt ihr euch so richtig austoben. Die 40-m-Riesenrutsche, ein Wassertrampolin und ein Kletterelement im See sorgen für jede Menge Abwechslung. Solltet ihr eine Pause brauchen, versorgt euch der Kiosk mit Eis und Getränken. Besonders schön ist der Bereich für Kleinkinder. Am Sandstrand könnt ihr nach Herzenslust buddeln und die Liegewiese bietet Spielangebote für Groß und Klein. Der Spielplatz kann auch außerhalb der Badesaison genutzt werden.

 In den Ferien gibt es Sa und So um 10 Uhr kostenlose Schwimmkurse für Kinder.

Strandbad Neumarkt

Uferstraße, A-5202 Neumarkt am Wallersee. ✆ +43/6216/4400, www.neumarkt-info.at. **Lage:** Am Nordufer des Wallersees. **Bahn/Bus:** Bus 130 bis Neumarkt/Wallersee Abzweig Strandbad, 10 Min Fußweg. **Auto:** ↗ Neumarkt, Ausschilderung Strandbad. **Rad:** Direkt am Wallersee-Rundweg. **Zeiten:** Mai – Sep täglich 10 – 20 Uhr. **Preise:** 3 €; Kinder 6 – 18 Jahre 2 €; kostenfrei mit der Seenland Card.

▶ Das Strandbad bietet Badespaß auch für kleine Wasserratten. Da das Ufer sandig und flach ist,

Hunger & Durst

Seealm, Uferstraße 3, Neumarkt am Wallersee. ✆ +43/6216/4400. www.seecamp-wallersee.at. Mai – Sep Di – So 8 – 21 Uhr. Direkt am See mit großer Sonnenterasse.

In die Volksschule gehen die Kinder im Alter 6 – 10 Jahre (entspricht der Grundschule in Deutschland). Einen Fünfer in der Schularbeit – schlechter geht es nicht. Einen Nachzapf machen die, die eine Wiederholungsprüfung machen müssen. Aber erst nach neun Wochen Sommerferien. Und am Ende des Gymnasiums haben alle die Matura geschafft.

könnt ihr gefahrlos am Wasser spielen. In unmittelbarer Nähe zum Strandbad gibt es einen Minigolfplatz. Spielplatz und Buffet sind auch vorhanden.

Erlebnisbad Straßwalchen

Riemerhof 1a, A-5204 Straßwalchen. ✆ +43/6215/8376, www.strasswalchen.com. **Bahn/Bus:** S2 bis Straßwalchen, 15 Min Fußweg bis Marktplatz, weiter Bus 586 bis Straßwalchen Riemerhof. **Auto:** ↗ Straßwalchen, an der B1 in unmittelbarer Nähe des ↗ Erlebnisparks. **Zeiten:** Mai – Sep 9 – 20 Uhr. **Preise:** Tageskarte 5 €; Kinder 3 – 15 Jahre 2,50 €.

▶ Wer von euch hat den Mut und springt vom 3-m-Sprungturm? Doch lieber eine lustige Rutschpartie auf der Breitrutsche? Egal was, ihr werdet Spaß haben im Erlebnisbad Straßwalchen. Eure Eltern entspannen derweil auf der großen Liegewiese oder spielen vielleicht eine Runde Beachvolleyball. Für Kleinkinder gibt es einen abgetrennten Spiel- und Wasserbereich mit viel Schatten.

Strandbad Henndorf

Grafenwies, A-5302 Henndorf am Wallersee. ✆ +43/6214/8263, www.henndorf.at. **Lage:** Am Südostufer des Wallersees. **Bahn/Bus:** Bus 130 bis Henndorf/Wallersee Siedlung, 20 Min Fußweg. **Auto:** A1 Ausfahrt 281 Wallersee, B1 Richtung Henndorf, Ausschilderung Strandbad. **Rad:** Direkt am Wallersee-Rundweg. **Zeiten:** Mai – Sep täglich 10 – 20 Uhr. **Preise:** 3 €, ab 14 Uhr 2 €; Kinder 6 – 18 Jahre 2 €, ab 14 Uhr 1,50 €; Familie 7 €, kostenfrei mit der Seenland Card.

▶ In Henndorf könnt ihr nicht nur ein erfrischendes Bad im See

Wasserspaß im Seenland: Was macht ihr am liebsten? © Salzburger Seenland Tourismus GmbH

nehmen, sondern auch in einem geheizten Schwimm- und Babybecken planschen. Beachvolleyball und Spielplatz sorgen für Abwechslung.

Strandbad Seekirchen

Familie Priewasser, Seestraße 2, A-5201 Seekirchen am Wallersee. ✆ +43/6212/4088, www.seekirchen-info.at. **Lage:** Am Südwestufer des Wallersees. **Bahn/Bus:** ↗ Seekirchen, Fußweg zum See oder Wallersee-Express. **Auto:** ↗ Seekirchen, Beschilderung Strandbad folgen, Parken 3 €. **Rad:** Direkt am Wallersee-Rundweg. **Zeiten:** Mai – Okt. **Preise:** Frei zugänglich.

▶ Das großzügige Strandbad liegt in einer kleinen Bucht des Wallersees. Das Wasser ist im Sommer wunderbar warm (bis zu 26 Grad). Für die Kleinsten ist ein Plansch- und Matschbereich abgetrennt. Für die Größeren heißt es: Rauf auf die Rutsche oder wer schafft es am schnellsten zu den Schwimminseln im Wasser? An Land gibt es eine große Liegewiese und einen Spielplatz mit Rutschen und Schaukeln. Am Kiosk könnt ihr euch ein leckeres Eis gönnen.

 Es gibt einen schönen Naturerlebnisweg zwischen Strandbad und Hochwasserschutzdamm. Vom Aussichtsstand aus könnt ihr die seltenen Vögel beobachten, die hier brüten.

 Wallersee-Express, Seekirchen am Wallersee. ✆ +43/6212/4035. www.seekirchen-info.at. Juli und Aug bei Schönwetter 9 – 17 Uhr stündlich. Fährt kostenlos zwischen Stadtzentrum und Strandbad.

EISZEITEN & GAUE: HEIMATKUNDE

▶ Wenn Kinder in Österreich das Fach Heimatkunde auf ihrem Stundenplan haben, lernen sie etwas über ihr Bundesland. Österreich hat neun Bundesländer, die Hauptstadt ist Wien. Das **Bundesland Salzburg** grenzt an Deutschland, Oberösterreich, Steiermark, Kärnten, Tirol und Italien (!). Salzburg ist in **fünf Gaue** (Regierungsbezirke) aufgeteilt. In diesem Buch lernt ihr den *Flachgau,* die *Stadt Salzburg* und den *Tennengau* sowie einen Teil von *Oberösterreich* kennen. Geologisch ist das Land geprägt durch die Eiszeit vor vielen Millionen Jahren. Davon zeugen heute noch die vielen **Seen** im Salzburger Seenland. Von Nord nach Süd entdeckt ihr das Alpenvorland, die Kalkalpen und die Zentralalpen. Der höchste Berggipfel Österreichs ist mit 3797 m der *Großglockner* und der liegt im Bundesland Salzburg. ◀

Naturbadestrand Zell

Seecamping Zell am Wallersee, Bayerham 10, A-5201 Seekirchen am Wallersee. ✆ +43/6212/4080, www.see-camping.at. **Lage:** Am Westufer des Wallersees. **Bahn/Bus:** S2 bis Wallersee-Zell. **Auto:** Obertrumer Landstraße (L102), Richtung Köstendorf, bei Bayerham Beschilderung Strandbad folgen, Parken 3 €. **Rad:** Direkt am Wallersee-Rundweg. **Zeiten:** Mai – Okt. **Preise:** Frei zugänglich.

▶ Das Strandbad hat eine große Liegewiese mit reichlich Baumbestand. Im Uferbereich lädt das seichte Wasser zum Planschen und Spielen ein. Es gibt auch einen kleinen Spielplatz. Der Naturbadestrand gehört zum angrenzenden Campingplatz, ist aber öffentlich zugänglich. Duschen sind vorhanden.

Vom Strandbad könnt ihr euch auf den Weg ins ↗ *Wenger Moor* machen. Folgt der Beschilderung Wallersee Rundweg Richtung Neumarkt.

Auf dem Wasser

Paddel-Tag auf dem Wallersee

genusspaddeln, Heinrich Breidenbach, Petersbrunnstraße 6a, A-5020 Salzburg. ✆ +43/664/3265653, www.genusspaddeln.at. **Treffpunkt:** ↗ Naturbadestrand Zell am Wallersee. **Bahn/Bus:** S2 bis Wallersee-Zell. **Auto:** ↗ Naturbadestrand Zell am Wallersee. **Rad:** Direkt am Wallersee-Rundweg. **Zeiten:** Termine im Internet. **Preise:** 80 € pro Person bei min. 3 Teilnehmern, vierte Person kostenfrei; Kinder ab 10 Jahre. **Infos:** Alle Teilnehmer müssen schwimmen können. Schwimmwesten werden gestellt und müssen angelegt werden.

▶ Mit dem Kajak ein Gewässer zu erkunden, das hat seinen besonderen Reiz. Das Team von *genusspaddeln* zeigt euch zunächst Boote und Ausrüstung. Wenn ihr das sichere Ein- und Aussteigen geübt habt, geht es ans Eingemachte: Wie wird das Paddel gehalten und wie muss gepaddelt werden, damit ihr auch wirklich dorthin kommt, wo ihr hinwollt. Rettungstechniken werden gezeigt und können ausprobiert werden. Den Höhepunkt des Tages bilden ein

Kappe, Radhandschuhe, Sonnencreme, Sonnenbrille mit Band, bequeme Bekleidung, Schuhe, die nass werden können, Badesachen, Handtuch, Trinkflasche, Jause.

paar gepaddelte Kilometer auf dem weitläufigen und ruhigen Wallersee.

Mit dem Boot auf den Mattsee

Steiner Nautic, Hermann Steiner, Seestraße 23, A-5163 Mattsee. ✆ +43/6217/5432, www.steiner-nautic.at. **Bahn/Bus:** Bus 120 bis Mattsee Ortsmitte, 10 Min Fußweg. **Auto:** ↗ Mattsee. **Rad:** Innerörtliche Radwege nutzen. **Zeiten:** Mai – Sep. **Preise:** Elektroboot 0,5 Std 9 €, 1 Std 16 €, Tretboot 6 bzw. 10 € und Ruderboot 5 bzw. 9 €.

▶ Leiht euch ein Tret- oder Ruderboot aus und macht euch auf den Weg über den Mattsee. Wer es gemütlicher mag, wählt das Elektroboot. Einmal um den Schloßberg herum, dann seid ihr in der Weyerbucht. Für die Segler unter euch: Herr Steiner verleiht auch verschiedene Segelboote. Bootstypen und Preise bitte direkt erfragen.

Hunger & Durst
Neuhofer, Marktplatz 4, Mattsee. ✆ +43/6217/5218. www.neuhofer-mattsee.at. Juli – Sep Mo 6.15 – 18.30, Di – Sa 6.15 – 22, So 7.30 – 22 Uhr. Richtig leckeres Eis.

Eine Bootstour über den Wallersee

Familie Kapeller, Seestraße 3, A-5201 Seekirchen. ✆ +43/6212/7055, www.bootsverleih.at. **Lage:** Beim Strandbad. **Bahn/Bus:** ↗ Seekirchen, Fußweg zum See oder Wallersee-Express. **Auto:** ↗ Seekirchen, Beschilderung Strandbad folgen, Parken 3 €. **Rad:** Direkt am Wallersee-Rundweg. **Zeiten:** Im Sommer bei schönem Wetter. **Preise:** Ruderboot 4,50 €, Tretboot 7 €, Elektroboot 12 €, Surfbike 7 €, 1-er Kajak 3 €, 2-er Kajak 4 € jeweils pro Std, Tagesmieten zwischen 18 – 50 €.

▶ Bei der Bootsvermietung Kapeller könnt ihr euch ein Elektro-, Tret- oder Ruderboot ausleihen. Wer etwas Beson-

Eine Bootsfahrt, die ist lustig … Auf jeden Fall schön schaukelig

In die Boote, fertig, los: Paddeln auf dem Wallersee
© genusspaddeln

deres machen möchte, der leiht sich 1er- oder 2er-Kajaks aus und paddelt in einer Tagestour über den Wallersee. Wackelig wird es auf einem Surfbike. Da braucht ihr schon etwas Übung, um auf diesem Fahrrad-Surfbrett eure Runden zu drehen.

Bootsvermietung am nördlichen Wallersee

Waller-See-Alm, Uferstraße/Ostbucht am Hafengelände, A-5202 Neumarkt am Wallersee. ✆ +43/664/5226851. www.waller-seealm.at. **Lage:** Am Nordufer des Wallersees. **Bahn/Bus:** Salzburg Hbf Bus 130 bis Neumarkt/Wallersee Abzweig Strandbad, 10 Min Fußweg. **Auto:** ↗ Neumarkt, Ausschilderung Strandbad folgen. **Rad:** Direkt am Wallersee-Rundweg. **Zeiten:** Mai – Sep täglich 10 – 20 Uhr. **Preise:** Elektroboot 12 €, Tretboot 8 €, Ruderboot 6 €, 1er-Kajak 8 € pro Std; Kinder und Jugendliche 1er Kajak 6 € pro Std.

▶ Mit voller Kraft voraus oder einfach gemütlich über den See schippern. Beim Elektroboot habt ihr das Steuer in der Hand. Muskelkraft ist dagegen bei Tretboot und Kajak gefragt. Gegen den Muskelkater hilft ein kühles Bad im See.

Schifffahrt mit der Seenland

Hermann Steiner, Seestraße 23, A-5163 Mattsee. ✆ +43 6217/5432, 5432-4. www.steiner-nautic.at. **Strecke:** Mattsee – Seeham – Obertrum – Seeham – Mattsee. **Bahn/Bus:** Salzburg Hbf Bus 120 bis Mattsee Ortsmitte, 5 Min Fußweg. **Auto:** ↗ Mattsee, Parkplätze im Zentrum. **Zeiten:** Mai, Juni, Sep – 26. Okt Do – Mo 10.30, Sa, So, Fei zusätzlich 16 Uhr ab Mattsee, Juli und Aug Do – Di. **Preise:** Teilstrecke 4 €, gesamte Rundfahrt 13 €; Kinder 3 – 12 Jahre zahlen die Hälfte; Familienticket: Eltern, 2 Kinder zahlen, alle weiteren Kinder frei.

▶ Mit dem Holzschiff *Seenland* mit Elektromotoren fahrt ihr gemütlich über die **Trumer Seen.** Kopf einziehen heißt es bei der **Johannisbrücke,** da muss der Kapitän sogar das Hubdach absenken. Ihr könnt Rundfahrten machen oder eine Teilstrecke fahren.

Radeln

Radfahren im Seenland
Salzburger Seenland Tourismus GmbH, Seeweg 1, A-5164 Seeham. ✆ +43/6217/20220, www.salzburger-seenland.at. **Zeiten:** Mo – Fr 8 – 16.30 Uhr. **Infos:** Hier bekommt ihr kostenlos eine große Karte mit allen Rad- und Wanderwegen.

▶ Das Seenland bietet eine Vielzahl von Radwegen, die sich auch miteinander kombinieren lassen. Durch die Nähe der Seen, gibt es immer einen Badeplatz als Ziel, um erschöpfte Radler wieder munter zu bekommen. Auf der Internetseite könnt ihr mithilfe einer interaktiven Karte eure Routen selbst planen. Auf der *Seenland Runde* könnt ihr auf 130 km insgesamt 18 Orte anfahren. Diese Tour ist aber schon, aufgrund vieler Steigungen, etwas anspruchsvoller. Überregionale Radwege, die durch das Seenland führen, sind der *Mozartradweg,* die *Bajuwarentour* und der *Salzkammergut Radweg.*

Radeln mit den Bajuwaren
A-5110 Oberndorf bei Salzburg. **Strecke:** Oberndorf – Göming – Rottstätt – Nußdorf – Schlößl – Oberndorf. **Bahn/Bus:** ↗ Oberndorf.

▶ Der 126 km lange **Bajuwaren-Radweg** führt euch von **Waging am See** in Deutschland über Oberndorf, Mattsee, Tittmoning zurück nach Waging. Die Tour ist aufgeteilt in Haupt- und Extra-Touren und ist als familiengerechte Radstrecke ausgewiesen. Das bedeutet, ihr fahrt auf asphaltierten Wegen abseits der Hauptverkehrsstraßen. Außerdem sind die Steigun-

FRISCHE LUFT UND SPORT

 Zweirad Grabner, Salzburger Straße 29, Mattsee. ✆ +43/6217/6333. Mo – Fr 9 – 12 und 13 – 18, Sa 9 – 12 Uhr.

 Radverleihstellen gibt es in Mattssee sowie bei den Tourismusverbänden Obertrum, Seeham und Seekirchen. **Preise:** ganzer Tag 10 – 12 €, halber Tag 5 – 6 €.

Tourist-Information Waging am See, Salzburger Straße 32, Waging am See. ✆ +49/8681/313. www.bajuwarentour.de. Juni – Mitte Sep Mo – Fr 9 – 18 Uhr, Sa, So 10 – 13 Uhr, Sep – Mai Mo – Fr 8 – 16 Uhr. Ausführliche Internetseite über die grenzübergreifende Radroute mit allen Haupt- und Extra-Touren.

 Badesachen einpacken. Der Badeplatz Grabensee liegt auf der Strecke.

gen der Strecke für alle Fahrer zu schaffen. Wollt ihr nur eine Teilstrecke fahren, dann testet mal die **Extra-Tour 4,** die in einer Schleife von **Oberndorf** über **Nußdorf** zurück nach Oberndorf führt. Auf 15 km Wegstrecke fahrt ihr von Oberndorf über Göming, Kirchgöming, Gröm-Graben, Rottstätt nach Nußdorf. Von Nußdorf geht es dann über Schlößl und Weitwörth nach Oberndorf zurück. Folgt der Beschilderung der Bajuwaren-Tour.

Mit dem Rad um den Grabensee

A-5166 Perwang am Grabensee. **Lage:** Rundstrecke um den Grabensee. **Länge:** 10 km, mit Radanhänger zu befahren. **Bahn/Bus:** ↗ Perwang am Grabensee. **Auto:** ↗ Perwang am Grabensee.

▶ Diese einfache Radtour führt euch einmal um den Grabensee. Sie verläuft über wenig befahrene Nebenstraßen, nicht immer direkt am See, aber durch Wiesen und Felder. Vom Ortszentrum in **Perwang** fahrt ihr auf der Seestraße zunächst Richtung See. Bei *Gransdorf* biegt ihr links in Richtung **Rödhausen.** Über Rödhausen und Macking verläuft der Weg über Nebenstraßen nach **Singham.** Dort kommt ihr auf die Mattseer Landesstraße. Auf dem Radweg geht es weiter über **Haag** und **Aug.** Hinter Aug biegt ihr rechts Richtung *Zellhof* ab. In **Fraham** geht es noch mal rechts und leicht bergauf durch ein Waldstück nach **Gransdorf.** Von dort radelt ihr weiter zum Grabensee und retour nach Perwang.

Vier auf einen Streich – einmal rund um den Wallersee

A-5201 Seekirchen. **Lage:** Rundstrecke um den Wallersee mit 4 Strandbädern auf dem Weg. **Länge:** 18 km, mit Radanhänger zu befahren. **Bahn/Bus:** ↗ Seekirchen. **Auto:** ↗ Seekirchen, Parken am Bhf.

▶ Ihr startet eure Tour am **Bahnhof in Seekirchen.** Von hier fahrt ihr in Richtung ↗ **Strandbad Seekirchen.** Hier haltet euch links und folgt der grünen Ausschilderung *Wallersee Rundweg.* Vorbei am ↗ **Naturbadestrand Zell,** durch das ↗ **Wenger Moor** geht es nun ein wenig bergauf. Die Anstrengung wird aber belohnt, denn schon bald kommt ihr zu mehreren Bänken, wo ihr einen tollen Blick auf den See habt. Nach einer rasanten Abfahrt, erreicht ihr nach etwa 8,7 km das ↗ **Strandbad Neumarkt.** Das lasst ihr rechts liegen und radelt den Berg hoch. Nach circa 150 m biegt ihr rechts in den Wald ab. Im Wald gibt es keine Hinweisschilder mehr, aber ihr müsst nur dem Uferweg folgen. Nach weiteren 5 km kommt ihr nach *Seebrunn.* Hier lädt das ↗ **Strandbad Henndorf** zum Stopp ein. Ab jetzt folgt ihr wieder der bekannten Beschilderung. Nun müsst ihr noch einmal alle Kräfte mobilisieren, denn auf dem letzten Teilstück rauf nach **Fischtagging** gibt es noch ein paar Steigungen. Oder ihr nehmt den Abstecher über *Frauentagging,* dann spart ihr euch die anstrengende und lange Kurvenstrecke. Am Ende wartet aber ein erfrischendes Eis am Kiosk vom ↗ **Strandbad Seekirchen** oder gleich ein Sprung ins kühle Nass auf euch. Insgesamt eine schöne Tour, die mit vielen Stopps von Volksschulkindern locker bewältigt werden kann. Abgesehen von einigen Teilstücken verläuft der Weg recht eben. Geradelt wird auf Asphalt, Kies- und Waldwegen.

Auf die Plätze, fertig, los: Heute geht's einmal um den Wallersee
© Salzburger Seenland Tourismus GmbH

 Badesachen einpacken. Alle Strandbäder rund um den Wallersee liegen auf eurer Strecke.

Wandern und reiten

Wandern im Naturpark Buchberg

Naturpark Buchberg, Passauer Straße 3, A-5163 Mattsee. Handy +43/664/9682325. www.naturpark-buch-

*Der **Naturpark Buchberg** ist der jüngste Naturpark im Land Salzburg und wurde erst 2009 eröffnet.*

Hunger & Durst
Gasthof Alpenblick, Wallmannsberg 2, Mattsee. ✆ +43/6217/5389. www.alpenblick.com. Mi – So 10 – 24 Uhr, Juli – Sep täglich. Österreichische Küche.

Gut, dass die Schuhe aus waren: Barfußpfad im Teufelsgraben

berg.at. **Lage:** Östlich von Mattsee. **Bahn/Bus:** Salzburg Hbf Bus 120 bis Mattsee Ortsmitte. **Auto:** ↗ Mattsee, Richtung Schleedorf, bei den Egelseen rechts Richtung Naturpark Buchberg, Beschilderung Gasthof Alpenblick. **Zeiten:** Ganzjährig.

▶ Mit 801 m Höhe ist der *Buchberg* wenig spektakulär, bietet aber tolle Aussichten auf die umliegenden Seen und Berge. Insgesamt sechs sternförmig angelegte Themenwanderwege bringen euch zum Gipfel. Wollt ihr zum Beispiel etwas über Wildfrauen und Hexenplätze erfahren, dann wählt den **Sagenweg** und startet eure Wanderung im Zentrum von Mattsee. Auf 5,5 km geht es bis zum Gipfelplateau. Kartenmaterial zum Buchberg bekommt ihr beim Gemeindeamt Mattsee. Soll es nur der **Gipfelrundweg** sein, dann startet beim **Gasthof Alpenblick** (↗ Anfahrt Auto).

Naturerlebnisweg durch den Teufelsgraben

A-5164 Seeham-Matzing. www.teufelsgraben.at. **Länge:** Rundweg Normalroute 2,5 km, verkürzte Route 1,5 km, von Matzing bis Wildkar Wasserfall kinderwagentauglich. **Bahn/Bus:** Salzburg Hbf Bus 120 bis Seeham-Matzing, 5 Min Fußweg. **Auto:** ↗ Obertrum, Richtung Seeham, nach 3 km Matzing, links abbiegen. **Rad:** Am Seenland-Radweg.

▶ Mit der Ameise Maximilian geht ihr auf Wanderschaft durch den **Teufelsgraben.** Auf 17 verschiedenen Tafeln lernt ihr viel über den Wald, seine Aufgaben und seine Bewohner, über den Teufelsgraben und seine Geologie. Keine Lust auf zu viele Infos? Verständlich, denn der Bachverlauf lädt ständig zum Spielen und (bei Hitze) zum Füßekühlen ein. Folgt ihr dem Erlebnisweg, kommt ihr vorbei an einem Naturdenkmal – dem **Wildkar Wasserfall.** Hier seht ihr die

Kugelmühle. Was ein Kugelmüller macht, erfahrt ihr Mai – September einmal im Monat direkt an der Mühle. Dann könnt ihr dem Müller bei seiner Arbeit über die Schultern schauen. Genaue Termine gibt es beim ↗ Tourismusbüro Seeham. Von der Kugelmühle geht ihr weiter zur ↗ **Röhrmoosmühle** (Besichtigung, Führung möglich) und von dort könnt ihr euch auf einen **Barfuß- und Tastweg** begeben (Vorsicht, recht schlammig).
Insgesamt eine abwechslungsreiche Wanderung, auf der ihr vielleicht doch ganz nebenbei noch lernt, wie viele Festmeter Holz es braucht, um einen Dachstuhl zu bauen.

 Sagenwanderung durch den Teufelsgraben. Di Mai – Okt 9.30 Uhr ab Parkplatz Teufelsgraben, Infos und Anmeldung über ↗ Tourismusbüro Seeham.

Durch die Tiefensteinklamm

A-5205 Schleedorf. **Lage:** Südöstlich von Schleedorf, **Länge:** Rundweg etwa 3 km, nicht kinderwagentauglich. **Bahn/Bus:** Salzburg Hbf S2 bis Weng, 30 Min Fußweg zur Klamm. **Auto:** ↗ Schleedorf, L238 Richtung Köstendorf, bei Fischachmühle links, nach 500 m am Straßenrand parken.

▶ Höhlenforscher aufgepasst: In der Tiefensteinklamm gibt es viel zu entdecken. Von der Straße, die von der **Fischachmühle** in Richtung Schleedorf führt, geht es links in den Wald. Folgt der Beschilderung Rundweg **Tiefensteinklamm**. Nach wenigen Metern biegt ihr links ab und wandert einen recht steilen Weg hinunter. Am Ende kommt ihr zu einer schönen Stelle mit Tischen und Bänken. Hier könnt ihr euer Lager errichten. Geht nun die Stufen hinunter zum Bach. Folgt dem Wegverlauf nach rechts und schon bald seht ihr den Wasserfall des **Tiefenstein Bachs.** Dieser hat sich tief in das Gestein gegraben und es sind im Laufe von Millionen Jahren Höhlen entstanden. Hier könnt ihr kraxeln und auf Entdeckungstour gehen. Retour wandert ihr auf gleichem Weg. Oder ihr geht zurück zur Weggabelung und folgt jetzt nach links abbiegend der Beschilderung **Rundweg Tiefensteinklamm.**

Höhlenforscher aufgepasst: Vielleicht findet ihr noch einen Knochen in der Tiefensteinklamm!

🐢 Ihr solltet festes Schuhwerk tragen und eventuell Wechselsachen, eine Becherlupe und eine Stirnlampe für die Erkundung der Höhlen dabeihaben.

*Im Flachgau gibt es die meisten Pferde und **Reiterhöfe** von Salzburg. Sicherlich findet ihr schnell euren Lieblingshof.*

Geburtstag auf dem Ponyhof

Stefan und Gundi Handlechner, Hiab 1, A-5163 Mattsee. ✆ +43/6217/6778, www.hiaberbauer.at. **Lage:** Am Buchberg. **Bahn/Bus:** Salzburg Hbf Bus 120 bis Mattsee-Außerhof, 2 km Fußweg. **Auto:** ↗ Mattsee, von L101 rechts abbiegen auf Außerhof, weiter auf Buchberg, nach 1,5 km weiter auf Hiab. **Zeiten:** Telefonische Voranmeldung. **Preise:** 7 € pro Kind für 2 – 3 Std.

▶ Auf dem Hiabbauernhof könnt ihr auf Haflingern oder Ponys reiten. Wenn ihr Lust habt, euren Geburtstag mit den Pferden zu verbringen, wird euch ein tolles Programm geboten: Ihr lernt die Hoftiere kennen, könnt reiten und bekommt eine Butterbrotjause mit Milch.

Reiten für Anfänger und Fortgeschrittene

Gasthof Grabensee, Gaby Wimmer, Fraham 10, A-5464 Seeham. ✆ +43/6217/5384, Handy +43/664/3763-881. www.gasthof-grabensee. **Lage:** Am Grabensee. **Bahn/Bus:** Salzburg Hbf Bus 120 bis Seeham-Fraham. **Auto:** ↗ Seeham, L102 Richtung Perwang, kurz vor der Abzweigung nach Mattsee auf der linken Seite. **Zeiten:** Telefonische Voranmeldung. **Preise:** Longieren (25 Min) 13 €, 2 Std Ausritt 26 €, Kutschfahrten 9 €; Kutschfahrten Kinder bis 12 Jahre 4 €. **Infos:** Kutschfahrten ab 6 Pers auf Anfrage.

▶ Kinder ab 8 Jahre können beim **Reiterhof Grabensee** ihre ersten Versuche auf dem Rücken der Pferde unternehmen. Zunächst an der Longe, später dann bei einem tollen Ausritt, erlebt ihr das **Trumer Seenland** auf ganz besonderer Art. Keine Lust selbst zu reiten? Dann setzt euch gemütlich in die Kutsche und fahrt mit 2 PS durch die Lande.

Rausgeputzt: Ross und Reiterin im Festtagslook
© Zauchtalerhof

Erlebnisparks

Bogenschießen wie Robin Hood

Lage: Beim Hochseilpark Seeham, Tobelmühlhof Familie Breitfuß, Tobelmühlstraße 25, A-5164 Seeham.
✆ +43/6217/5347, www.tobelmuehlhof.com. **Treffpunkt:** ↗ Hochseilgarten Seeham, Parkplatz Teufelsgraben. **Bahn/Bus:** Salzburg Hbf Bus 120 bis Seeham-Matzing, 5 Min Fußweg. **Auto:** ↗ Obertrum, Richtung Seeham, nach 3 km Matzing, links einbiegen. **Rad:** Seenland-Radweg. **Zeiten:** April – Okt Mo 15 – 17, Sa 10 – 12 Uhr ab 5 angemeldeten Pers, Gruppen/Familien ab 5 Pers jederzeit nach Vereinbarung. **Preise:** 1 Std 6 €, jede weitere Std 4 €; Kinder bis 8 Jahre 1 Std 4 €, jede weitere Std 3 €.

▶ Ein gutes Augenmaß braucht ihr schon, wenn ihr mit dem Langbogen auf die Zielscheiben zielt. Doch keine Angst, ihr bekommt eine Einschulung und dann heißt es nur noch Bogen spannen und die Zielscheibe sicher treffen. Schon ab 5 Jahre könnt ihr in Begleitung von Erwachsenen Pfeil und Bogen zur Hand nehmen.

Spiel und Spaß an der Seeburg

Seeburgstraße, A-5201 Seekirchen. ✆ +43/6212/39712 (Restaurant), www.seekirchen-info.at. **Lage:** Unterhalb der Seeburg. **Bahn/Bus:** ↗ Seekirchen, Fußweg zum See oder Wallersee-Express. **Auto:** ↗ Seekirchen, Beschilderung Seeburg. **Rad:** Direkt am Wallersee-Rundweg. **Zeiten:** Do – Di 10 – 22 Uhr. **Preise:** Minigolf 3 €; Kinder 6 – 14 Jahre 1,50 €. **Infos:** Schlägerausgabe im Innenhof der Seeburg beim Restaurant.

▶ Neben **Minigolf** spielen könnt ihr unterhalb der *Seeburg* auch euren Tastsinn schärfen und die Geschicklichkeit prüfen. Zieht Schuhe und Socken aus und begebt euch auf den **Barfußpfad**. An heißen Tagen könnt ihr euch an der Kneippanlage noch ein wenig abkühlen.

Happy Birthday!
Den angrenzenden Grillplatz könnt ihr mit euren Freunden zum Feiern nutzen, meldet euch bei Familie Breitfuß.

Die Seeburg stammt aus dem 15. Jahrhundert und hat eine sehr bewegte Geschichte hinter sich. Heute wird hier geheiratet, gefeiert und gelernt.

SALZBURGER SEENLAND

Habt ihr nach einem Besuch im Erlebnispark noch Lust auf eine Abkühlung? Es gibt ermäßigten Eintritt ins ↗ Erlebnisbad Straßwalchen und sollten die Badesachen fehlen, dann können die ausgeliehen werden!

Happy Birthday!
Geburtstagskinder bis 14 Jahre haben am Geburtstag (Ausweis mitnehmen) freien Eintritt.

Hunger & Durst
Westernsaloon, Straßwalchen. ✆ +43/6215/8181. www.erlebnispark.at. April – Okt täglich 10 – 18 Uhr. Liegt in der Westernstadt, SB-Restaurant.

Packt feste Schuhe, bequeme Kleidung und eventuell Fahrradhandschuhe bei empfindlichen Händen ein.

Dracula, Dinos & Co.: Fantasiana Erlebnispark Straßwalchen

Märchenweg 1, A-5204 Straßwalchen. ✆ +43/6215/8181, www.erlebnispark.at. **Bahn/Bus:** Salzburg Hbf S2 bis Straßwalchen, 15 Min Fußweg bis Marktplatz, weiter Bus 586 bis Straßwalchen/Riemerhof. **Auto:** ↗ Straßwalchen, B1 folgen. **Zeiten:** April – Okt täglich 10 – 18 Uhr (letzter Einlass 16 Uhr), Zeiten können bei Schlechtwetter variieren. **Preise:** 15 €; Kinder 2 – 15 Jahre 14 €; Fr Familientag 11,50 € pro Person.

▸ Es gibt so viel zu entdecken im Fantasiana. Unternehmt eine Fahrt mit dem Floß oder den Schwänen über das Wasser oder eine Tour mit dem Bähnchen durch den Märchenwald. Auf der Achterbahn Wild Train Coaster geht es hinauf in luftige Höhen und beim Spaziergang durch das Schloss von Graf Dracula gruselt sich bestimmt der ein oder andere von euch. Bei so viel Abenteuer und Spaß muss eine Stärkung in einem der beiden Restaurants sein. Seid ihr zwischen 3 und 10 Jahre alt, dann werdet ihr einen spannenden Tag im Fantasiana Erlebnispark haben.

Hochseilpark Seeham

Tobelmühlstraße 25, A-5164 Seeham. ✆ +43/6217/29029, www.hochseilpark.at. **Lage:** Eingang zum Teufelsgraben. **Bahn/Bus:** Salzburg Hbf Bus 120 bis Seeham-Matzing, 5 Min Fußweg. **Auto:** ↗ Obertrum, Richtung Seeham, nach 3 km Matzing, links einbiegen. **Rad:** Am Seenland-Radweg. **Zeiten:** April und Sep – Okt Sa, So und Fei 10 – 19 Uhr, Mai – Juni Fr, Sa, So und Fei 10 – 19 Uhr, Juli – 15. Sep täglich 10 – 19 Uhr. **Preise:** 25 €; Kinder ab 110 cm Körpergröße 9 €, ab 130 cm 12 €, ab 150 cm 15 €, 16 – 17 Jahre 19 €; Kombitarife 1 Erw mit 1 Kind 29 – 35 €.

▸ Mit insgesamt sieben Parcours auf fünf Ebenen hat der Hochseilpark für jeden etwas zu bieten. Seid ihr zwischen 110 – 130 cm groß, dann könnt ihr euch auf den leichteren Parcours 1 – 3 bewegen. Schon ab 130 cm könnt ihr noch zwei weitere Parcours ausprobieren. Hier könnt ihr euch dann auch mal wie Tarzan fühlen, wenn ihr mit der Seilrutsche über das Tal saust. Oder ihr genießt eine Schlittenpartie mitten im Sommer, mitten in den Baumkronen?! Das alles ist möglich im Hochseilpark. Nach einer ausführlichen Einschulung und einem Probeparcours kann es losgehen. Kinder unter 14 Jahre klettern in Begleitung eines Erwachsenen.

Mutig wie Tarzan: In luftigen Höhen geht es von Baum zu Baum

Vulkanisch gut
Vulcanino Erlebniswelt, Joseph Mösl Straße 4, 5203 Köstendorf. ✆ +43/6216/7688, www.vulcanino.at. **Bahn/Bus:** Salzburg Hbf Bus 120 Köstendorf Kleinköstendorf, 10 Min Fußweg. **Auto:** ↗ Neumarkt am Wallersee, L206 Richtung Köstendorf, nach Kleinköstendorf rechts abbiegen. **Zeiten:** Täglich 10 – 19 Uhr. **Preise:** 4 €; Kinder 1 – 2 Jahre 4,50 €, 3 – 18 Jahre 7,90 €; Familie (2 Erw, 2 Kinder) 22,50 €, Happy Hour 17 – 19 Uhr 50 % Ermäßigung, freien Eintritt haben Mo Oma und Opa, Mi die Väter und Do alle Mamas (nicht an Fei und in den Schulferien).

▶ Das Vulcanino ist nicht so heiß wie die Vulkane Etna oder Stromboli, bietet aber garantiert eine Menge Spaß. Ihr könnt einen Klettervulkan besteigen und euch einen Überblick verschaffen, um danach in einer flotten Rutschpartie wieder auf die Erde zu kommen. Für große und kleine In-die-Luft-Springer gibt es verschiedene Trampoline, einen riesigen Fun Park mit Wellen- und Kamikaze-Rutsche, zwei Hüpfburgen und, und, und. Kurzum, ein Tag im Vulcanino verspricht jede Menge Abwechslung. Auch draußen geht

Happy Birthday!
Feiert euren Geburtstag im Vulcanino gemeinsam mit min. 6 Freunden. Für 13,50 € pro Gastkind (Geburtstagskind frei) bekommt ihr den ganzen Tag Spielspaß und für Essen und Trinken ist ebenfalls gesorgt.

es nämlich rund, z. B. bei einem Beachsoccerspiel oder dem Flying Fox. Sind die kleinen Geschwister dabei? Im Kleinkindbereich mit Bällebad und kleiner Kletterwand kommen auch die auf ihre Kosten!

Wintersport

Eislaufen auf den Seen

▶ Eislaufen ist auf Natureisflächen ein besonderes Erlebnis, erfolgt allerdings auf eigene Gefahr und bedarf einer besonderen Vorsicht. Alle Salzburger Seen können zufrieren, informiert euch immer aktuell über die örtlichen Bedingungen. Eislaufen ist dann am **Grabensee** am Strandbad Perwang, am **Wallersee** an den Strandbädern Henndorf, Seekirchen, Neumarkt sowie beim Seehotel Winkler möglich. Eure Kurven ziehen könnt ihr auch auf dem **Obertrumer See** von den Strandbädern Obertrum und Seeham aus. Ist der **Mattsee** zugefroren, dann heißt es am Strandbad Mattsee und in der Weyerbucht: Rauf aufs Eis. Alljährliche Kunsteislaufplätze findet ihr in Obertrum in der Nähe des Tourismusbüros und in Straßwalchen am Schulzentrum.

Eisstockschießen ist eine alte Sportart, die es nur in Regionen gibt, in denen die Gewässer regelmäßig zufrieren. Zuschauen und es selbst ausprobieren könnt ihr auf allen Natureisflächen.

Skifahren am Buchberg

Andreas und Elise Pernestätter, Schrattenwinkel 3, A-5163 Mattsee. ✆ +43/6217/7216, www.mattsee.at. **Bahn/Bus:** Salzburg Hbf Bus 120 bis Mattsee Ortsmitte, weiter Bus 132 bis Mattsee Obernberg, 20 Min Fußweg. **Auto:** ↗ Mattsee, Richtung Schleedorf, bei den Egelseen rechts Richtung Naturpark Buchberg Hinweisschildern

Wer schafft es am weitesten? Beim Eisstockschießen braucht ihr viel Schwung

zum Skilift bzw. Gasthof Alpenblick folgen. **Zeiten:** Sa, So, Fei, 9.30 – 16.30 Uhr, Weihnachtsferien und Semesterferien Sbg und OÖ, auch Mo – Fr 13 – 16.30 Uhr. **Preise:** 10er-Block 3 €, Halbtageskarte 5 €, Tageskarte 8 €, Einzelfahrt 0,50 €.

▶ Ein echter »Mini«, aber spitze für alle, die noch ein wenig üben wollen, bevor es auf die großen Pisten geht. Anfänger und Kinder im Kindergarten- bis Volksschulalter finden hier einen idealen Übungshang. Für alle Nicht-Skifahrer bieten sich die Wege rund um den ↗ *Naturpark* Buchberg auch im Winter für Wanderungen an.

Sind die Egelseen zugefroren, dann könnt ihr dort eislaufen.

Entdeckungen auf Themenwegen

Geologische Wanderung am Haunsberg

Schlößl, A-5151 Nußdorf am Haunsberg. **Start:** Parkplatz beim Wirtshaus Schlößl. **Länge:** 3 km, festes Schuhwerk erforderlich, nicht kinderwagentauglich. **Bahn/Bus:** Salzburg Hbf S1 bis Weitwörth-Nußdorf, weiter Bus 111 bis Nußdorf am Haunsberg/St. Pankraz. **Auto:** Oberndorf, rechts abbiegen auf Salzburger Straße/B156a, B156 Ausfahrt Gewerbegebiet Weitwörth links, geradeaus bis Gastein, bei Schlößl rechts, Beschilderung Wirtshaus Schlößl folgen. **Rad:** An der Bajuwarentour Extra-Tour 4. **Infos:** Begleitheft gibt es für 3 € bei der Gemeinde Nußdorf oder beim Wirtshaus.

▶ Auf einer spannenden Wanderung am **Haunsberg** bei **Nußdorf** wandert ihr durch Millionen Jahre Vergangenheit. Der Haunsberg ist bekannt für seine geologischen Schätze. Versteinerte Muscheln, Schnecken, Korallen oder gar messerscharfe Haifischzähne könnt ihr hier mit viel Glück finden. Also aufgepasst und Augen auf, damit ihr ein ganz besonderes Andenken mit nach Hause nehmen könnt. Insgesamt sieben Informationstafeln geben euch einen Überblick über die Geologie am Haunsberg.

UMWELT ERFORSCHEN

Hunger & Durst
Wirtshaus Schlößl am Haunsberg, Schlößl 5, Nußdorf am Haunsberg. ✆ +43/06272/40038. www.wirtshaus-schloessl.at. Mo – Mi und Fr 15 – 24, Sa und So 10 – 24 Uhr. Lasst euch »das Schlossgespenst« gut schmecken!

Zum Entspannen: Liegeschaukel im WasserWunder

☀ Führungen für Kindergärten und Schulklassen sowie ein Ferienprogramm werden angeboten. Anmeldungen im Museum Fronfeste ✆ +43/6216/5704.

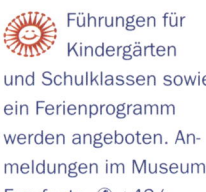 **Geführte Wanderung am Wenger Moor,** Köstendorf. ✆ +43/6216/6370. www.wengermoor.at. März – Nov (nach Vereinbarung). Dauer 2 – 3 Std, 30 €.

WasserWunder Wallersee

Tourismusverband Neumarkt am Wallersee, Hauptstraße 30, A-5202 Neumarkt am Wallersee. ✆ +43/6216/6907, www.neumarkt-info.at. **Lage:** Ostbucht des Wallersees. **Bahn/Bus:** Salzburg Hbf Bus 130 bis Neumarkt/Wallersee Abzweig Strandbad, 10 Min Fußweg. **Auto:** ↗ Neumarkt, B1 bei Matzing Richtung Strandbad. **Rad:** Am Wallersee-Rundweg. **Zeiten:** Ganzjährig frei zugänglich.

▶ Die WasserWunder am Wallersee findet ihr, wenn ihr hinter dem Strandbad Richtung Seehotel Winkler die Straße entlang geht. Nach 50 m seht ihr auf der linken Seite eine große Freifläche. Hier dreht sich alles um das Element Wasser. Zum Experimentieren gibt es eine Wasserpumpe mit Wasserrad, zum Informieren einige Tafeln mit Hinweisen auf Experimente für die Naturforscher unter euch. Und in der großen Liegeschaukel lässt es sich wunderbar träumen.

Streifzug durch das Wenger Moor

A-5203 Köstendorf. ✆ +43/6216/5313, www.koestendorf.at. **Lage:** Am Nordufer des Wallersees. **Länge:** 3 km, einfacher Weg, kinderwagentauglich. **Bahn/Bus:** Salzburg Hbf S2 bis Weng. **Auto:** ↗ Neumarkt am Wallersee, Beschilderung Strandbad folgen, links ab Richtung Maierhof. **Rad:** Direkt am Wallersee-Rundweg. **Zeiten:** Ganzjährig begehbar.

▶ Das **Wenger Moor** ist ein sehr bedeutendes Moorgebiet im Salzburger Flachgau, am Nordufer des *Wallersees*. Hier sind auf kleinem Raum Hoch- und Niedermoore, Streu- und Feuchtwiesen, Wald, Bachläufe und der Uferbereich des Wallersees zu finden. Viele verschiedene Tiere haben dort ihren Lebensraum. Ein 3 km langer Weg führt euch durch das Moorgebiet. Sechs Tafeln informieren über den Lebensraum Moor. Ihr startet vom Parkplatz beim **Wiererbauern** in Maierhof. Folgt der Ausschilderung zum Wenger Moor. Der Weg ist gut ausgebaut und lässt sich auch mit dem Fahrrad befahren. Ein Höhepunkt ist sicherlich die Aussichtsplattform. Hier könnt ihr mit etwas Glück Tiere beobachten. Nehmt also am besten auch ein Fernglas mit. Es gibt viele Stellen zum Rasten und Spielen. Da der gesamte Weg auch als Radweg ausgewiesen ist, müsst ihr etwas vorsichtig sein und auf Radfahrer achten.

Natur entdecken am Naturteich

Gemeinde Köstendorf, A-5203 Köstendorf. ✆ +43/6216/5313, www.koestendorf.at. **Lage:** Beim Parkplatz am Gemeindeamt. **Länge:** Kurzer Rundweg. **Bahn/ Bus:** Salzburg Hbf S2 bis Neumarkt, Bus 132 bis Köstendorf. **Auto:** ↗ Köstendorf, hinter Kirche parken. **Rad:** Am Seenland-Radweg.

▶ Ein Naturlehrpfad im Miniformat – für die Minis unter euch. Mitten in Köstendorf könnt ihr euch an fünf Stationen über die Lebensräume im Salzburger Seenland informieren. Doch die Infos werden in erster Linie für eure Eltern interessant sein, während ihr euch lieber als Naturforscher betätigt. Schaut genau hin, es gibt Arbeits- und Spielanleitungen, mit denen ihr die Natur mit allen Sinnen entdecken könnt.

 Naturforscher aufgepasst: Packt eine Flasche, einen Becher, Zeichenblock und Stifte in den Rucksack, dann könnt ihr die Aufgaben direkt vor Ort durchführen.

Betriebsbesichtigung & Museen

Papier mal anders

Michaela Rabler, Passauerstraße 14, A-5163 Mattsee. ✆ +43/676/4401811, Handy +43/676/4863872. www.papierart.at. **Bahn/Bus:** Salzburg Hbf Bus 120 bis Mattsee Ortsmitte. **Auto:** ↗ Mattsee, Ortsmitte. **Zeiten:** nach Vereinbarung, min. 2 Tage im Voraus. **Preise:** 40 €; Kinder 6 – 10 Jahre 20 €, 11 – 15 Jahre 30 €. **Infos:** Kurs für 4 – max. 6 Pers.

▶ Die meisten von euch kennen Papier, um darauf zu zeichnen oder es in der Schule zu beschreiben. Im vierstündigen Kurs bei Frau Rabler entdeckt ihr den Werk- und Wertstoff Papier neu. Ihr lernt, wie es ent-

HANDWERK UND GESCHICHTE

steht und könnt auf kreative Weise euer individuelles Papier schöpfen.

Hier mahlen die Mühlen wieder

Röhrmoosmühle, Familie Gruber, Röhrmoosmühle 1, A-5164 Seeham-Matzing. ✆ +43/6217/7318, www.teufelsgraben.at. **Bahn/Bus:** Salzburg Hbf Bus 120 bis Seeham-Matzing, 5 Min Fußweg. **Auto:** ↗ Obertrum, Richtung Seeham, nach 3 km Matzing, links einbiegen. **Rad:** Am Seenland-Radweg. **Zeiten:** Mai – Okt Di 10 und 11, So 14 – 16 Uhr. **Preise:** Führung mit Ausstellung Vom Korn zum Brot 2,50 €. **Infos:** Mühlenführungen unter ✆ +43/6217/5493 vereinbaren.

▶ Die Röhrmoosmühle gibt es seit 1835, doch war sie lange Zeit stillgelegt. Erst im Zuge eines Öko-Kulturprojektes wurde sie wieder zum Leben erweckt. Heute könnt ihr die Mühle auf einer ↗ *Wanderung durch den Teufelsgraben* besuchen. Ihr seht, wie auf drei Geschossen mithilfe von fünf Mahlwerken das Korn gemahlen wird. Das alles geschieht mittels Wasserkraft. Eine Ausstellung zeigt euch den Weg vom Korn zum Brot. Heute kommen die umliegenden Biobauern wieder zur Mühle und lassen hier ihr Korn mahlen. Direkt an der Mühle kann das Mehl in einem Backofen zu Brot verarbeitet werden. Lecker!

Stille-Nacht- und Heimatmuseum Oberndorf

Tourismusverband Oberndorf, Stille-Nacht-Platz 2, A-5110 Oberndorf bei Salzburg. ✆ +43/06272/4422, www.stillenacht-oberndorf.at. **Bahn/Bus:** ↗ Oberndorf, 15 Min Fußweg. **Auto:** ↗ Oberndorf. **Rad:** Am Tauern- und Mozartradweg. **Zeiten:** Täglich 9 – 16, Advent 9 – 18 Uhr, Feb geschlossen. **Preise:** 2,50 €; Kinder 6 – 15 Jahre 1,50 €; Familie (2 Erw, alle Kinder) 5,80 €.

▶ Das Weihnachtslied, das in Oberndorf erstmals am Heiligen Abend 1818 uraufgeführt wurde, wird auch heute noch weltweit gesungen. Es handelt vom holden Knaben im lockigen Haar ... Wisst ihr, wel-

---

🐌 Ab der Hauptstraße, entlang der Tobelmühlstraße bis zum Wanderweg Teufelsgraben findet ihr ein **Märchen in 12 Bildern** dargestellt. Dieses wurde von Schülern der VS Seeham geschrieben und bebildert; Länge: 1,5 km.

 Weil Papier ein wertvoller Rohstoff ist, verwendet pmv für seine Bücher nur solches aus nachhaltiger, einheimischer Produktion.

Hunger & Durst
Brotzeitstube Röhrmoosmü 18. Mo, Mi, Sa, So ab 12.30, Di 9 – 16, Fr 12.30 – 16 Uhr. 100 % Biospeisen.

ches Lied das ist? Im Heimatmuseum erfahrt ihr vieles über die damalige Zeit sowie die Entstehung und Verbreitung des Liedes. Besonders in der Weihnachtszeit und am Heiligen Abend ist es sehr stimmungsvoll rund um die **Stille-Nacht-Kapelle**, dann finden hier verschiedene Veranstaltungen wie Weihnachtskonzert, Kinderweihnachtsmarkt oder *Fackelwanderungen* statt.

Zoll- und Heimatmuseum

Oberröderstraße 1, A-5166 Perwang am Grabensee. ✆ +43/6217/8247-0, Handy +43/664/2371273. www.ooemuseumsverbund.at. **Bahn/Bus:** ↗ Perwang. **Auto:** ↗ Perwang. Zeiten: Mo – So (Anmeldung ✆ +43/664/2371273). Preise: 3 €; Kinder ab 12 Jahren 1 €.

▶ Dieses kleine, in einem urigen **Holzhaus** untergebrachte, Museum informiert euch über die Geschichte des Ortes Perwang. 1779 – 1809 gab es hier eine Zollstation zwischen Österreich und dem Erzbistum Salzburg. Gezeigt werden viele Gegenstände aus dieser Zeit. Im Bereich des Heimatmuseums seht ihr unter anderem ein Flachsbearbeitungsgerät.

Museum der Fronfeste

Hauptstraße 27, A-5202 Neumarkt am Wallersee. ✆ +43/6216/5704, www.fronfeste.at. **Lage:** Ortsmitte. **Bahn/Bus:** ↗ Neumarkt. **Auto:** ↗ Neumarkt, direkt am Hauptplatz im Zentrum. **Rad:** Vom Wallersee-Rundweg 2 km bis Ortsmitte. **Zeiten:** Mai – Okt Do 10 – 12, Fr, Sa, So 14 – 17 Uhr und nach Vereinbarung. **Preise:** 3 €; Kinder 1,50 €; Familien (2 Erw und Kinder) 7,50 €. Ein Eintritt frei mit der Seenland Card.

▶ Eine bunte Vielfalt an Themen bietet das Museum in Neumarkt in seinen Dauer- und Sonderausstellungen. Da es ein Programmmuseum ist, solltet ihr immer

Pfarrer Joseph Mohr (1792 – 1848) schrieb die 6 Strophen der Friedensbotschaft und der Organist Franz Gruber schuf dazu die Melodie. Und heute singen wir es noch unter dem Weihnachtsbaum: ***Stille Nacht, heilige Nacht.***

*Das **Holzhaus** stammt aus dem Jahr 1667. Spannend: In der damaligen Zollstation wurden Schmuggler gefangen gehalten.*

Tolle Programme: Auch von den Römern hört ihr hier
© Museum Fronfeste Neumarkt

Happy Birthday!
In 1,5 Std wird gebastelt und gespielt. Das Programm ist abwechslungsreich. Kontakt: Mag. B. Simon ✆ +43/699/10507864, pauschal 50 €, plus 1,50 € Eintritt pro Kind.

mal wieder vorbeischauen, denn es tut sich viel. Das Gebäude, in dem sich das Museum heute befindet, ist 1589 gebaut worden und diente als Amtmann- und Gefängnishaus. Dieser Geschichte folgend, seht ihr eine Originalgefängniszelle aus dem 16. Jahrhundert. Und dass in Neumarkt schon immer viel los war, dokumentieren die Darstellungen der Lederwerkstatt und der Hutmacherei. Informiert euch über die Programme, die für Kinder 4 – 15 Jahre angeboten werden.

BÜHNE, LEINWAND & AKTIONEN

Kreatives & Feste feiern

Lass uns malen
Leonardo Kunstakademie, Elfriede Kotrba, Schlossberg 1, A-5163 Mattsee. ✆ +43/6217/ 20334, www.leonardo-kunstakademie.at. **Bahn/Bus:** Salzburg Hbf Bus 120 bis Mattsee Ortsmitte. **Auto:** ↗ Mattsee. **Zeiten:** Termine in den Sommerferien, 10 – 14 Uhr. **Preise:** Kinder ab 6 Jahre 45 €. **Infos:** Malkurse für Schulklassen und andere Gruppen nach Terminvereinbarung möglich. Min. 7 Teilnehmer.

▶ Bei einem Kinder-Malseminar der Leonardo Kunstakademie könnt ihr verschiedene Maltechniken ausprobieren. Ob Schüttbilder oder Erlebnismalerei mit Schabtechnik – alles steht unter dem Motto Spaß und individuelle Förderung. Ihr lernt das Malen mit Ölkreide, Aquarell- oder Pastellfarbe kennen und erfahrt spielerisch etwas über die Grundlagen der Farbenlehre, der Perspektive und des Bildaufbaus. Bei schönem Wetter wird im Freien gemalt und zur Stärkung bekommt ihr eine Jause.

Hat den rechten Schwung raus: Hier ist nicht der Maler Klecks am Werk
© Leonardo Kunstakademie

> ▶ Ende August – Ende Oktober finden im ganzen Land Salzburg Veranstaltungen im Rahmen des **Salzburger Bauernherbst** statt. Dies sind **Bauernmärkte,** auf denen es gute Produkte aus der Region zu probieren und kaufen gibt, Feste mit Dorfmusik und ländlichem Handwerk, **Almabtriebe** oder Erntedank-Prozessionen. Überall könnt ihr dabei sein, mitfeiern und alte Traditionen erleben. Wo was stattfindet, seht ihr unter www.bauernherbst.com oder fragt bei der örtlichen Tourist-Info nach. ◀

SALZBURGER BAUERNHERBST

Filzen in der Jurte
Schafwolle pur, Angela Rachl, Hinterbuch 4, A-5166 Perwang am Grabensee. ✆ +43/6217/8739, Handy +43/664/2776775. www.schafwolle-pur.at. **Bahn/Bus:** ↗ Perwang, 2 km Fußweg über Oberröd. **Auto:** ↗ Perwang, von Hauptstraße links auf Oberröd, nach 1,8 km links. **Zeiten:** Ganzjährig, Kurse laut Kursplan oder auf Anfrage. **Preise:** 32 € plus Material.

▶ In der mongolischen **Jurte,** die bei Familie Rachl auf dem Hof steht, könnt ihr lernen, was man alles aus Schafswolle machen kann. Filzen steht bei den Kinderkursen im Vordergrund. Ob es phantasievolle bunte Blumen für den Haarschmuck oder vielleicht witzig-freche Mäuschen werden, das entscheidet ihr. Hilfreich steht euch jederzeit Angela Rachl zur Seite. Sie gibt auch Filzkurse in Kindergärten und Schulen. Zum Abschluss könnt ihr den Schafen noch einen Besuch abstatten.

Mitmachtheater, Workshops und mehr
Kulturverein Kunstbox, Verena Fellinger, Anton-Windhaber-Straße 7, A-5201 Seekirchen am Wallersee. ✆ +43/664/2302196. www.kunstbox.at. **Bahn/Bus:** ↗ Seekirchen, 7 Min Fußweg, Kreuzung Bahnhofstraße/Hauptstraße, Hauptstraße überqueren und folgen bis Anton-Windhager-Straße. **Auto:** ↗ Seekirchen, See-

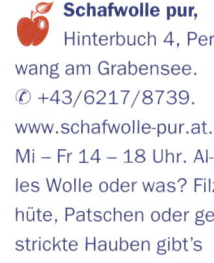

🍎 **Schafwolle pur,** Hinterbuch 4, Perwang am Grabensee. ✆ +43/6217/8739. www.schafwolle-pur.at. Mi – Fr 14 – 18 Uhr. Alles Wolle oder was? Filzhüte, Patschen oder gestrickte Hauben gibt's hier zu kaufen.

🦉 **Jurte** nennt man das Zelt der mongolischen Nomaden. Es ist ein Holzgerüst, das mit Filz- oder Baumwollstoffen bedeckt ist.

kirchen Süd, Hauptstraße folgen bis Kreuzung Bahnhofstraße, rechts, linke Seite Parkplatz. **Zeiten:** Verschiedene Termine. **Preise:** Workshops für Kinder 8 – 12 Jahre 30 – 50 € (5 Termine). Aufführungen Kinder ab 5 Jahre 7 – 9 €.

▶ Mit den **Kreativen Kindertagen** im Herbst hat die Kunstbox einen fixen Termin im Jahr für alle angehenden Schauspieler und Musiker unter euch. In verschiedenen Workshops könnt ihr euer Können unter Beweis stellen und Vieles von den Profis dazu lernen. Darüber hinaus gibt es noch tolle Veranstaltungen zum Zuschauen, Staunen und Träumen. Neben den Kreativen Kindertagen werden das ganze Jahr über **Veranstaltungen** für Kinder angeboten. Schaut einfach im Internet oder der Tageszeitung nach.

FESTKALENDER SALZBURGER SEENLAND

Januar:	Seeham: **Sagen- und Fackelwanderungen,** genaue Termine beim Tourismusverband erfragen.
April:	Henndorf: **Ostermarkt** auf Gut Aiderbichl.
Juni:	Anfang, Strandbad Seeham: **Familienfrühstück.**
Juli:	Mitte, Obertrum: **Kinder Triathlon.**
Juli – September:	Während der Sommerferien, Seekirchen: **Sommerspaß,** verschiedene Veranstaltungen in und um die Stadt.
August:	Letzter So 11 – 18 Uhr: **Motorfreier Familientag** rund um den Obertrumer See mit vielen Aktivitäten in den Orten Mattsee, Obertrum und Seeham.
August – Oktober:	Veranstaltungen des **Bauernherbst** in Obertrum, Neumarkt, Seeham. www.bauernherbst.com.
November – Januar:	Henndorf: **Weihnachtsmarkt** auf Gut Aiderbichl.
Dezember:	Seekirchen: **Familien-Advent.**

ATTERSEE & ATTERGAU

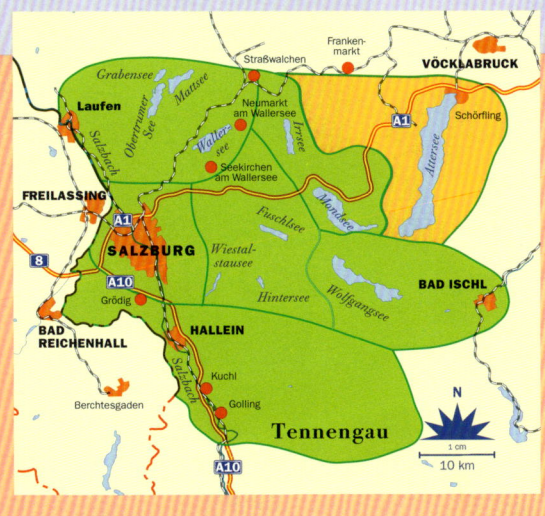

SALZBURG: NATUR & SPORT

SALZBURG: WISSEN & KULTUR

SALZBURGER SEENLAND

ATTERSEE & ATTERGAU

IRRSEE & MONDSEE

FUSCHLSEE

WOLFGANGSEE & BAD ISCHL

HALLEIN & TENNENGAU

INFO & FERIENADRESSEN

REGISTER & KARTEN

Der Attersee ist das größte Binnengewässer Österreichs. Mit seinen 20 km Länge und 4 km Breite bietet er allen Wassersportlern viel Platz. Einen entsprechenden Stellenwert nehmen alle Aktivitäten am und im Wasser ein. Aber auch wandern könnt ihr am Attersee. Ob auf Sagen- oder Märchenwegen, am Rande gibt es immer Möglichkeiten zu spielen, zu staunen oder an einem Bachlauf zu experimentieren.

Nordwestlich an den Attersee schließt sich der **Attergau** an. Dieser leicht hügelige Landstrich hat seinen ganz besonderen Reiz. Schon die Kelten fanden es Klasse hier und über sie erfahrt ihr auf dem *Keltenbaumweg* eine ganze Menge. Glas wurde im Tal von Weißenkirchen hergestellt. Den Themenweg durch *das Gläserne Tal* kann ich euch sehr empfehlen. Wenn ihr Lust auf eine Fahrt mit einer alten Schmalspurbahn habt – nur zu! Im Attergau fährt sie noch, und nicht nur als Touristenattraktion. Tolle Aussichten könnt ihr genießen, wenn ihr die 208 Stufen des Attergauer Aussichtsturms auf den *Lichtenberg* hinaufsteigt.

Strand- & Erlebnisbäder

Strandbad Weyregg am Attersee
Seedorf, A-4852 Weyregg am Attersee. ✆ +43/7664/2262, www.attersee.at. **Lage:** Östliches Seeufer. **Bahn/Bus:** Vöcklabruck Bus 562 bis Weyregg am Attersee/Gemeindeamt. **Auto:** ↗ Weyregg, Ortsmitte Beschilderung folgen. **Zeiten:** Mai – Sep. **Preise:** 4,60 €, ab 13 Uhr 3,50 €, ab 16 Uhr 1,80 €; Kinder 6 – 15 Jahre 2,80 €, ab 13 Uhr 1,90 €, ab 16 Uhr 1,20 €; günstiger mit Salzkammergut Erlebnis-Card.

▶ In Weyregg lernt ihr den Drachen *Weyreggulix* kennen. Er ist kein gefährlicher Feuerdrache, eher ein liebenswürdiger Spaßmacher, der euch im Kinderbecken mit seinen Wasserfontänen abkühlt. Spielplatz, Wasserrutschen und Wickelraum gibt es für die Klei-

GLÄSERNES TAL UND GLASKLARER SEE

Für eure Wege durch den Attergau nehmt die Wander-, Rad- und Freizeitkarte WK5282, freytag & berndt Verlag, mit. ISBN 978-3-70790-784-1.

TIPPS FÜR WASSERRATTEN

Bootsverleih Offenhauser, Seedorf 14, Weyregg am Attersee. ✆ +43/7664/2425. www.attersee.at. Juni – Aug je nach Witterung 9 – 18 Uhr. Ruder- und Treetboote.

Große und kleine Zwerge: Auf dem Märchenwanderweg in Unterach

In unmittelbarer Nähe des Strandbades befinden sich ein Minigolfplatz, eine Streetballanlage und ein Bootsverleih.

 **Attersee Bäderkarte,** Steinbach 5, Steinbach am Attersee. ✆ +43/7663/255. www.attersee-baeder.at. Vergünstigungen bei Saison-, Punkte- und Vorsaison-Karten, für die Strandbäder in Attersee, Schörfling, Steinbach, Seewalchen, Unterach, Weyregg und Nußdorf.

Hunger & Durst
BABU Strandbad Seewalchen, Promenade 1a, Seewalchen am Attersee. ✆ +43/7662/5569. www.attersee.at. Bei Schönwetter täglich ab 11 Uhr. Spielplatz, kleine Speisen und Eis.

nen. Und Liegewiese mit Schattenplätzen, Steganlage und Schwimminseln für die Großen.

Solar Strandbad Steinbach
Seefeld 69, A-4853 Steinbach am Attersee. ✆ +43/7663/255, Handy +43/680/1118494. www.attersee.at. **Lage:** Östliches Seeufer. **Bahn/Bus:** Attergaubahn bis Attersee, mit dem Schiff bis Steinbach, ↗ Attersee Schifffahrt. **Auto:** ↗ Steinbach. **Zeiten:** Mai – Sep 9 – 20 Uhr. **Preise:** 3,90 €, ab 13 Uhr 3,00 €, ab 16 Uhr 1,50 €; Kinder 6 – 15 Jahre 2,30 €, ab 13 Uhr 1,60 €, ab 16 Uhr 1 €; Familien (2 Erw und 2 Kinder) 8 €, ab 13 Uhr 6 €, ab 16 Uhr 3 €.

▶ Im Strandbad in Steinbach habt ihr die Wahl zwischen einem solarbeheizten Schwimmbecken mit 25-m-Rutsche, einem Kinderplanschbecken oder dem Sprung in den kühlen Attersee. Auch außerhalb des Wassers könnt ihr euch prima die Zeit vertreiben. Wie wäre es mal wieder mit einer Partie Beachvolleyball? Das Eis gibt es natürlich am Kiosk.

Seebad Schönauer
Bernadette Stöckl, Dr.-Hauttmann-Straße 9, A-4861 Schörfling am Attersee. Handy +43/664/5358302. www.attersee-baeder.at. **Lage:** Nördliches Seeufer. **Bahn/Bus:** Vöcklabruck Bus 564 bis Seewalchen Agerbrücke. **Auto:** ↗ Schörfling. **Zeiten:** Mai – Sep 9 – 20 Uhr. **Preise:** 3,50 €; Kinder 6 – 15 Jahre 1,80 €.

▶ Das Bad am Attersee hat eine große Liegewiese mit Bäumen, einen langen Badesteg und ein nettes Strandbuffet.

Strand-Erlebnisbad Seewalchen
Promenade, A-4863 Seewalchen am Attersee. ✆ +43/7662/5569, www.attersee.at. **Lage:** Nördliches Seeufer. **Bahn/Bus:** Vöcklabruck Bus 564 bis Seewalchen Agerbrücke. **Auto:** ↗ Seewalchen, Parken gratis. **Zeiten:** Mai – Mitte Juni und Sep – letzter So der Ferien 10 – 20 Uhr, Mitte Juni – Aug 9 – 20 Uhr. **Preise:**

4,50 €, ab 13 Uhr 3,70 €, ab 16 Uhr 2,10 €; Kinder 6 – 15 Jahre 2,70 €, ab 13 Uhr 1,90 €, ab 16 Uhr 1,20 €; Familien (2 Erw, 2 Kinder) 9 €, ab 13 Uhr 7,30 €, ab 16 Uhr 4,10 €.

▶ Die Mutigen von euch werden den 10-m-Sprungturm stürmen. Die Tollkühnen rutschen auf der Wasserrutsche in ein solarbeheiztes Becken und die Kleinen spielen unter dem Sonnensegel im Kinderbecken. Die Liegewiese mit Spielplatz sorgt für Spaß an Land.

Erlebnisbad Attersee

Nußdorfer Straße 13, A-4864 Attersee. ✆ +43/7666/7755-76, www.attersee.at. **Lage:** Nördliches Seeufer. **Bahn/Bus:** Attergaubahn bis Attersee Bhf, 10 Min Fußweg. **Auto:** ↗ Attersee, im Zentrum. **Rad:** Innerörtliche Radwege. **Zeiten:** Mai, Juni und Sep 11 – 18 Uhr bei Schönwetter, Juli und Aug 9 – 19 Uhr, bei Schlechtwetter ab 11 Uhr. **Preise:** 4,60 €, ab 13 Uhr 3,80 €, ab 16 Uhr 2,20 €; Kinder 6 – 15 Jahre 2,80 €, ab 13 Uhr 1,90 €, ab 16 Uhr 1,20 €; Familien (2 Erw, 2 Kinder) 9,20 €, ab 13 Uhr 7,50 €, ab 16 Uhr 4,20 €.

Ui, ist das hoch: Traut ihr euch, von ganz oben zu springen?

▶ Ein Erlebnisbad, das kaum Wünsche offen lässt: Es gibt Rutschen, Sprudelbecken, Wildwasserkanal und einen Wasserfall. Wenn es zu kalt wird, könnt ihr euch kurz in der Wärmehalle aufwärmen. Die große Liegewiese und ein Spielplatz runden das Angebot ab.

Strandbad Unterach

Badgasse 9, A-4866 Unterach am Attersee. ✆ +43/7665/8255-23, www.attersee.at. **Lage:** Südliches Seeufer. **Bahn/Bus:** Mondsee Busterminal Bus 562 bis Unterach/OKA-Kreuzung, 10 Min Fußweg. **Auto:** ↗ Unterach, Parkplatz 2 am Attersee. **Rad:** Am Salzkammergutradweg. **Zeiten:** Mai – Sep. **Preise:** Laut Aushang.

Beim Parkplatz vom *Strandbad* befindet sich im Winter ein Eislaufplatz.

▶ Das Strandbad in Unterach liegt am südlichen Ortsteil direkt am ↗ *Freizeitgelände*. Hier könnt ihr im abgetrennten Badebereich für Kleinkinder nach Lust und Laune baden. Es gibt eine lange Wasserrutsche, ein Sprungbrett, Steganlagen und ein Floß im Wasser. Auf der Liegewiese sind Schattenplätze vorhanden.

Schwimmen und mehr im Freizeitzentrum

Pausingergasse 26, A-4880 St. Georgen im Attergau. ✆ +43/7667/6784, www.freizi.at. **Bahn/Bus:** St. Georgen Schulzentrum Bus 565 bis St. Georgen Freizeitzentrum. **Auto:** ↗ Sankt Georgen i.A., Kreisverkehr 1. Ausfahrt L1276, nach 450 m rechts auf Hummelbachgasse, 1. links auf Pausingergasse. **Rad:** Innerörtliche Radwege von Bhf bis Freizeitzentrum 850 m durch Hummelbachgasse. **Zeiten:** Ganzjährig, Freibad Mitte Mai – Anfang Sep, täglich bei Schönwetter 9.30 – 19 Uhr. **Preise:** Tageskarte 3,70 €; Kinder 6 – 15 Jahre 2,60 €; günstiger mit OÖ Familienkarte.

Eine Runde Minigolf könnt ihr direkt am Freizeitzentrum spielen.

▶ Im Attergauer Freizeitzentrum ist für alle etwas dabei. Das **Freibad** mit Rutschen und Kleinkindbereich ist für alle kleinen und großen Wasserratten genau das Richtige. Ist das Wetter schlecht und ihr wollt euch richtig austoben? Dann könnt ihr Tennis im Freien oder in der Halle spielen, Bogenschießen, Badminton oder eine Runde Hallensoccer spielen.

In Weyregg sind die Fische nicht nur im Attersee – auch an Land

Badeplatz Weyregg am Attersee

Norbert Walkner, Jubiläumsallee, A-4852 Weyregg am Attersee. ✆ +43/664/ 2541383, www.attersee.at. **Lage:** Östliches Seeufer. **Bahn/Bus:** Vöcklabruck Bus 562 bis Weyregg am Attersee Gemeindeamt. **Auto:** ↗ Weyregg, im Ort Beschilderung folgen. **Zeiten:** Mai – Sep. **Preise:** Frei zugänglich.

▶ Einen schönen Badeplatz findet ihr in Weyregg. Hier, im seichten Uferbereich, könnt ihr prima spielen. Zwei Badestege führen hinaus ins Wasser. Auf der großen Liegewiese befinden sich ein Sandkasten und ein Spielplatz. 9 – 20 Uhr könnt ihr euch am Badebuffet stärken. Umkleiden und sanitäre Anlagen sind vorhanden.

Europabad Weißenbach
A-4853 Steinbach am Attersee-Weißenbach. ✆ +43/7663/8905, www.attersee.at. **Lage:** Südliches Seeufer. **Bahn/Bus:** Ab Attersee mit dem Schiff bis Weißenbach am Attersee, ↗ Attersee Schifffahrt. **Auto:** ↗ Steinbach, weiter auf B152 bis Weißenbach. **Zeiten:** April – Okt. **Preise:** Frei zugänglich.

▶ Der kostenlose Badeplatz hat einen Badesteg, eine große Liegewiese mit Schatten spendenden Bäumen und einen Beachvolleyballplatz. Am Strandbuffet ist für die Verpflegung gesorgt. Umkleiden und Duschen vorhanden.

Die ↗ Wanderung zum Nixenfall startet in Weißenbach.

Badeanlage Litzlberg
Litzlbergstraße, A-4863 Seewalchen am Attersee-Litzlberg. ✆ +43/7662/4491, www.seewalchen.eu. **Lage:** Westlich von Seewalchen. **Bahn/Bus:** Vöcklabruck Busbhf Bus 564 bis Litzlberg/Attersee GH Litzlberger Keller. **Auto:** ↗ Seewalchen, B151 Richtung Attersee in Litzlberg Beschilderung folgen. **Zeiten:** Bewirtschaftet Mai – Aug 10 – 17 Uhr. **Preise:** Frei zugänglich.

▶ Der kleine Badeplatz mit Spielplatz und Restaurant im Ortsteil Litzlberg ist schön gelegen. Auf der großen Liegewiese könnt ihr euch austoben.

Sprinzensteinpark Badeplatz
Nußdorfer Straße, A-4864 Attersee. ✆ +43/7666/7719, www.attersee.at. **Lage:** Nordöstliches Seeufer. **Bahn/Bus:** Attergaubahn bis Attersee Bhf, 5 Min Fuß-

weg. **Auto:** ↗ Attersee, gebührenpflichtiger Parkplatz Pausingerweg und Gemeindeamt. **Rad:** Innerörtliche Radwege. **Zeiten:** April – Okt. **Preise:** Frei zugänglich.

▶ Im Sprinzensteinpark gibt es einen frei zugänglichen Badeplatz. Neben Liegewiese und Steg sind noch Beachvolleyball- und Beachsoccerplatz, ein Spielplatz und Tischtennisplatten vorhanden.

Seebad Nußdorf am Attersee

Seestraße, A-4865 Nußdorf am Attersee. ✆ +43/7666/8064, www.attersee.at. **Lage:** Westliches Seeufer. **Bahn/Bus:** Von Attersee mit Schiff bis Nußdorf, ↗ Attersee Schifffahrt. **Auto:** ↗ Nußdorf. **Zeiten:** Mai – Sep. **Preise:** Frei zugänglich.

▶ Direkt neben dem Schiffsanleger befindet sich der Badeplatz von Nußdorf, das übrigens sogar im Wappen Nuss und Segelboot zeigt. Im Seebad könnt ihr euch auf einen kleinen Sandstrand und einen Kinderspielplatz freuen.

Wassersport & Boote

Aktivprogramm für Schulen und Gruppen

Aktivpoint OG, Jürgen Schütz, Forsthausstraße 4, A-4852 Weyregg am Attersee. ✆ +43/7662/2202, Handy +43/664/4436434. www.attersee.at. **Bahn/Bus:** Vöcklabruck Bus 562 bis Weyregg am Attersee Gemeindeamt. **Auto:** ↗ Weyregg. **Zeiten:** Auf Anfrage. **Preise:** Auf Anfrage.

▶ Alle (wasser-)sportbegeisterten Kinder und Jugendliche sind bei Jürgen Schütz in den richtigen Händen. Ob geführte **Mountainbike-Touren** oder **Surfkurse** (je min. 5 Teilnehmer), eine spannende **Flusswanderung** durch die Schlucht des Weißenbachs oder eine 3-stündige **Kanu- oder Kajaktour** entlang dem Atterseeufer (je min. 6 Teilnehmer) – mit dem Team von Aktivpoint erlebt ihr Aktion und Sport in geballter Form.

Wende, Halse, Aufschießer

Segelschule Attersee, Familie Liehmann, Landungsplatz, A-4864 Attersee. ✆ +43/7666/7702, Handy +43/699/11166991. www.segelschule.at. **Bahn/Bus:** Attergaubahn bis Attersee, 5 Min Fußweg. **Auto:** ↗ Attersee, bei Attersee Schiffstation. **Zeiten:** Aktuelles Kursangebot im Internet. **Preise:** Kinder 6 – 12 Jahre 5 Tage Anfängerkurs 259 €; Familien ab 3 Pers zahlen den Kinderpreis.

Wenn ihr segeln gelernt habt, könnt ihr das auch: Wende-Manöver

▶ Mit diesen Manöverbegriffen werdet ihr im Segelkurs vertraut gemacht. Dazu kommen noch erste Manöver unter Segel und viel Wissen rund um die Boote, den Wind und verschiedene Knoten. Am Ende könnt ihr die Prüfung für den Grundschein im Segeln ablegen und wer weiß, vielleicht geht es dann ja schon bald auf große Fahrt?

 Schuhe mit heller Sohle, Reservekleidung, Sonnenschutz und Passbild für die Prüfung solltet ihr im Gepäck haben.

▶ Nicht nur die vielen Badeplätze machen den Attersee für alle Wasserratten zu einem beliebten Ziel, sondern auch alle Aktivitäten, die ihr auf dem Wasser machen könnt.

AUF DEM ATTERSEE

Wenn ihr segeln, surfen, eine Bootstour machen oder dies erst lernen möchtet, seid ihr am Attersee genau richtig!

Auch wenn eine spritzige Tour mit einem schnellen Motorboot oder das Wasserskifahren extrem spaßig ausschauen, bitte beachtet: Beides schadet der Umwelt. Das Wasser wird verschmutzt und die Unterwasserwelt wird erheblich gestört. Mietet euch doch statt der lauten und verschmutzenden Boote lieber ein Elektroboot oder stellt eure Muskelkraft bei einer Kanutour unter Beweis. Doch selbst hier gilt – achtet auf die Umwelt! Im Uferbereich gibt es Schutzzonen, hier sollen u.a. Wasservögel ungestört leben und brüten können. ◀

Segeln, Surfen und Kanufahren

Yachtschule Koller, Familie Koller, Seestraße, A-4866 Nußdorf am Attersee. Handy +43/676/3305253. www.yachtschule-koller.com. **Bahn/Bus:** Attersee Schiffstation Bus 564 bis Nußdorf Schiffstation. **Auto:** ↗ Nußdorf. **Zeiten:** Büro Mai, Juni, Sep 9.30 – 12 und 13.30 – 16 Uhr, Juli, Aug 9 – 18 Uhr, genaue Kurstermine im Internet. **Preise:** Surfgrundkurs 185 €, Schnupperkurs Segeln 48 €, 1er-Kajak pro Tag 40 €, 2er-Kajak 60 €; Kinder 6 – 12 Jahre Optikurs in den Ferien täglich 9 – 11.30 und 13 – 15.30 Uhr 244 € (inkl. Unterlagen und Gebühren).

Segelboote sowie Surfbretter können bei der Yachtschule ausgeliehen werden. Halber Tag Segelboot 50 €, Surfbrett ab 35 €.

▶ Bei der Yachtschule Koller kommen alle Wasserfreunde auf ihre Kosten. Im **Surfkurs** lernt ihr den richtigen Umgang mit dem Brett. Schnupper- und Ferienkurse gibt es fürs **Segeln** oder ihr macht euch mit dem **Kajak** auf Erkundungstour über den Attersee.

Bootstour über den Attersee

Bootsverleih Proch, Elisabeth Proch, Jeritzastraße 22, A-4866 Unterach am Attersee. ✆ +43/7665/8242, www.attersee.at. **Lage:** Ortszentrum. **Bahn/Bus:** ↗ Unterach. **Auto:** ↗ Unterach. **Zeiten:** Ostern – Sep täglich 9 – 19 Uhr. **Preise:** 30 Min 1-Gang-Boot 9 bzw. 2-Gang-Boot 10 €, 1 Std 14 und 17 €.

Eine Fahrt auf dem Attersee: Jetzt nur noch das passende Schiff finden

▶ Eine Bootstour mit einem Elektroboot ist ein Riesenspaß. Bei Frau Proch könnt ihr euch 1-Gang- oder 2-Gang-Boote ausleihen.

Linienfahrten und Piraten-Schiffstour auf dem Attersee

Attersee Schifffahrt, Bahnhof Attersee, A-4864 Attersee. ✆ +43/7666/7806, www.atterseeschifffahrt.at. **Bahn/Bus:** Attergaubahn bis Attersee, 5 Min Fußweg. **Auto:** ↗ Attersee, Parkplatz bei Attersee Schiffstation. **Zeiten:** Ende April – Ende Sep laut Fahrplan. **Preise:** Nordkurs 10, Südkurs 16, große Seerundfahrt 20, Piratenschiff 16 €; Kinder 6 – 15 Jahre Nordkurs 5, Südkurs 8, große Seerundfahrt 10, Piratenschiff 12 €; günstiger mit Salzkammergut Erlebnis-Card.

▶ Neben der normalen Linienschifffahrt auf dem Attersee, die in die Rundkurse Nord und Süd eingeteilt ist, gibt es noch einige Extras für Kinder. Im Juli und August sticht das wild geschmückte **Piratenschiff** in See. Zwei Stunden stehen dann Käpt'n Hook und der Klabautermann am Steuer. Abfahrt: Attersee 13.45, Weyregg 14 und Nußdorf 14.20 Uhr. Nach telefonischer Anmeldung.

Happy Birthday!
Alle Geburtstagskinder fahren kostenfrei. Bitte Ausweis mitbringen.

Wandern und staunen

Am Taferlklaussee
Großalmstraße, A-4853 Steinbach am Attersee.
Start: Parkplatz an der Bundesstraße. **Länge:** 30 Min, kinderwagentauglich. **Bahn/Bus:** Steinbach Ruf-Bus (✆ 0650/7402225) bis Hochleckenhaus/Aufstieg.
Auto: ↗ Steinbach, weiter auf L544 Großalmstraße, auf der rechten Seite liegt der kleine See. **Zeiten:** Ganzjährig begehbar.

▶ Der Taferlklaussee liegt oberhalb von Steinbach. Auf dem Weg dorthin habt ihr schon tolle Aussichten auf den Attersee. Rund um den See führt ein Weg, der auch mit Kinderwagen befahren werden kann. Ein **Bodenlehrpfad** gibt euch Einblicke in das Leben unterhalb der Erdoberfläche. Ein Jahreshöhepunkt ist das **Echoblasen** am Abend des 15. August. Mehrere Bläsergruppen verteilen sich dann rund um den See und spielen Weisen, eine Form der alpenländischen Blasmusik. Die Musikanten spielen abwechselnd und die umliegenden Felswände geben ein Echo. Psst – ihr müsst wirklich ruhig sein, damit ihr das einmalige Erlebnis genießen könnt.

FRISCHE LUFT UND SPORT

Im Winter friert der kleine See zu, dann könnt ihr hier eislaufen.

Wanderung zum Nixenfall

A-4853 Steinbach am Attersee-Weißenbach. **Start:** Fachbergbrücke an der B153 Richtung Bad Ischl. **Länge:** Etwa 2 km, kinderwagentauglich. **Bahn/Bus:** Ab Attersee Bhf Bus 564 bis Unterach Ortsmitte, weiter Bus 562 bis Weißenbach Ort, Fußweg bis Fachbergbrücke. **Auto:** ↗ Steinbach, weiter auf B152 bis Weißenbach, B153 bis Fachbergbrücke P. **Zeiten:** Beste Wanderzeit April – Okt.

▶ Der Weg zum 50 m hohen Wasserfall ist gut ausgeschildert. Ihr startet am Wanderparkplatz Fachbergbrücke und folgt der Beschilderung Eibenberg-Rundweg bzw. Nixenfall. Am Wasserfall angekommen, entdeckt ihr eine kleine Statue der **Nixe.** Auf gleichem Weg geht es zurück. Eine Wanderung für kleine Wandersleut', der Weg ist gut begehbar und am Wegesrand gibt es Allerlei zu entdecken.

*Die **Nixe Adhara** brachte den Bewohnern rund um den Attersee Gold und Edelsteine. Als die Menschen aber habgierig und neidisch wurden, verschwand die Nixe in die umliegenden Wälder. Das Gold und Silber streute sie in den Attersee, darum glitzert er auch heute noch so.*

BÄRLAUCHPESTO SELBST GEMACHT

▶ Eure Spaghetti schmecken noch besser, wenn ihr statt Ketchup ein selbst gemachtes **Bärlauchpesto** dazu esst. Bärlauch findet ihr im Frühjahr in vielen Waldgebieten oder frisch bei einem Gemüsebauern. Für euer Pesto (für 4 Personen) braucht ihr etwa 125 g Bärlauch, 30 g fein geriebenen Parmesankäse, 50 g leicht geröstete Pinienkerne (oder auch Walnüsse), 125 ml Olivenöl und etwas Salz und Pfeffer. Die Mengenangaben können variieren, wenn ihr weniger Bärlauch habt, braucht ihr auch weniger Öl. Den gewaschenen Bärlauch schneidet ihr in feine Streifen. Die Pinienkerne in der Pfanne vorsichtig ohne Öl rösten und den Parmesan fein reiben. Alle Zutaten gebt ihr in ein Gefäß und mixt sie mit einem Pürierstab. In einem Glas im Kühlschrank aufbewahrt, hält das Pesto einige Zeit.

Achtung! Einen guten Riecher braucht ihr beim Sammeln von Bärlauch. Riechen die Blätter nicht eindeutig nach Knoblauch, dann kann es sich auch um giftige Maiglöckchen oder Herbstzeitlose handeln. Am besten immer mit einem Erwachsenen sammeln oder im Zweifel beim Gemüsebauern kaufen! ◀

Zum Picknick mit den Zwergen

Kindermärchenwanderweg, A-4866 Unterach am Attersee. **Lage:** Oberhalb vom Ort. **Länge:** 2,4 km, kinderwagentauglich. **Bahn/Bus:** Mondsee Busterminal Bus 562 bis Unterach Attersee Zettelmühle, 20 Min Fußweg entlang der Druckerstraße bergauf. **Auto:** ↗ Unterach, von Mondsee aus Druckerstraße Richtung Gasthof Druckerhof, nach wenigen 100 m links Parkplatz; von Nußdorf aus Wegweisung Attersee-Bundesstraße auf Egelseestraße, Parkplatz 200 m nach Feuerwehrhaus. **Zeiten:** Ganzjährig begehbar.

Picknick wie im Märchen: Mit Schneewittchen und den 7 Zwergen

▶ Auf dem schönen Waldweg begleiten euch viele Zwerge von Märchen zu Märchen. Die einfache Darstellung der Geschichten gefällt vor allem den Jüngsten von euch. Nehmt euer Märchenbuch mit, dann könnt ihr euch die Geschichten noch mal vorlesen lassen. Höhepunkte der Wanderung sind der **Waldspielplatz** mit Seilbahn, Schaukeln und Rutsche, der Picknickplatz bei Schneewittchen und den sieben Zwergen und der schöne Bachverlauf, der im Sommer zum Spielen einlädt.

🐢 Märchenbuch, Gummistiefel und eine gute Jause mitnehmen! Im Frühjahr wächst ganz viel Bärlauch im Wald.

Turm mit toller Aussicht

Attergauer Aussichtsturm, A-4881 Straß im Attergau. www.strass.ooe.gv.at. **Lage:** Auf dem Lichtenberg nordwestlich von Straß. **Länge:** Vom Parkplatz kurze Wanderung, etwa 500 m zum Turm, bis dort kinderwagentauglich. **Auto:** ↗ St. Georgen, rechts bis Kreisverkehr, Attergaustraße durch St. Georgen bis Kreuzung Gasthof Grüner Baum, links Richtung Thalham/Straß, nach Thalham rechts, Beschilderung Aussichtsturm.

Hunger & Durst

Berghof Danter, Lichtenberg 3, Straß im Attergau. ✆ +43/7667/6555. www.berghof-danter.at. Mi – So 11 – 21 Uhr. 700 m bis zum Aussichtsturm. Frische regionale Küche.

▶ Eine kurze Wanderung vom Parkplatz führt euch zum Aussichtsturm auf den **Lichtenberg.** Ein wenig schwindelfrei solltet ihr sein, wenn ihr die 36 m hinaufklettert. Doch wer die 208 Stufen geschafft hat, der wird mit einem tollen Ausblick belohnt. Wer erkennt die markante Form des *Schafbergs*? Und wo liegt denn nun Bayern und wo das Salzkammergut?

Abenteuer & Spaß

Freizeitanlage Unterach

A-4866 Unterach am Attersee. www.unterach.at. **Bahn/ Bus:** Mondsee Busterminal Bus 562 bis Unterach am Attersee OKA-Kreuzung. **Auto:** ↗ Unterach, Parkplatz 2 am Attersee. **Rad:** Liegt am Salzkammergutradweg. **Zeiten:** Ganzjährig. **Preise:** Frei zugänglich.

 **Minigolf,** Freizeitgelände am Attersee. ✆ +43/664/ 4320586. www.attersee.at. Juni – Sep 16 – 20 Uhr, Juli und Aug 9 – 22 Uhr. Preise laut Aushang.

▶ Das große Freizeitgelände mit Minigolf, Bolz- und Basketballplatz liegt direkt am öffentlichen Badeplatz in Unterach. Auf dem großen **Spielplatz** könnt ihr klettern, schaukeln und toben. Bolz- und Basketballplatz sind frei zugänglich. Der **Badeplatz** hat eine große Liegewiese mit Bäumen.

Wintersport

Wachtberglifte Weyregg

Wolfgang Spießberger, Dr.-Gleißner-Weg 27, A-4852 Weyregg am Attersee. ✆ +43/7664/2635, Handy +43/664/3078990. www.wachtberglifte.com. **Bahn/ Bus:** Ab Weyregg (Feuerwehrzeughaus) Shuttlebus bis Skilifte, Mo – Fr 13 und 14, Sa, So und Ferien 9 – 14 Uhr stündlich. **Auto:** ↗ Weyregg, B152 Richtung Steinbach, links auf Wachtbergstaße. **Zeiten:** Mo – Fr 13 – 16 Uhr, Sa, So und Ferien 9 – 16 Uhr. **Preise:** Tageskarte 15 €, Halbtageskarte 13 €, 2 Std 10,50 €; Kinder bis 15 Jahre Tageskarte 11 €, Halbtageskarte 9 €, 2 Std 7,50 €.

▶ Auf drei verschiedenen Abfahrten kommt am *Wachtberg* jeder auf seine Kosten. Die alten Hasen nehmen den Haushang oder carven durch den Wald. Die kleinen Schneepflügler wählen den Seehang. Super ist der Shuttlebus, der euch bequem von Weyregg zum Lift bringt.

Eislaufplatz in Seewalchen

Nassinger Straße, A-4863 Seewalchen am Attersee. ✆ +43/7662/4491, www.seewalchen.ooe.gv.at. **Lage:** Hinter der Kirche. **Bahn/Bus:** Vöcklabruck Busbhf Bus 564 bis Seewalchen Attersee Agerbrücke. **Auto:** ↗ Seewalchen, Richtung Seewalchen Ortsmitte.

▶ Sobald es die Temperaturen zulassen, wird hinter der Kirche in Seewalchen der Eislaufplatz präpariert. Hier könnt ihr kunstvoll eure Schwünge üben oder beim traditionsreichen Eisstockschießen zuschauen bzw. selbst einmal euer Glück versuchen. Aufgewärmt wird sich anschließend im **Gasthof Zur Post.**

Skilift Kronberg

WSU Attergau, A-4864 Attersee. ✆ +43/7666/7460, www.schilift-kronberg.at. **Auto:** ↗ Attersee, B151 Richtung Nußdorf, nach 1,5 km rechts Beschilderung Hotel Schneeweiß folgen. **Zeiten:** Mo – Fr 13 – 16.30 Uhr, Sa, So und während der Schulferien 10 – 16.30 Uhr. **Preise:** Tageskarte 13 €, ab 13 Uhr 11€; Kinder ab 6 Jahre 9 €, ab 13 Uhr 7,50 €, Kleinkinder am Kinderlift 3,50 € (in Begleitung eines zahlenden Ewachsenen gratis); Ermäßigung mit der OÖ Familienkarte, wenn beide Elternteile zahlen, fährt das erste Kind frei, Mo fahren Mutter und Kind zum Kindertarif.

▶ Klein, aber fein – der Skilift der Wintersport Union Attergau ist ein prima Einsteigerlift für Kinder und Schüler. Auch Schulen und Vereine trainieren hier. Kinderskikurse werden angeboten und am Kleinkinderskilift können schon die Kleinsten ihre ersten Schwünge wagen.

Hunger & Durst

Kirchenwirt Gasthof Zur Post, Hauptstraße 2, Seewalchen am Attersee. ✆ +43/7662/2315. www.gasthof-stallinger.at. Fr – Mi 8 – 24, Okt – Mai ab 15 Uhr. Österreichische Küche.

Was ist grün und hängt im Baum?

Hunger & Durst

Hotel Schneeweiß, Abtsdorf 30, Attersee. ✆ +43/7666/7721. www.hotel-schneeweiss.at. Täglich 11 – 21 Uhr. Direkt am Skilift. Drinnen gibt es ein Spielzimmer.

UMWELT ER- FORSCHEN

 Im Sommer solltet ihr Badehose und Handtuch dabei haben. Im Winter packt eine Laterne und Futter (Äpfel, hartes Brot, Nüsse) für die Tiere in euren Rucksack.

Institut für Angewandte Umweltbildung, Wieserfeldplatz 22, Steyr. ✆ +43/7252/81199. www.naturschauspiel.at. Informationen über weitere Naturschauspiele in ganz Oberösterreich.

Geschichte & Natur

Naturschauspiel WaldMeer am Attersee

Sabine Ablinger, Wachtbergstraße 28, A-4852 Weyregg am Attersee. ✆ +43/7664/2635, Handy +43/664/3078990. www.naturschauspiel.at. **Lage:** Naturpark Attersee-Traunsee. **Bahn/Bus:** Vöcklabruck Bus 562 bis Weyregg am Attersee Gemeindeamt. **Auto:** ↗ Weyregg, Parkplatz ehemalige Landwirtschaftliche Fachschule Weyregg. **Zeiten:** April – Dez 4 feste Termine, für Gruppen individuell buchbar. **Preise:** 7 €; Kinder 3 – 18 Jahre 5 €, Schulklasse 3 € pro Pers; Familien (2 Erw und 2 Kinder) 15 €.

▶ Den Wald im jahreszeitlichen Kreislauf kennen lernen, Fährten lesen, Geschichten lauschen und die Natur hautnah erleben, das steht im Mittelpunkt der 3-stündigen Tour durch das Gebiet des *Naturpark Attersee-Traunsee*. Im Internet findet ihr die fixen Termine, als Gruppe könnt ihr aber jederzeit das Programm buchen.

Auf dem Wildholzweg

Informationsbüro Nußdorf am Attersee, Dorfstraße 33, A-4865 Nußdorf am Attersee. ✆ +43/7666/8064, www.wildholzweg.com. **Lage:** Start im Ortszentrum bis Aussichtspunkt Pfarrer Salettl. **Länge:** 1,8 km, kinderwagentauglich. **Bahn/Bus:** Attersee Schiffstation Bus 564 bis Nußdorf Ortsmitte. **Auto:** ↗ Nußdorf. **Zeiten:** Ganzjährig begehbar.

▶ Das Symbol des Nussbaumes begleitet euch auf dem Weg. Der erste Teil der Strecke geht entlang der Oberdorfstraße, nach Station 8 geht es dann in einen schönen schattigen Wald, durch den ihr nach etwa 30 Minuten das Ziel, den Aussichtspunkt *Pfarrer Salettl* erreicht. Auf eurem Weg erfahrt ihr Vieles über die Bedeutung und Verarbeitung von Holz sowie über verschiedene Baumarten. Könnt ihr schon Laub- und Nadelbäume unterscheiden? Außerdem könnt ihr auch aktiv sein, klettert auf den Hochstand und bei

Station 9 seht ihr ein Sägewerk aus früheren Zeiten. Am Zielpunkt wartet ein toller Spielplatz auf euch.

Den Kelten auf der Spur

Kelten.Baum.Weg, A-4880 St. Georgen im Attergau-Kogl. www.keltenbaumweg.at. **Lage:** Westlich von St. Georgen. **Länge:** 2,5 km als Rundweg, kinderwagentauglich. **Bahn/Bus:** Vöcklabruck Bhf Bus 565 bis St. Georgen Schulzentrum, 10 Min Fußweg. **Auto:** ↗ St. Georgen, Kreisverkehr 3. Ausfahrt L540 Thern, ab Ortsmitte brauner Beschilderung folgen, am Kreisverkehr parken. **Rad:** Innerörtliche Radwege.

▶ Eine spannende Reise in die Zeit der Kelten unternehmt ihr auf dem Keltenbaumweg. Start ist im Ortsteil Kogl. Vom Parkplatz am Kreisverkehr folgt ihr der Beschilderung zum *Kelten.Baum.Weg*. Auf neun Infotafeln erfahrt ihr Spannendes unter anderem über ihre Feste, die Mode und die Landwirtschaft in der Eisenzeit. Doch nur lesen ist langweilig! Seid aktiv und balanciert, rätselt und tastet euch durch die Welt der Kelten. Eine ausgiebige Pause legt ihr sicherlich auf dem **Abenteuerspielplatz** mit Riesenseilbahn und Kletterseil ein. Wem das alles zu turbulent ist, der kann es sich bei Station 6 auf einer Bank gemütlich machen und sich ein keltisches Märchen vorlesen lassen. Achtet auch auf die **13 Baumtafeln** entlang

Der ↗ Tourismusverband St. Georgen organisiert tolle Führungen für Kinder auf dem Keltenbaumweg. Mit vielen aktiven Elementen und Stockbrotbacken. 65 €, max. 25 Teilnehmer.

Hunger & Durst
Landgasthof Spitzerwirt, Kogl 17, St. Georgen im Attergau. ✆ +43/7667/6590. www.spitzerwirt.at. Di – So 10 – 22 Uhr. Spielplatz, Keltenbrot.

Geschichtsstunde interaktiv: Auf dem Keltenweg

dem Weg. Hier könnt ihr noch Spannendes und Kurioses über die jeweiligen Bäume erfahren.

Faszination Glas – Das gläserne Tal

Gemeindeamt Weißenkirchen im Attergau, Franz Wendl, Nr. 13, A-4890 Weißenkirchen im Attergau. ✆ +43/7684/6355, www.dasglaesernetal.at. **Länge:** Einfache Strecke 3 km, aufgrund der Länge anspruchsvollere Wanderung für Kinder ab Volksschulalter. **Auto:** ↗ St. Georgen, L540 bis Kogl, L1283 Richtung Weißenkirchen, Beschilderung Gläsernes Tal folgen, Parkplatz an der Volksschule oder Kirche. **Zeiten:** Themenweg ganzjährig frei zugänglich, Glasmuseum und Teile des Schaudorfes im Rahmen einer Führung nach Anmeldung, ↗ Glasmuseum und Schaudorf.

▶ Der Themenweg **Das gläserne Tal** beginnt zentral im Ort Weißenkirchen an der Kirche. Hier befindet sich auch das ↗ **Glasmuseum.** Für die Wanderung auf dem Themenweg folgt ihr der Beschilderung links an der Kirche vorbei. Nach etwa 300 m kommt ihr an einen **Aussichtsturm.** Folgt weiter dem Straßenverlauf und achtet auf die Beschilderung. Links über einen Trampelpfad geht es die Wiese hinauf. Oben angekommen biegt ihr rechts ab in Richtung Wald. Nach wenigen Metern kommt ihr zum **Eingang ins gläserne Tal.** Ihr erkennt es an einem reichlich verzierten Tor. Geht ihr hindurch, könnt ihr auf dem Themenweg das Material Glas an verschiedenen Stationen ganz neu entdecken. Sagt euch eurer Instinkt bei der gläsernen Brücke: »Vorsicht! Glas ist zerbrechlich?« Aber keine Sorge, ihr könnt beruhigt weitergehen, die Glasbrücke hält. Entdeckt das

Hunger & Durst

Wirtshaus in Freudenthal, Freudenthal 7, Weißenkirchen im Attergau. ✆ +43/7684/60638. www.freudenthal.cc. Mi – Mo ab 11 Uhr. Großes Jausenangebot, netter Spielplatz.

Mit viel Durchblick: Ein spannender Weg durch das Freudenthal

Molekularnetz und das verkehrte Aquarium, dreht die Zeit zurück an der riesigen Sanduhr. Ziel des Weges ist das **Schaudorf,** in dem das Leben im **Freudenthal** und die Geschichte der Glaserzeugung im Vordergrund stehen. Schaut euch ein wenig um. Einen Teil der Gebäude könnt ihr nur im Rahmen von Führungen von innen besichtigen. Zurück geht es auf gleicher Strecke, diesmal bergauf!

Im Freudenthal müsst ihr immer mit offenen Augen wandern, denn nur dann könnt ihr einen grünen Glasstein finden, der von der vergangenen Glasproduktion zeugt.

Sternengucker aufgepasst

Sternwarte Gahberg, Astronomischer Arbeitskreis Salzkammergut A-4852 Weyregg am Attersee. ✆ +43/7662/6490, www.astronomie.at. **Auto:** ↗ Weyregg, nach Brücke links, 1 km bis zur nächsten Abzweigung, wieder links, nach 3 km Bergfahrt Sternwarte. **Zeiten:** Führungen ganzjährig, in den Sommermonaten an jedem 10., 20. und 30. des Monats, genaue Informationen im Internet unter Veranstaltungen. **Preise:** 4 €; Kinder 6 – 15 Jahre 1 €. **Infos:** Servicetelefon (Bandansage) +43/7662/8297.

▶ Ist es nicht schön, in den Sternenhimmel zu schauen und immer wieder neue Sterne zu entdecken? Die Sternenwarte bietet euch jeden Monat Führungen an, bei denen das Himmelsbild genau erklärt wird. Manche Führungen haben einen thematischen Schwerpunkt, so gibt es speziell eine Nacht des Mondes oder des Ringplaneten Saturn. Lasst

Ein Stern, der deinen Namen trägt … Nicht nur ein Popsong, sondern bald schon Wirklichkeit? Beim Astronomischen Arbeitskreis Salzkammergut könnt ihr einen Stern nach euch benennen lassen und das kostenlos! Alle Informationen unter www.sterntaufe.astronomie.at.

Sternschnuppe gesehen?
Dann habt ihr einen
Wunsch frei

euch überraschen und vielleicht seht ihr ja sogar den Kleinen Prinzen auf seinem Asteroiden B612?

HANDWERK UND GESCHICHTE

Eisenbahn fahren & Museum

Mit der Bimmelbahn durch den Attergau

Attergaubahn, Nußdorfer Straße 8, A-4864 Attersee. ✆ +43/7666/7805, www.stern-verkehr.at. Strecke: Vöcklamarkt – Walchen – Kogl – St. Georgen im Attergau – Attersee und zurück. **Auto:** A1 Ausfahrt 242 St. Georgen im Attergau, L540 Richtung Vöcklamarkt. **Zeiten:** Fahrzeit 25 Min, Fahrplan Attergaubahn auf der Internetseite. **Preise:** ÖBB-Ticket, Familie (2 Erw und 2 Kinder) fahren mit Gruppenticket ab 14,10 €.

▶ Eine gemütliche Fahrt mit der **Attergaubahn** bringt euch von **Vöcklamarkt** nach **Attersee** und wieder zurück. Die in den 20er Jahren des letzten Jahrhunderts erbaute Schmalspurbahn muss auf der Strecke eine Neigung von bis zu 47 % überwinden. Damals war sie wichtig für den Transprt von Holz, Dünger und Bier. Neben dem normalen Linienverkehr bietet die Attergaubahn noch spannende Erlebnisfahrten.

Gut aufgepasst beim Keltenquiz

Mit Mariculix zu den Kelten

Attergaubahn, Nußdorfer Straße 8, A-4864 Attersee. ✆ +43/7666/7805, www.stern-verkehr.at. **Strecke:** Attersee – Keltenbaumweg. **Auto:** ↗ Attersee. **Zeiten:** Juli – Aug jeden Do 13.50 Uhr ab Bhf Attersee. **Preise:** 11 €; Kinder ab 3 Jahre 10 €. **Infos:** Telefonische Anmeldung erforderlich. Programm findet bei jeder Witterung statt.

▶ Die Leute von der Attergaubahn haben sich für euch im Sommer etwas Tolles einfallen lassen. Fahrt mit der Attergaubahn vom Bahnhof Attersee direkt zum ↗ *Keltenbaumweg.* Hier warten auf euch drei Stunden tolles Programm mit Schminken, Verkleiden und Zaubertrank. Bei einer Rast beim Keltenhaus könnt ihr am Lagerfeuer Stockbrot backen. Ihr werdet euch fühlen wie echte Kelten.

Glasmuseum und Schaudorf im Gläsernen Tal

Gemeindeamt Weißenkirchen im Attergau, Franz Wendl, Nr. 13, A-4890 Weißenkirchen im Attergau. ✆ +43/7684/6355, ww.dasglaesernetal.at. **Lage:** Glasmuseum im Zentrum von Weißenkirchen, Schaudorf am Ende des ↗ Themenwegs. **Auto:** ↗ St. Georgen, L540 bis Kogl, L1283 Richtung Weißenkirchen, Beschilderung Gläsernes Tal folgen, Parkplatz an der Volksschule oder Kirche. **Zeiten:** Glasmuseum und Teile des Schaudorfes nur im Rahmen einer Führung nach Anmeldung, übrige Bereiche des Schaudorfs frei zugänglich. **Preise:** Glasmuseum 3,50 € (ohne Führung 2,50 €), Schaudorf 2,50 €, komplett 5 €; Kinder 7 – 14 Jahre Glasmuseum 2 € (ohne Führung 1,50 €), Schaudorf 1,50 €, komplett 3 €.

▶ Der ehemalige Pfarrer von Weißenkirchen begann allerhand über die Glashütte im *Freudenthal* zu sammeln. Später setzten andere die Sammlung fort und bauten sogar ein eigenes **Museum.** Heute könnt ihr hier verschiedene Glasprodukte bestaunen – von fein geschliffenen und kunstvoll bemalten Gläsern bis hin zu Medizingläsern, die im Freundenthal in Massen produziert und in die ganze Welt verschickt wurden. Im Rahmen einer **Führung** könnt ihr viel über das Leben und die Arbeit im Freundenthal erfahren. Im **Schaudorf** am Ende des ↗ *Themenweges* erlebt ihr das früher so lebendige Dorf heute ganz ruhig. Meldet euch zu einer spannenden Führung in die Vergan-

So groß sind seine Artgenossen nicht: Bunter Schmetterling aus Glas

Am 8. Dez findet ein kleiner Adventsmarkt im Schaudorf statt.

genheit an oder erforscht das Gelände auf eigene Faust.

Kino, Märkte & Feste

Miniplex Seewalchen
Marika Lohninger, Atterseestraße 14, A-4863 Seewalchen am Attersee. ✆ +43/7662/2359, www.miniplex.at. **Bahn/Bus:** Vöcklabruck Bus 564 bis Seewalchen Attersee Agerbrücke. **Auto:** ↗ Seewalchen.
Zeiten: Das aktuelle Programm könnt ihr euch per Mail zuschicken lassen. **Preise:** 7 €; Kinder 3 – 14 Jahre 6,50 €; Kinopass: Bei 10 Stempeln gibt es einen kostenfreien Kinobesuch.
▶ Ein verregneter Nachmittag? Macht nichts, dann geht doch mal wieder ins Kino. Im Miniplex könnt ihr euch in zwei Sälen die neuesten Kinofilme – teilweise auch in 3-D ansehen.

BÜHNE, LEINWAND & AKTIONEN

Happy Birthday!
Zum Geburtstag geht's zur Privatvorstellung ins Kino (Normalpreis, min. 8 Pers.) ✆ +43/650/5252235.

FESTKALENDER ATTERSEE & ATTERGAU

Juli/August: Spannende Geschichten mit Lilli Lustig und dem Vöcklabrucker **Puppenexpress.** Verschiedene Geschichten an verschiedenen Orten in der Ferienregion Attersee. www.puppenexpress.at.

August: Zum Teil kostenfreies **Ferienprogramm** der Tourismusbüros in den Sommermonaten rund um den Attersee, genaues Programm und Termine dort.
Letztes Wochenende: **Glasmacherfest** im Gläsernen Tal.

November: Rund um den Martinitag, Seewalchen: Traditioneller **Martini Markt** am Rathausplatz. Neben Köstlichkeiten aus der Küche auch verschiedene handgefertigte Dinge.

Dezember: **Adventsmarkt** im Gläsernen Tal.

IRRSEE & MONDSEE

SALZBURG: NATUR & SPORT

SALZBURG: WISSEN & KULTUR

SALZBURGER SEENLAND

ATTERSEE & ATTERGAU

IRRSEE & MONDSEE

FUSCHLSEE

WOLFGANGSEE & BAD ISCHL

HALLEIN & TENNENGAU

INFO & FERIENADRESSEN

REGISTER & KARTEN

SEEBÄREN AHOI!

Mit ihren zwei Seen ist die Region Irrsee und Mondsee ein Paradies für alle Seebären. Ob ihr mit dem Dampfer über den See schippert oder einen kleinen Optimisten (Segelschiff) bevorzugt, das bleibt euch überlassen.

Entlang der Zeller Ache könnt ihr zu Fuß oder mit dem Rad vom *Mondsee* zum *Irrsee* gelangen. Der Irrsee ist der kleinere von den beiden Seen und wird auch Zeller See genannt. Er ist mit bis zu 27 Grad der wärmste See des Salzkammergutes und steht unter Naturschutz. Glaubt ihr der Sage vom *Jungfernsee*, dann müsst ihr genau schauen, ob ihr Schloss und Kirchturm am Seegrund entdeckt.

Die Wander-, Rad- und Freizeitkarte des freytag & berndt Verlages (WK391) sorgt für die nötige Orientierung. ISBN 978-3-85084-730-8.

Frei- & Strandbäder

TIPPS FÜR WASSERRATTEN

Kinderbad Zell am Moos

Susi König, A-4893 Zell am Moos am Irrsee. ✆ +43/676/3931361, www.zellammoos.at. **Lage:** Östliches Seeufer. **Bahn/Bus:** Mondsee Busterminal Bus 595 bis Zell am Moos Ortsmitte, 15 Min Fußweg. **Auto:** ↗ Zell a.M., Kinderbad ausgeschildert. **Rad:** Radweg rund um den Irrsee. **Zeiten:** Mai – Sep. **Preise:** 2 €; Kinder bis 15 Jahre frei.

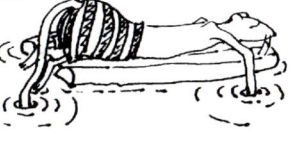

▶ Ruhig gelegen mit schattigem Spielplatz, hat Zell am Moos ein ausgewiesenes Kinderbad. Hier seid ihr etwas abseits vom Trubel und könnt in Ruhe an heißen Tagen eine Abkühlung genießen.

Verleih von Ruderbooten, am Irrsee. ✆ +43/676/3931361. www.zellammoos.at. Bei Badebetrieb.

Strandbad Laiter

A-4894 Oberhofen am Irrsee-Laiter. ✆ +43/6213/8464, www.oberhofen-irrsee.at. **Lage:** Nördliches Seeufer. **Bahn/Bus:** Mondsee Busterminal Bus 595 bis Oberhofen Uferwirt, 5 Min Fußweg zum Strandbad. **Auto:** ↗ Mondsee B154 Richtung Straßwalchen. **Rad:** Radweg rund um den Irrsee. **Zeiten:** Mai – Okt. **Preise:** Tageskarte 3,50 €; Kinder 3 – 15 Jahre 1 €.

Einträchtig: Milan und Edna rasten

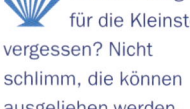 Schwimmflügel für die Kleinsten vergessen? Nicht schlimm, die können ausgeliehen werden.

▶ Das Strandbad Laiter bietet für Land- und Wasserratten einiges. Ein Steg führt in den See – prima für ein paar Luftsprünge. Ein kleiner Sandstrand bringt zudem Spaß für alle kleinen Wasserflöhe. Habt ihr eure Luftmatratze dabei? Dann könnt ihr sie mithilfe eines Kompressors schnell aufpumpen. Spielplatz, Dreiräder und Beachvolleyballplatz gibt es auch, hier kommt sicher keine Langeweile auf. Und wenn ihr hungrig werdet, könnt ihr euch am Buffet mit allerlei Köstlichem stärken.

Alpenseebad Mondsee

Seebadstraße 3, A-5310 Mondsee. ✆ +43/6232/2291, www.mondseeland.org/alpenseebad.html. **Bahn/Bus:** Fußweg ab Mondsee Busterminal. **Auto:** ↗ Mondsee, B154 Richtung See, links auf B151 Attersee Straße, direkt rechts großer Parkplatz. **Zeiten:** Mai – Sep täglich ab 9 Uhr. **Preise:** Tageskarte 5,50 €; Kinder 6 – 15 Jahre 2,40 €.

▶ Ob ihr nun tollkühne Sprünge vom 5-, 3- oder 1-m-Brett üben wollt oder euch lieber auf einer der Erlebnis- oder Breitwasserrutschen ins kühle Nass stürzt – das Strandbad am Mondsee bietet für jeden etwas. Die Kleinsten freuen sich auf Buddelaktionen am Sandstrand des Nichtschwimmerbereichs. Es gibt eine große Liegefläche mit Schattenplätzen, Steganlage, Beachvolleyballplatz, Spielplatz, Tischtennisplatten und ein Buffet.

Für kleine Wasserratten: Schwimmflügel helfen, sind aber keine Lebensversicherung! Kinder immer im Auge behalten!

Badeplatz am südlichen Irrsee

Tiefgraben, A-4893 Tiefgraben. ✆ +43/6232/2265, www.tiefgraben.at. **Lage:** Südliches Seeufer. **Bahn/Bus:** Mondsee Busterminal Bus 595 bis Tiefgraben Kasten, 15 Min Fußweg zum Badeplatz. **Auto:** A1 Ausfahrt Mondsee, Richtung Zell am Moos/Oberhofen, nach 3 km Ba-

> ▶ Der Sage nach, lebten einst zwei Schwestern in einem schönen Schloss, da wo jetzt der See liegt. Die eine Schwester war brav, die andere war garstig und gemein. Bald schon konnte die gute Schwester die Gemeinheiten der anderen Schwester nicht mehr ertragen und bat den Himmel um Hilfe. Nicht Feuer und Schwefel fielen vom Himmel, sondern ein furchtbarer Wolkenbruch entlud sich. Und da wo zuvor das Schloss stand, war von nun an ein See. Der heutige Irrsee. ◀
>
> **DIE SAGE VOM JUNGFERNSEE**

deplatz auf der linken Seite, Parken 3 € pro Tag. **Rad:** Radweg rund um den Irrsee. **Zeiten:** ganzjährig. **Preise:** Frei zugänglich.

▶ Er ist zwar einer der belebtesten Badeplätze am Irrsee, aber durch die gute Erreichbarkeit und die schöne Lage, umgeben von einem Naturschutzgebiet, ein toller Badetipp.

 Der Badeplatz liegt an der Radstrecke ↗ Rund um den Irrsee und lässt sich von Mondsee aus über den ↗ Helenenweg erreichen.

Landesbadeplatz Zell am Moos

Seestraße, A-4893 Zell am Moos am Irrsee. www.zell-ammoos.at. **Lage:** Östliches Seeufer. **Bahn/Bus:** Mondsee Busterminal Bus 595 bis Zell am Moos Ortsmitte 10 Min Fußweg zum Badeplatz. **Auto:** ↗ Zell am Moos, im Ort links Richtung Badeplatz, Parken 3 €. **Rad:** Radweg rund um den Irrsee. **Zeiten:** Mai – Sep. **Preise:** frei zugänglich.

▶ Der Badeplatz in unmittelbarer Ortsnähe hat eine große Liegewiese und einen Steg. Am Buffet gibt's Eis und Limonade.

 Nehmt euer Schlauchboot mit. Auf dem Irrsee sind Motor- und Elektroboote verboten.

Badeplatz Schwarzindien/St. Lorenz

A-5310 St. Lorenz. **Lage:** Südliches Ufer. **Bahn/Bus:** Mondsee Busterminal Bus 156 bis St. Lorenz/Mondsee Schwarzindien. **Auto:** ↗ Mondsee, B154 Richtung St. Gilgen, Ortsteil Schwarzindien, Parken 3 €. **Zeiten:** Mai – Sep. **Preise:** Frei zugänglich.

Passt auf euer Picknick auf: Die Möwen warten nur auf ihre Chance
© mondsee.at

▶ Wie wäre es mit einem Badetag in (Schwarz-)Indien? Das liegt am Mondsee und ist gar nicht so fern. Hier könnt ihr am öffentlichen Badeplatz nach Herzenslust toben und baden. Für Stärkung ist am Buffet gesorgt, im Schatten könnt ihr euch ausruhen.

Badeplatz Plomberg

A-5310 St. Lorenz-Plomberg/Gries. ✆ +43/6232/ 2265, www.stlorenz.at. **Lage:** Südliches Ufer. **Bahn/ Bus:** Mondsee Busterminal Bus 156 bis St. Lorenz-Plomberg. **Auto:** ↗ Mondsee, B154 Richtung St. Gilgen, Ortsteil Plomberg/Gries, Parkkarte am Kiosk 3 €. **Zeiten:** Mai – Sep. **Preise:** Frei zugänglich.

▶ Der eher ruhige Badeplatz unterhalb der Drachenwand hat eine große Wiese. Liegestühle und Sonnenschirme können ausgeliehen werden.

Badeplatz Loibichl

A-5311 Innerschwand am Mondsee. ✆ +43/6232/ 22650, www.innerschwand.at. **Lage:** Nordöstliches Ufer. **Bahn/Bus:** Mondsee Busterminal Bus 562 bis Innerschwand/Mondsee Abzweig Loibichl. **Auto:** ↗ Mondsee, B154 Richtung Zentrum, links B151 Attersee Straße bis Loibichl, Parkgebühr 3 €. **Rad:** Radweg entlang dem Mondsee. **Zeiten:** Mai – Sep. **Preise:** Frei zugänglich.

Hunger & Durst
Seestüberl Rindberger, Maierhof 25, Innerschwand am Mondsee. ✆ +43/664/9366527. Mai – Sep täglich 10 – 22 Uhr. Neben dem Badeplatz direkt am See. Elektro- und Tretbootverleih, je 1 Std 13 bzw. 8 €.

▶ Ein schöner Badeplatz mit großer Wiese und Schatten spendenden Bäumen. Spielplatz, Beachvolleyballfeld und Buffet sind auch vorhanden.

Schifffahren & Wassersport

Als Kapitän auf den Mondsee

Bettina und Peter Hemetsberger, Seebadstraße 1, A-5310 Mondsee. ✆ +43/6232/4934, Handy +43/664/4934684. www.mondsee-schifffahrt.at. Abfahrt an der Kaipromenade. **Bahn/Bus:** Ab Mondsee Busterminal 10 Min Fußweg. **Auto:** ↗ Mondsee, B151 Attersee Straße, direkt rechts auf Seebadstraße. **Zeiten:** Mitte März – Ende Okt täglich bei Schönwetter 10 – 19 Uhr. **Preise:** Elektroboot 30 Min 9 €, 60 Min 13 € weitere 30 Min 6,50 €, Ruder- und Tretboot 30 Min 7 €, 60 Min 10, weitere 30 Min 5 €; Ermäßigte 10er-Karten für alle Boote.

▶ Bootfahren ist einfach lustig. Mietet euch ein Ruder-, Elektro- oder Tretboot und erkundet den Mondsee. Passt aber immer gut auf euch auf. Für alle, die nicht schwimmen können, ist das Tragen von Schwimmwesten Pflicht.

Auf dem Wasser ist die Sonneneinstrahlung besonders hoch. Deswegen immer eine Kappe oder ein (Piraten-)Tuch auf den Kopf ziehen und gut mit Sonnencreme einschmieren.

Surfen und Segeln lernen

Segelschule Mondsee, Robert-Baum-Promenade 3, A-5310 Mondsee. ✆ +43/6232/3548200, www.segelschule-mondsee.at. **Bahn/Bus:** Ab Mondsee Busterminal 10 Min Fußweg. **Auto:** ↗ Mondsee, B151 Attersee Straße, 15 m rechts auf Robert-Baum-Promenade. **Zeiten:** Unterricht Mo – Fr 9 – 12 Uhr und 13.30 – 17 Uhr, Sa 10 – 12 Uhr Abschlussregatta. **Preise:** 175 € pro Woche.

▶ Segeln oder Surfen lernen könnt ihr bei der Segelschule Mondsee. Ihr übt, neben der Theorie natürlich, das Boot auf dem Wasser zu steuern und die Segel zu setzen. Am Ende nehmt ihr an einer **Abschlussregatta** statt.

*Eine **Regatta** ist ein Schnelligkeitswettbewerb auf dem Wasser.*

IRRSEE & MONDSEE

Sommersegelkurse

Union Yachtclub Mondsee, Am Ostufer 245, A-5310 Mondsee. ✆ +43/6232/3980, www.uyc-mondsee.at. **Bahn/Bus:** Mondsee Busterminal Bus 562 bis Mondsee Hammermühle. **Auto:** ↗ Mondsee, B151 Attersee Straße, 1,5 km rechte Seite. **Zeiten:** Sommerkurse im Juli und Aug, 5 Tage immer 9.30 – 17 Uhr. **Preise:** Kinder 7 – 12 Jahre 70 € (Nicht-Mitglieder).

▶ Ein fester Bestandteil der Jugendarbeit im UYC Mondsee ist der Sommerkurs. An zwei Terminen im Juli und August können Kinder ab der 1. Volksschulklasse den Umgang mit den Booten und den Segelsport erlernen. Ihr solltet schwimmen können. Auch für Nichtmitglieder des Clubs möglich!

Schiffstour mit Klabautermännern

Bettina und Peter Hemetsberger, Seebadstraße 1, A-5310 Mondsee. ✆ +43/6232/4934, Handy +43/664/4934684. www.eventschiff.at. Abfahrt an der Kaipromenade. **Bahn/Bus:** Ab Mondsee Busterminal 10 Min Fußweg. **Auto:** ↗ Mondsee, direkt am See. **Zeiten:** Juli – Aug Do 17 Uhr, April – Okt für Gruppen jederzeit buchbar. **Preise:** 3 €; Kinder ab 3 Jahre 3 €. **Infos:** Teilnehmerzahl max. 10 Kinder.

▶ Unbedingt müsst ihr *Manio,* das Klabautermännlein und seine Freundin *Luna,* die Mondnixe kennen lernen. Begebt euch auf das alte Holzschiff *Mondsee*, denn hier lebt das Klabautermännlein und während die Kapitänin euch Geschichten und Sagen vom Mondseeland erzählt, heckt es sicher schon wieder den nächsten Streich aus. Die Schiffsfahrt führt euch unter anderem zu der steilen Drachenwand und ein Halt am verwunschenen *Zauberwald* ist

📖 Die Geschichten von *Manio, dem Klabautermännlein* gibt es auch als Buch. Diese könnt ihr unter www.manio.at bestellen oder bei der Mondseeschifffahrt für 14,90 € kaufen.

Frau Kapitänin liest euch vor: Vom Klabautermännlein Manio
© Bettina Hemetsberger, Mondseeschifffahrt

eingeplant. Wollt ihr selbst mal das Steuer in die Hand nehmen? Auf der Rückfahrt ist dies möglich.

Schiff ahoi!
Bettina und Peter Hemetsberger, Seebadstraße 1, A-5310 Mondsee. ✆ +43/6232/4934, Handy +43/664/4934684. www.mondsee-schifffahrt.at. Abfahrt an der Kaipromenade. **Bahn/Bus:** Ab Mondsee Busterminal 10 Min Fußweg. **Auto:** ↗ Mondsee, direkt am See. **Zeiten:** April – Okt. **Preise:** Rundfahrt 6,90 – 8,70 €; Kinder 6 – 11 Jahre zahlen die Hälfte.

▶ Mit der *MS Herzog Odilo* könnt ihr verschiedene Rundfahrten auf dem **Mondsee** unternehmen. Unterwegs lernt ihr nebenbei auch etwas über die Umgebung. Der See wird umrahmt von hohen, imposanten Bergen wie dem *Schafberg* und dem *Schober*. Spannend wird es, wenn der Kapitän von der sagenumwobenen Drachenwand erzählt.

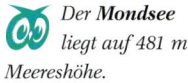

*Der **Mondsee** liegt auf 481 m Meereshöhe.*

Radeln, wandern, reiten

Um den Irrsee mit dem Rad
A-4893 Zell am Moos am Irrsee. **Start:** Zell am Moos Strandbad. **Länge:** 14,4 km, leichte Tour. **Bahn/Bus:** Mondsee Busterminal Bus 595 bis Zell am Moos Ortsmitte. **Auto:** ↗ Zell am Moos.

▶ Ihr startet diese Tour in Zell am Moos am Strandbad und fahrt durch den Ort in südliche Richtung zum Badeplatz Tiefgraben. Doch statt hier zu baden, radelt ihr erst mal weiter. Beim Gasthaus Kasten folgt ihr der Straße Am Irrsee und

FRISCHE LUFT UND SPORT

Eine tolle Tour: Einmal um den Irrsee

🍎 **Bioimkerei Mondseeland,** Am Irrsee 31, Tiefgraben. ✆ +43/680/5590280. www.bioimkerei-mondseeland.at. Ganzjährig täglich ab Hof Verkauf.

kommt nun zu einem tollen Projekt mit dem klingenden Namen Phyllotaxis. Diese Land-Art-Kunstobjekte sollen den Bezug zwischen Kunst und dem unter Naturschutz stehenden Irrsee darstellen. Alles eine Frage der Betrachtung. Wieder auf den Rädern, kommt ihr nach 1 km an der Bioimkerei Riedl vorbei. Der solltet ihr einen Besuch abstatten und euch mit gutem Honig eindecken. Nach etwa 4 km nehmt ihr den Abzweig nach Oberhofen.

Im Ortsteil Laiter solltet ihr einen Abstecher zum See machen und ein kühles Bad am Badeplatz nehmen. Die letzten 4 km geht es entlang dem Ostufer zurück zum Ausgangspunkt. Für die Verpflegung wird bei den Badeplätzen am Buffet oder in den Gasthäusern entlang des Weges gesorgt.

Auf zur Burgruine Wildenegg

A-4894 Oberhofen am Irrsee. **Start:** Gasthof Camping Fischhof am Westufer des Irrsees. **Länge:** 4 km, nicht kinderwagentauglich. **Bahn/Bus:** Mondsee Busterminal Bus 595 bis Oberhofen Uferwirt, 1,8 km bis Camping Fischhof. **Auto:** A1 Ausfahrt 265 Mondsee, B154 Richtung Straßwalchen, bei Kasten links, bis Fischhof.
Infos: In manchen Karten ist die Ruine auch als Wildeneck eingetragen.

▶ Ihr startet eure Wanderung am **Camping Fischhof** in Oberhofen und geht zunächst in südliche Richtung den Irrseeweg entlang dem Seeufer. Nach etwa 1 km erreicht ihr den Bauernhof **Moarhof Wildenegg** und biegt bei der Markierung rechts in den Wald- und Wiesenweg. Jetzt müsst ihr ein bisschen schnaufen, denn es kommt ein steiler Anstieg über Stufen. Im Wald entdeckt ihr aber schon bald die Mauerreste der **Raubritterburg Wildenegg.** Hier ist es Zeit, eine Pause zu machen und sich die Mauerreste genauer anzusehen. Sind Ritter und Burgfräulein dann bereit für den Rückweg, wandert ihr den Weg entlang weiter rechts, bis ihr zur Forststraße kommt. Dieser folgt ihr bis zu einem Teich. Beim Abzweig Richtung Irrsee

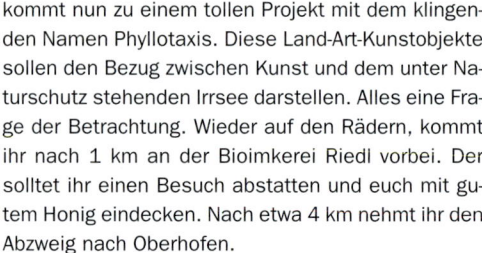

🦉 *Die **Burg** wurde 1140 zum Schutz des Landes erbaut. Seit 1611 ist sie nicht mehr bewohnt und so verfällt sie immer mehr.*

geht ihr rechts hinein in den Wald. Über den Waldweg lauft ihr, bis ihr wieder am Ausgangspunkt seid.

Auf dem Helenenweg zur Erlachmühle

A-5310 Mondsee. **Strecke:** Parkplatz West (Friedhof) in Mondsee, entlang der Zeller Ache zur Erlachmühle. **Länge:** Einfache Strecke 2 km, kinderwagentauglich. **Bahn/Bus:** Ab Mondsee Busterminal 10 Min Fußweg. **Auto:** A1 Ausfahrt Mondsee, Richtung Mondsee, P West (Friedhof). **Zeiten:** Ganzjährig begehbar, auch im Winter eine tolle Wanderung.

▶ Die kurze Wanderung oder kleine Radtour durch das **Helenental** startet ihr in Mondsee am **Parkplatz West** und biegt dann beim Blumengeschäft links ab. Von der Hierzenbergerstraße gelangt ihr zur **Zeller Ache** und folgt von nun an immer dem Flussverlauf. Ihr überquert am Ende der asphaltierten Straße das Gelände der Firma AWD und biegt nun gleich rechts auf den Wanderweg ab. Nach 1 km kommt ihr zur ↗ **Erlachmühle.** Dies ist die einzige Mühle im Mondseeland, die noch in Betrieb ist. Hier könnt ihr eine gute Jause genießen und euch austoben, um gestärkt den Rückweg auf gleicher Strecke anzutreten.

Westernreiten wie die Cowboys

Quarter Mile Ranch, Ariane Lixl, Haslach 1, A-4894 Oberhofen am Irrsee. ✆ +43/660/4837653, www.quartermileranch.at. **Bahn/Bus:** Salzburg Hbf REX3017 bis Oberhofen-Zell am Moos, Fußweg 1,5 km. **Auto:** ↗ Oberhofen, B154 Richtung Straßwalchen, nach 1,8 km links auf Taigen, nach 750 m weiter auf Haslach. **Preise:** Longestunde für Anfänger 30 Min 17 €, Gruppenstunde 25 – 35 €.

▶ Auf der Quarter Mile Ranch angekommen, fühlt ihr euch gleich ein bisschen wie im Wilden Westen. Nun geht es los zum Western-

Hunger & Durst

Erlachmühle, Vogelsangstraße 33, Mondsee. ✆ +43/6232/2578. www.erlachmuehle.at. Mai – Ende Sep Do – Di ab 14 Uhr. Besichtigung nach Vereinbarung. Es gibt leckeres Holzofenbrot.

Erstmal 'ne Runde Yoga machen: Clara steht Kopf
© Karin Besel

reitunterricht. In Einzel- oder Gruppenstunden oder noch an der Longe lernt ihr die verschiedenen Westernreitdisziplinen kennen.

Wintersport

Skilifte Oberaschau
Peter Loindl, Oberaschau 8, A-4882 Oberwang. ✆ +43/6233/8321, www.skilifte-oberaschau.at. **Bahn/Bus:** Mondsee Busterminal Bus 593 bis Oberwang Riedlbach, fährt nur Mo – Fr. **Auto:** ↗ Oberwang, ab Ausfahrt Beschilderung folgen. **Zeiten:** Mo – Fr 12.15 – 16.15 Uhr, Sa, So und Ferien 9 – 16.15 Uhr. **Preise:** Tageskarte 12 €, Halbtageskarte 9 €; Kinder bis 15 Jahre 10 bzw. 7,50 €.

Gespurte Loipen findet ihr bei den Skiliften.

▶ Pistenflitzer und Skihasen aufgepasst, die **Hochplettlifte** in Oberaschau sind ein echter Renner. Sie sind zentral zwischen Mondsee und Attersee gelegen und ihr könnt die ganze Saison über eure gewagten Abfahrten und schnittigen Kurven üben. Zwei Schlepplifte bringen euch wieder auf den Berg, bevor die nächste Abfahrt gestartet werden kann. Eine kleine Skihütte bietet allerlei Verpflegung bei Hunger und Durst zwischendurch.

Rodeln, was das Zeug hält
Jausenstation Hochserner, Familie Niederbrucker, A-4893 Tiefgraben. **Länge:** 500 m. **Bahn/Bus:** Mondsee Busterminal Bus 595 bis Tiefgraben Kasten, 4 km Fußweg. **Auto:** A1 Ausfahrt Mondsee, B154 Richtung Zell am Moos/Straßwalchen bei Gasthof Kasten Richtung Irrsee West abbiegen. Nach 2 km vor Brücke und Seehotel Pöllmann links, Straßenverlauf für 2 km folgen. Ab Grubdorf Beschilderung folgen, rechts bergauf zum Gasthof Hochserner.

▶ Wenn Frau Holle es richtig gut meint, dann ist es wieder an der Zeit, seinen Schlitten zu wachsen und die Berge hinunter zu sausen. Eine tolle Strecke gibt

Hunger & Durst
Jausenstation Hochserner, Kolomansbergstraße 8, Tiefgraben. ✆ +43/6234/8217. www.babybauernhof.at. Bei guter Schneelage Fr – Mi 14 – 22 Uhr, sonst nur Sa, So 14 – 22 Uhr. Hofeigene und regionale Speisen. Auf dem Hof könnt ihr auch übernachten, ↗ Info & Unterkünfte.

es bei der Jausenstation Hochserner. Auf den 500 m Strecke könnt ihr richtig in Fahrt kommen. Und gegen Hunger und Durst hilft die Einkehr bei Frau Niederbrucker. Rodel vergessen? Kein Problem, die könnt ihr bei der Jausenstation für 3 € ausleihen.

UMWELT ER-FORSCHEN

Natur verstehen

Kulturgut Höribach
Höribachhof 2, A-5310 St. Lorenz. ℅ +43/6232/27585, www.hoeribachhof.at. **Bahn/Bus:** Mondsee Busterminal Bus 156 bis St. Lorenz Höribach. **Auto:** ↗ Mondsee, Richtung St. Lorenz, Beschilderung Kulturgut.

▶ Das Kulturgut Höribach bietet Raum für Kinder. Nicht nur im kleinen **Laden,** wo ihr viele Schätze finden werdet, auch draußen auf dem weitläufigen Gelände. Einen Zaubergarten sowie einen **Barfußpfad** könnt ihr erkunden. Im **7-Pfade-Labyrinth** dürft ihr euch nicht verirrren, denn sonst könnt ihr nicht mehr das tolle Wikingerschiff auf dem **Abenteuerspielplatz** erobern oder die Schafe und Ziegen streicheln. Nach so viel Aktion ist es gut, dass es viele ruhige Plätze am Höribachhof gibt, wo ihr wieder verschnaufen könnt. Schaut immer mal auf der Internetseite nach, denn es werden viele Feste gefeiert und da gibt es auch immer Programm für Kinder.

Mit verbundenen Augen viel intensiver: Milan auf dem Barfußpfad

Das Leben früher und heute
Themenweg Lebensroas, A-4882 Oberwang. www.lebensroas.at. **Start:** Gasthof Fideler Bauer, oberhalb von Oberwang. **Länge:** 2 km, kinderwagentauglich. **Bahn/Bus:** ↗ Oberwang Ortsmitte, Fußweg 1,4 km, nach Metzgerei

Süß, klebt und ist lecker

Hunger & Durst
Zum Fidelen Bauern, Großenschwandt 31, Oberwang. ✆ +43/6233/8570. www.fideler-bauer.at. 11 – 22 Uhr. Hier startet der Weg Lebensroas.

HANDWERK UND GESCHICHTE

Stabauer Beschilderung folgen. **Auto:** A1 Ausfahrt Oberwang, Richtung Oberwang, nach Metzgerei Stabauer links und Beschilderung Gasthof Fideler Bauer folgen. **Zeiten:** Ganzjährig begehbar.

▶ Auf 2 km Weglänge erfahrt ihr an zwölf Stationen Interessantes rund um die Geschichte des Ortes und das Leben in Oberwang. Seht euch im Jahreskreislauf das bäuerliche Leben von früher und heute an. Setzt euch auf die riesige Schulbank und hört den Lausbubengeschichten von früher zu. Oder schaut in das ärmliche Haus des Waldarbeiters. An allen Stationen gibt es neben den Informationstafeln auch immer etwas zum Tasten und Spielen, Lauschen oder Raten. Gleich bei Station 2 heißt es Schuhe und Socken aus und auf dem **Barfußpfad** den Untergrund erkunden. Besonders interessant mit zugebundenen Augen! Bei den Stationen 4 und 12 mit Pendelrutsche und Kletternetz bzw. Wasserspielplatz, Baumhaus und Kneippbecken macht ihr mit Sicherheit eine längere Pause.

Museen

Pfahlbaumuseum
Marschall-Wrede-Platz 1, A-5310 Mondsee. ✆ +43/6232/2895, www.mondsee.at. **Bahn/Bus:** Ab Mondsee Busterminal 5 Min Fußweg. **Auto:** ↗ Mondsee, Richtung Mondsee, Kreisverkehr Mondsee Nord, Richtung Parkplatz Zentrum, Fußweg durch Schlosshof zum Kirchenplatz, links vom Kircheneingang. **Zeiten:** Mai – 1. So im Sep Di – So 10 -18 Uhr, 1. Di im Sep – Anfang Okt Di – So 10 – 17 Uhr, bis 26. Okt Sa, So und Fei 10 – 17 Uhr. **Preise:** 3 €; Kinder 6 – 15 Jahre 1,50 €. **Infos:** Es werden spezielle Kinder- und Schulprogramme angeboten.

▶ Das Mondseer Pfahlbaumuseum befindet sich in den Räumen des ehemaligen Klosters. Kommt ihr zum **Steineren Saal,** erfahrt ihr eine Menge über die Pfahlbauern, die hier in der Region etwa 3000 Jahre v.Chr. lebten. Die Gegenstände, die die Forscher im Mondsee gefunden haben, veranschaulichen die Lebensumstände und Gewohnheiten der Menschen. Über 6500 Fundstücke haben die Museumsleute zusammengetragen.

Und wenn ihr noch nicht genug von den Mondseer Pfahlbauten habt, dann geht zum See und schaut euch beim **Pfahlbau Pavillon** im *Almeida Park* (Seepromenade) um. Der Pavillon ist frei zugänglich und gibt euch Informationen über die Bewohner und das Leben in den Pfahlbaudörfern

Holt euch den Rätselpass für das Pfahlbaumuseum und das Freilichtmuseum Mondseer Rauchhaus beim TV Mondsee. Fragen beantworten und ein Eis oder sogar einen Eintritt ins Schwimmbad gewinnen.

Freilichtmuseum Mondseer Rauchhaus

Hilfbergstraße 5, A-5310 Mondsee. ✆ +43/6232/ 2270, www.museummondsee.at. **Bahn/Bus:** Ab Mondsee Busterminal 20 Min Fußweg. **Auto:** ↗ Mondsee, Richtung Mondsee, Beschilderung folgen. **Zeiten:** Mai – 1. So im Sep Di – So 10 – 18 Uhr, 1. Di im Sep – Anfang Okt Di – So 10 – 17 Uhr, bis 26. Okt Sa, So und Fei 10 – 17 Uhr. **Preise:** 3 €; Kinder 6 – 15 Jahre 1,50 €. **Infos:** Es werden spezielle Kinder- und Schulprogramme angeboten.

▶ Auf dem Gelände des Mondseer Freilichtmuseums befindet sich auch das **Bauernmuseum.** Hier bekommt ihr Einblicke in das bäuerliche Leben und die harte Arbeitswelt. Originalgeräte und Medienstationen lassen euch eintauchen in die Welt der Waldarbeiter und Bauern. Auf dem weitläufigen Gelände findet ihr noch weitere Gebäude. Alle zusammen bilden sie eine am Mondsee typische Gehöftform mit Wohnhaus (Rauchhaus) und mehreren Nebengebäuden. Macht euch auf Entdeckungstour und seht, wie unsere Vorfahren gelebt und gearbeitet haben.

Rauchhäuser haben keinen Kamin, sodass der Rauch über das gesamte Haus abzieht. So wurde direkt über der Feuerstelle am sogenannten Rauchboden das Getreide getrocknet. Der Nachteil: Wände und Decken waren rußschwarz.

BÜHNE, LEINWAND & AKTIONEN

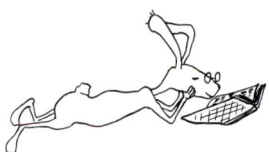

🎄 Macht den Tieren im Wald ein Weihnachtsgeschenk. Nehmt Karotten, Äpfel, hartes Brot und Nüsse mit und schmückt einen Gabenbaum. Bei Kinderpunsch und Plätzchen lauscht ihr der Winter-Waldstimmung.

Märkte & Feste

Advent für Kinder

Tourismusverband MondSeeLand, Dr.-Franz-Müller-Straße 3, A-5310 Mondsee. ✆ +43/6232/2270, www.mondsee.at. **Veranstaltungsort:** Marktplatz, Kreuzgang, Kirchenplatz. **Bahn/Bus:** Ab Mondsee Busterminal 10 Min Fußweg. **Auto:** ↗ Mondsee, Kreisverkehr Mondsee Nord, Parkplatz Zentrum, Fußweg über Schlosshof. **Zeiten:** Im Advent Fr 15 – 19, Sa, So 10 – 19 Uhr, 6. Dez 15 – 19 Uhr, 24. Dez 10 – 16 Uhr.

▶ Ein tolles Programm gibt es an jedem Adventswochenende für euch Kinder. Ob ihr kreativ seid, noch die letzten Geschenke bastelt, euch von märchenhaften Geschichten und Lichtern verzaubern lasst oder auf dem Nostalgie-Karussell Runden dreht – das ist euch überlassen. Höhepunkt der Adventszeit ist am 2. Wochenende die Legoausstellung. Das aktuelle Programm findet ihr im Internet.

FESTKALENDER IRRSEE & MONDSEE

Juli – September: **Ferienspaß mit Moni Mondeule:** Abwechslungsreiches Kinderprogramm in den Sommerferien rund um den Mond- und Irrsee.

August: 1. Wochenende: **Mondseer Seefest** mit Kinderprogramm.
2. Wochenende, Oberhofen am Irrsee: **Dorffest**.
Letztes Wochenende, Zell am Moos: **Dorffest** mit Pferdekutschenfahrten, Hüpfburg und Karussell.

September: 1. Woche: **Musiktage Mondsee:** Veranstaltungen im Rahmenprogramm für junge Klassikfreunde.
Mitte: **Traditioneller Bauernmarkt in Mondsee** mit Darstellungen bäuerlicher Arbeit, Tanz und Musik.

Dezember: In Mondsee: **Adventsmarkt** mit Kinder-Advent.
Anfang, **Perchtenlauf** mit Nikolaus und Engeln am Adventsmarkt.

FUSCHLSEE

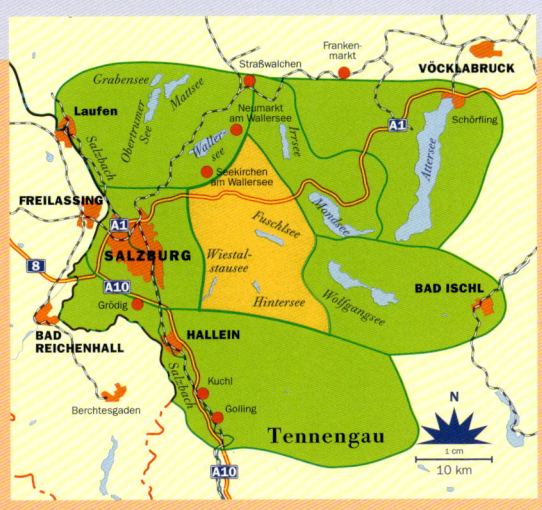

SALZBURG: NATUR & SPORT

SALZBURG: WISSEN & KULTUR

SALZBURGER SEENLAND

ATTERSEE & ATTERGAU

IRRSEE & MONDSEE

FUSCHLSEE

WOLFGANGSEE & BAD ISCHL

HALLEIN & TENNENGAU

INFO & FERIENADRESSEN

Die Region Fuschlsee liegt im westlichen Teil des Salzkammergutes. Der Fuschlsee selbst ist ein schöner türkisgrüner See, der eingerahmt wird von Bergen. An seinem östlichen Ufer liegt der hübsche Ort Fuschl am See. Zur Region gehören fünf weitere Gemeinden. Badespaß bietet neben dem Fuschlsee auch der Hintersee.

Mal keine Lust auf das kühle Nass? Dann macht doch eine Wanderung auf die Alm oder zum Wasserfall Plötz. Mühlen spielen in der Region Fuschlsee eine besondere Rolle. Eine Vielzahl noch intakter Mühlen könnt ihr in der Gemeinde Ebenau sehen und entlang dem Mühlenwanderweg besichtigen. Im Winter heißt es Ski anlegen. Von Hintersee aus erreicht ihr das Skigebiet Hintersee Gaißau. Oder ihr holt euren Rodel hervor und testet eine der rasanten Rodelstrecken. Ein Winterhöhepunkt ist auch die Snow-Tubingbahn in Faistenau.

Frei- & Strandbäder

Thalaguna

Sport- und Freizeitzentrum Thalgau, Sportplatzstraße 39, A-5303 Thalgau. ✆ +43/6235/50158, www.thalgau-tourismus.at. **Bahn/Bus:** Salzburg Hbf Bus 140 bis Thalgau Matthias-Reiter-Straße, 10 Min Fußweg. **Auto:** ↗ Thalgau, Salzburger Straße L103 rechts in Sportplatzstraße. **Zeiten:** Mai – Sep 9 – 20 Uhr bei Schönwetter. **Preise:** 5,10 €; Kinder 6 – 15 Jahre 3,10 €; Ermäßigung mit Gäste- und Familienkarte sowie ab 16 Uhr.

▶ Ein Bad in der glasklaren Fuschler Ache könnt ihr im tollen Naturbecken des Freibades in Thalgau nehmen. Das Schwimmbad wurde 2012 modernisiert. Mit Steg- und Sprunganlage, Riesenrutsche und Kinderbereich erlebt ihr viel Spaß in und am Wasser. Außerdem gibt es Spielplatz, Streetsoccerplatz, Beachvolleyballfeld und Minigolfanlage direkt beim Schwimmbad.

TÜRKISGRÜN UND ALMENGLÜCK

Wander-, Rad- und Freizeitkarte, freytag & berndt Verlag, ISBN 978-3-85084-730-8.

TIPPS FÜR WASSERRATTEN

 Minigolfplatz, Sportplatzstraße 39, Thalgau. ✆ +43/6235/50158. www.fuschlseeregion.com. Mo – So ab 15 Uhr. 18 Bahnen, Erw 2,50 €, Kinder 6 – 15 Jahre 1,50 € (inkl. Schläger und Ball).

Darf auf keiner Alm fehlen: »So a liabs Zicklein«

Naturbadestrand in Hof

Toni Elsenhuber, Seestraße/Egg, A-5322 Hof bei Salzburg. ✆ +43/6229/2204, Handy +43/664/85939-53. www.hof.at. **Bahn/Bus:** Salzburg Hbf Bus 150 bis Hof b. Salzburg Abzweig Schloss Fuschl, Fußweg zum See. **Auto:** ↗ Hof B158 Richtung Fuschl, 3. Ausfahrt im Kreisverkehr, Beschilderung Badestrand, Parken Auto 3 €, Moped 2 €. **Rad:** Von der B158 beim Kreisverkehr Baderluck links in Seestraße, vorbei am Golfplatz. **Zeiten:** Mai – Sep 9 – 18 Uhr, nur bei Schönwetter. **Preise:** Tageskarte 2,50 €; Kinder 6 – 15 Jahre 1,50 €; mit Gästekarte frei, ab 15 Uhr 0,50 € günstiger.

▶ Einer der drei Badeplätze am Fuschlsee liegt in Hof am Westufer des Sees. Ein langer Steg mit Liegeplattform führt in den See. Das sehr seichte Ufer lädt zum Planschen und Spielen ein. Auf der großen Liegewiese findet sich sicher ein schönes, schattiges Plätzchen, um die herrliche Bergkulisse zu bestaunen. Das obligatorische Eis gibt es am Kiosk.

Badeplatz Hirschpoint am Hintersee

Familie Moser, Hinterseestraße 130, A-5324 Faistenau. ✆ +43/6228/2471, www.hirschpoint.at. **Bahn/Bus:** Bus 155 bis Hintersee Tauglbrücke. **Auto:** ↗ Faistenau/Hintersee, an der Hinterseestraße rechts. **Rad:** Radweg von Faistenau nach Hintersee. **Zeiten:** Täglich 9 – 20 Uhr bei Schönwetter. **Preise:** Ab 16 Jahre 2,80 €, ab 15.30 Uhr 1,50 €; Kinder unter 16 Jahre frei.

▶ Die große Liegewiese direkt am Hintersee lädt zu einem Badetag ein. Im See wartet ein Floß darauf, erobert zu werden. Der Hintersee ist mit einer maximalen Wassertemperatur

Echte Erfrischung zur warmen Jahreszeit: Der kühle Hintersee

15 – 16 Grad kalt, aber eine herrliche Erfrischung an heißen Sommertagen. Drum herum gibt es viel zu entdecken, zum Beispiel Ziegen und Häschen, die ihr streicheln könnt. Am Kiosk könnt ihr euch stärken.

Badeplatz Wesenauer am Fuschlsee

Au-Straße 21, A-5330 Fuschl am See. ✆ +43/6226/8268, www.wesenauerhof.at. **Lage:** Am Südufer des Sees, Fußweg 10 Min vom Ortszentrum. **Bahn/Bus:** Fuschl Ortsmitte Bus 150 bis Brunnerwirt. **Auto:** ↗ Fuschl Richtung Hof, Restaurant Brunnwirt rechts in Au-Straße, nach 100 m Parkplatz. **Rad:** Radweg am Fuschlsee. **Zeiten:** Mai – Sep 8 – 19 Uhr. **Preise:** Tageskarte 4 €; Kinder 6 – 15 Jahre 2 €.

▶ Der Naturbadestrand lädt zum Spielen und Baden ein. An Land bieten ein Spielplatz und eine große Liegewiese jede Menge Abwechslung, zu Wasser könnt ihr Luftsprünge auf dem Wassertrampolin wagen oder euch per Ruderboot auf Entdeckungstour begeben. Solltet ihr danach Hunger haben, findet ihr Stärkung am Buffet oder in der angrenzenden **Holzknechtstube.** Lust auf ein Beachvolleyballspiel? Für 10 € könnt ihr den Platz mieten.

Hunger & Durst
Holzknechtstube am Fuschlsee, Au-Straße 36, Fuschl am See. ✆ +43/662/456583-22. www.die-firma.info. So – Do 10 – 22 Uhr, Fr und Sa 9 – 24 Uhr. Spielplatz und Streichelzoo, Spielecke innen.

Badeplatz Stöllinger am Fuschlsee

Familie Stöllinger, Fischerweg 1, A-5330 Fuschl am See. ✆ +43/6226/8378, www.appartements-fuschlsee.at. **Lage:** Am Südufer des Sees. **Bahn/Bus:** Fuschl Ortsmitte Bus 150 bis Oberbrunn. **Auto:** ↗ Fuschl B158 Richtung Hof, nach 3,5 km rechts in den Fischerweg. **Rad:** Radweg am Fuschlsee. **Zeiten:** Mitte Mai – Mitte Sep 9 – 19 Uhr bei Schönwetter. **Preise:** Tageskarte 4 €; Kinder 6 – 15 Jahre 2 €.

▶ Der Naturbadestrand verfügt über einen Spielplatz und eine große Liegewiese. Einige Bäume und Leih-Sonnenschirme spenden Schatten. Auch Kiosk und Gastgarten sind vorhanden.

Mhh, lecker: Fast so erfrischend wie der kalte Hintersee
© Zauchtalerhof

🐚 In den Sommerferien könnt ihr im Fuschlbad schwimmen lernen. Kosten für 6 Einheiten 80 €. Anmeldung unter ✆ +43/6226/8288.

Fuschlseebad
Fuschl am See BetriebsGmbH, Dorfstraße 30, A-5330 Fuschl am See. ✆ +43/6226/8288, www.fuschlseebad.at. **Bahn/Bus:** Salzburg Hbf Bus 150 bis Fuschl am See Strand. **Auto:** ↗ Fuschl am See, Beschilderung Fuschlbad. **Rad:** Radweg am Fuschlsee. **Zeiten:** Mai – Sep täglich 10 – 22 Uhr. **Preise:** Ab 10 Uhr 6,60 €, ab 14 Uhr 5,50 €, ab 18 Uhr 3,50 €; Kinder 6 – 15 Jahre ab 10 Uhr 3,30 €, ab 14 Uhr 2,30 €, ab 18 Uhr frei; Familie mit 1 Kind ab 10 Uhr 15,70 €, jedes weitere Kind 2 €, ab 14 Uhr 13 €, jedes weitere Kind 1,60 €. Ermäßigung mit Gästekarte und Salzburger Familienpass.

▶ Das Fuschlseebad bietet außer einem Zugang zum See mit Sandbucht, Springbrunnen und einer tollen Rutsche auch ein beheiztes Freiluftbecken. Der Spielplatz sorgt für Abwechslung an Land.

Hunger & Durst
Asi's Seestüberl, Seestraße 27, Faistenau. ✆ +43/6228/2434. www.picknick.at. Bei Badebetrieb geöffnet. Große Spielwiese, Trampolin, freier Zugang zum See.

Kleiner Badestrand am Seestüberl
Asi's Seestüberl, Seestraße 27, A-5324 Faistenau. ✆ +43/6228/2434, www.picknick.at. **Lage:** Direkt am Nordufer des Hintersees. **Bahn/Bus:** Bus 155 bis Faistenau Vordersee, 10 Min Fußweg. **Auto:** ↗ Faistenau/Hintersee, bei Vordersee rechts Seestraße. **Rad:** Radweg von Faistenau nach Hintersee. **Zeiten:** Ganzjährig. **Preise:** Frei zugänglich.

▶ Am Seestüberl könnt ihr euch auf dem Spielplatz austoben und tollkühne Sprünge auf dem Trampolin machen. Ein erfrischendes Bad im See ist an heißen Sommertagen natürlich ein Muss.

Badeplatz Taugl-Zipf am Hintersee
Tourismusverband Hintersee, Hinterseestraße, A-5324 Hintersee. ✆ +43/6224/344, www.fuschlseeregion.com. **Lage:** Nördlich des Hintersees am Taugl-Bachverlauf, Naturdenkmal Felsenbad. **Bahn/Bus:** Bus 155 bis Faistenau Vordersee, 2 km Fußweg entlang der Almbachstraße. **Auto:** ↗ Faistenau/Hintersee, bei Vordersee rechts Seestraße, rechts halten, weiter in Almbachstraße, nach 2 km Felsenbad. **Zeiten:** Ganzjährig. **Preise:** Frei zugänglich.

▶ Einfach hineinspringen und die Abkühlung genießen. Hier gibt es wenig Aktion drumherum, aber auch das kann ja mal ganz spannend sein. Erkundet einfach die Natur! Für den Hunger zwischendurch Jause nicht vergessen!

Boot fahren

Eine Bootsfahrt, die ist lustig
Bootsverleih Edenberger, Seestraße 15, A-5330 Fuschl am See. ✆ +43/6226/8220, www.fuschlseeregion.com. **Bahn/Bus:** ↗ Fuschl am See. **Auto:** ↗ Fuschl am See, Bootsverleih zwischen Hotel Seerose und Landhotel Schützenhof. **Rad:** Radweg am Fuschlsee. **Zeiten:** Mai – Okt täglich 10 – 19 Uhr. **Preise:** Elektroboot 16 €, Tretboot 12 €, Ruderboot 10 € pro Std.

▶ Einmal der Kapitän eines Bootes zu sein, davon träumen viele. Mietet euch ein Elek-

Ahoi Matrosen: Es geht über den Fuschlsee

Hunger & Durst

Edenbergers Café am See, Seestraße 15, Fuschl am See. ✆ +43/6226/822011. www.edenberger.at. Di – Sa ab 17 Uhr, So, Fei ab 12 Uhr.

 Der Fuschlsee ist sehr fischreich. Doch bevor es »Petri heil« heißt, besorgt euch eine Fischerkarte. Kinder in Begleitung eines Erwachsenen dürfen eine der zwei Ruten pro Fangberechtigung nutzen. Tageskarte 18 €, erhältlich beim Tourismusverband Fuschl am See.

tro-, Tret- oder Ruderboot und schippert über den Fuschlsee. Danach geht es zur Stärkung in die **Pizzeria Edenbergers Café** oder ihr geht ein Stück weiter und erobert den Spiel- und Skaterplatz hinter dem ↗ *Fuschlseebad.*

Leinen los und alle Matrosen an Bord

Bootsverleih Stadlmann, Seestraße 13, A-5330 Fuschl am See. ✆ +43/6227/3225, www.fuschlsee-region.com. **Bahn/Bus:** ↗ Fuschl am See. **Auto:** ↗ Fuschl am See, Bootsverleih gegenüber Seehotel Schlick. **Rad:** Radweg am Fuschlsee. **Zeiten:** Mai und Sep täglich ab 13 Uhr (Sa, So ab 11 Uhr), Juli und Aug 9.30 – 22 Uhr. **Preise:** Pro Std 16 € für 2-Gang- und 15 € für 1-Gang- Elektroboot, Tretboot 12 €, Ruderboot 8 €.

▶ In den Sommermonaten geht sich sogar eine Abendfahrt aus, sodass ihr nach einem tollen Badetag den See noch einmal aus einer ganz anderen Perspektive erleben könnt. Seht ihr die vielen Fische? Dann besorgt euch doch einmal eine Fischerkarte und versucht euer Glück.

FRISCHE LUFT UND SPORT

Radeln

Rasante Abfahrt in die Strubklamm

A-5324 Faistenau. **Strecke:** Faistenau – Strubklamm – Felsenbad – Hintersee – Faistenau. **Länge:** 9 km, sehr anspruchsvoll. **Bahn/Bus:** ↗ Faistenau. **Auto:** ↗ Faistenau.

▶ Diese sehr anspruchsvolle Tour ist etwas für die Profis unter euch. Ein gutes Rad mit Gangschaltung und gute Kondition sind Voraussetzung, um die Tour zu schaffen. Ihr startet bei der **Alten Linde** in Faistenau, haltet euch links, um auf *Am Lindenplatz* zu bleiben. Die Straße verläuft leicht rechts und wird zur Jakobistraße und nach weiteren 200 m zur Stegleitenstraße. Dieser folgt ihr etwa 1 km. Gestartet wird direkt mit einer rasanten Abfahrt. Am Ende der Stegleitenstraße biegt ihr links in die Almbachstraße. Wollt ihr allerdings einen Blick in die beeindruckende Klamm werfen, dann macht hier einen kurzen Abstecher nach rechts bis ihr nach 700 m zum **Gasthof Strubklamm** kommt. Folgt nun der Straße wieder zurück in östliche Richtung bis ihr wieder auf der Almbachstraße seid. Nach etwa 1,5 km kommt ihr auf den Almweg. Er führt euch am ↗ **Felsenbad** vorbei. Kurz darauf trefft ihr wieder auf die Almbachstraße, auf der ihr bis zum ↗ **Hintersee** bleibt. Über die Seestraße geht es auf die Hinterseestraße. Dieser folgt ihr Richtung Nordosten bis **Faistenau**. Die letzten 1,5 km müsst ihr ordentlich in die Pedalen treten, aber sowohl am Felsenbad als auch am Hintersee habt ihr sicherlich genügend Kräfte für diesen letzten Anstieg sammeln können. Die Route entspricht in weiten Teilen der Ausschilderung *Strubklammroute*.

Wandertouren zu Almen & Hütten

▶ In der Fuschlseeregion gibt es drei große Almgebiete, die familienfreundlich und auch leicht zu erreichen sind: Das Gebiet rund um die **Schafbachalm**, die **Gruberalm** sowie die **Sausteigalm**, diese ist auch vom Wolfgangsee aus zu erreichen. Alle drei Almgebiete lassen sich mit dem Auto anfahren, eine Wanderung hinauf ist aber schon für kleinere Kinder zu schaffen und der Weg kann auch mit Kinderwagen befahren werden. In den Almgebieten gibt es mehrere Hütten zur Einkehr. Ich habe jeweils eine der Hütten ausgewählt und beschrieben, die anderen Hütten sind aber auch einen Besuch wert.

Hunger & Durst
Gasthof Strubklamm, Strubklamm 5, Faistenau. ✆ +43/6228/2653. www.faistenau.org. Fr – Mi 10 – 24 Uhr. Regionale Küche, Kinderteller.

 Felsenbad und Hintersee liegen auf der Strecke. Denkt also an die Badehose!

Auf der Gruberalm: Die 100-jährige Mayerlehenhütte

Bei Schneelage könnt ihr euren Rodel bis hinauf ziehen und dann in einer wilden Rodelpartie wieder ins Tal düsen. Der Märchenwanderweg ist im Winter ein Schneeschuhwanderweg.

Hunger & Durst
Grögernalm, Faistenau. ✆ +43/6228/2676. www.groegernalm.at. Mai – Sep Do – Di 10 – 20 Uhr, Okt – April Fr – Di 10 – 20 Uhr. Verschiedene Jausen und Suppen. Mit Voranmeldung Matratzenlager möglich.

*Die **Mayerlehenhütte** ist 100 Jahre alt und liegt auf 1036 m Seehöhe im Talkessel der Osterhorngruppe. Schaut auch einmal hinein in die alte Hütte. Zur Zeit des Almabtriebs werden die Kränze für das Almvieh selbst gebunden.*

Zur Schafbachalm
Eva und Klaus Wider, Schafbachstraße 32, A-5324 Faistenau. Handy +43/664/2217417. www.schafbachalm.at. **Länge:** Etwa 3 km einfache Strecke, über Fahrweg kinderwagentauglich. **Bahn/Bus:** Bus 155 Faistenau Keflaubrücke. **Auto:** ↗ Faistenau, Tiefbrunnaustraße bis Ortsteil Tiefbrunnau. Rechts bis Parkplatz Streitberg/Keflau. **Zeiten:** Ganzjährig Mi – So 10 – 20 Uhr.

▶ Zur Schafbachalm führt euch ein nett gestalteter **Märchenwanderweg.** Auf zehn Tafeln wird das Märchen vom Hollerweib erzählt. Die Geschichte und die Bilder haben Schüler der HS Faistenau erarbeitet und gestaltet. Oben angekommen, gibt es auf etwa 1000 m Seehöhe viel zu entdecken. Da die Schafbachalm sehr beliebt ist und man mit dem Auto bis hinauf fahren kann, ist es hier im Sommer oft recht überfüllt. Wollt ihr eine andere urige Alm kennen lernen, dann kehrt doch bei der **Grögernalm** ein. Sie liegt auf halber Strecke und bietet mit vielen Tieren ebenfalls jede Menge Abwechslung. Im Winter wärmt ein selbst gemachter Punsch.

Zur Mayerlehenhütte auf der Gruberalm
Lisi und Werner Matieschek, A-5324 Hintersee. ✆ +43/6224/216, Handy +43/664/5350057. www.gruberalm.at. **Lage:** 3. obere Almhütte. **Länge:** Ab Parkplatz Lämmerbach etwa 1 Std. Über Forststraße kinderwagentauglich bei guter Kondition. **Bahn/Bus:** ↗ Hintersee. **Auto:** ↗ Faistenau, bis Ortszentrum Hintersee, weiter bis Talschluss Lämmerbach. **Zeiten:** Mai – Okt.

▶ Vom Parkplatz folgt ihr dem breiteren Forstweg bergauf, der Weg zur Gruberalm ist durchgehend beschildert. Nach etwa 2 km auf dem schattigen Forstweg kommt ein Abzweig *Alter Almweg*. Diesen solltet ihr, nach einer kurzen Rast auf der Bank bzw. einer Erkundungstour bis zum kleinen Wasserfall, nehmen. Jetzt heißt es aufgepasst. Ihr müsst über große Steine und Wurzeln klettern und es geht ziemlich bergauf. Im Almgebiet angekommen wandert ihr durch die Wiesen bis zur oberen Hütte, der **Mayerlehenhütte.** Hier und natürlich auch in den anderen Hütten des Almgebietes könnt ihr euch mit selbst gemachten Speisen stärken. Probiert mal die köstlichen Bauernkrapfen! In den Sommermonaten wird ein tolles Kin-

BERGWANDERN – ABER RICHTIG!

▶ Eine Tour in die Berge oder sogar die Besteigung eines Berggipfels ist ein tolles und wunderbares Erlebnis. Damit ihr euch keiner Gefahr aussetzt, müsst ihr ein Paar Regeln beachten und die richtige Ausrüstung haben. Die **wichtigste Regel** ist: Verlasst nie die ausgeschilderten Wege. Ihr kennt das Gelände nicht und könnt euch dadurch wirklich in Gefahr bringen. Plant die Tour genau. Holt euch Informationen von Leuten, die das Wandergebiet kennen. Hört auf den Wetterbericht bzw. fragt immer Einheimische, die die Wetterverhältnisse gut kennen. Gerade im Gebirge kann man von einem plötzlich aufziehenden Gewitter überrascht werden. Seid ihr schon auf dem Weg und das Wetter verschlechtert sich, dann brecht die Tour rechtzeitig ab. Denkt an gutes Kartenmaterial, damit ihr euch im Gelände orientieren könnt. Wählt eine Tour, die zu eurer Kondition passt. Richtet euch hierbei immer nach den Schwächsten bzw. Jüngsten. Auch die Pausen sollten sich nach der Kondition aller richten. In der Regel wird jede Stunde eine größere Rast eingelegt. In den **Wanderrucksack** gehören: ausreichend Proviant (insbesondere Wasser), ein Müllsack, eine Kopfbedeckung und Sonnenschutzmittel mit hohem Lichtschutzfaktor, Regenschutz sowie eine wärmende Jacke (in der Höhe kann es pro 100 Höhenmeter um 1 Grad kälter sein). Für die im Freizeitführer aufgeführten Touren reicht gutes, festes Schuhwerk, aber für eine richtige Bergtour braucht ihr unbedingt Wanderstiefel. Nehmt ein Handy mit und speichert die Notfallnummern ein. Für kleinere Verletzungen sollte ein Pflaster zur Hand sein. Viele weitere wichtige Informationen erhaltet ihr beim Alpenverein (www.alpenverein.at). ◀

Achtung! Euro-Notruf 112 und Bergrettung 140.

Der Weg ist das Ziel: Welche Entdeckungen macht ihr auf eurer Wanderung?

 Von der Sausteigalm könnt ihr in 1 Std hinauf zur Bergstation der Zwölferhorn-Bahn wandern.

Hunger & Durst
Forsthaus Wartenfels, Vordereggstraße 30 – 32, Thalgau. ✆ +43/6235/636465. www.wartenfels.at. Täglich 12 – 22 Uhr. Urige Stuben und schöner Gastgarten im Forsthaus. Das Schokoladenfondue ist der Hit.

derprogramm im Rahmen der ↗ *Via Culinaria 4 kids* angeboten. Montags könnt ihr unter Anleitung Kräuter sammeln und Almkräuter-Pesto sowie Kräuterlimonade herstellen.

Zur Bartlhütte auf der Sausteigalm
Christine und Stefan Resch, A-5324 Faistenau. ✆ +43/6228/2596, Handy +43/664/9163095. www.bartlhuette.at. **Bahn/Bus:** Bus 155 Keflaubrücke. **Auto:** ↗ Faistenau, Tiefbrunnaustraße bis Ortsteil Tiefbrunnau. Parkplatz Talschluss (Gehzeit 45 Min) oder Parkplatz Sausteigalm (Gehzeit 5 Min). **Zeiten:** Juni – Okt Do – Di 10 – 20 Uhr.

▶ Die Sausteigalm bietet einen tollen Blick auf drei Seen des Salzkammergutes: Wolfgang-, Mond- und Krottensee. Vom Almparkplatz sind es nur wenige Gehminuten bis ihr die erste Hütte, die **Bartlhütte,** auf der linken Seite erreicht. Auf 1060 m Seehöhe könnt ihr es euch hier richtig gut gehen lassen. Ein kleiner Spielplatz sorgt für Abwechslung.

Kurze Wanderung zur Burgruine Wartenfels
A-5303 Thalgau-Egg. **Länge:** 0,5 km, nicht kinderwagentauglich. **Bahn/Bus:** Thalgau Schule Bus 148 bis Egg b. Thalgau/Roither, 10 Min Fußweg bis zum Forsthaus. **Auto:** ↗ Thalgau Kirche, auf L227 Fuschler Straße, Straßenverlauf folgen, nach 6 km links in Vordereggstraße, 1,5 km bis Forsthaus Wartenfels.

▶ Eine kurze Wanderung, die schon kleine Klettermaxe gut bewältigen, führt euch zur Burgruine Wartenfels in Thalgau-Egg. Ihr startet am **Forsthaus Wartenfels** und folgt dem Weg Nr. 10. Schon nach wenigen Minuten seid ihr bei der Ruine. Hier habt ihr einen tollen Ausblick auf die umliegenden Seen. Ein wenig aufpassen müsst ihr beim Erkunden des Geländes, da es überall steil hinab geht. Seid ihr schon richtig gute Wanderer, könnt ihr eure Wanderung auch in **Fuschl** starten. Beim Hotel *Ebner's Waldhof*

▶ Am Westabhang des *Schobers* (1328 m) liegt imposant auf 924 m Höhe auf einem Felsen die **Burgruine Wartenfels**. *Konrad von Kahlham* errichtete im Jahre 1259 diese Burg. 1301 wurde sie an den Salzburger Erzbischof für nur 180 Pfund Pfennige verkauft. Jetzt wurde auf der Burg ein Gericht eingerichtet, das über das ganze Gebiet von Thalgau, Faistenau, Fuschl und Abersee richtete. Als das Gericht Ende des 16. Jahrhunderts nach Thalgau zog, begann der Verfall der Burg. Immer mehr ging kaputt und die einstürzenden Mauerteile waren eine Gefahr für die Besucher des inzwischen beliebten Aussichtspunktes. Außerdem hatten die Thalgauer Sorge, dass dieses Baudenkmal eines Tages ganz verschwinden würde. Darum entschied man sich 1981 die Ruine zu sichern und in Teilen wieder aufzubauen. Anhand der Mauerreste, die gefunden wurden, und mithilfe von alten Ansichten konnten drei Fenster in der großen Westmauer in Höhe des ersten Stockwerkes rekonstruiert werden. Wartenfels ist heute in Privatbesitz. ◀

BURG OHNE RITTER UND BURGFRÄULEIN

nehmt ihr den Waldweg Nr. 10 über die Waldhofalm zum Forsthaus Wartenfels und weiter zur Ruine. Laufzeit ab Fuschl etwa 1,5 Stunden pro Strecke.

Rund um den Hintersee
A-5324 Faistenau. **Start**: Parkplatz am Kneippbecken. **Länge**: 5 km Rundweg, kinderwagentauglich. **Bahn/Bus**: Bus 155 bis Faistenau Vordersee, 10 Min Fußweg zum See. **Auto**: ↗ Faistenau/Hintersee, bei Vordersee rechts Seestraße. **Rad**: Liegt an der Strubklammtour.

▶ Der Hintersee liegt in einem Talschluss mit einem tollen Blick auf die *Osterhorngruppe*. Ein einfacher Rundweg führt in 5 km um den See. Auf dem **Schotterweg** können die Kleinsten auch mit dem Fahrrad oder dem Laufrad düsen. Packt auf alle Fälle die Badehose ein, denn auf dem Weg liegen schöne Badeplätze. Rasten könnt ihr in ↗ **Asi's Seestüberl**, beim **Badeplatz Hirschpoint** oder ihr kühlt euch am nord-

Achtung! Von der Ruine führt ein Wanderweg zum *Schober*. Dieser ist aber keinesfalls für Kinder geeignet.

FUSCHLSEE

westlichen Seeufer bei der *Kneippanlage* ab. Viele Informationen über das Leben im und am See erhaltet ihr auf verschiedenen Infotafeln am Ufer.

Sommerrodeln und klettern

Sommerrodelbahn in Fuschl

Rodelbahnen GmbH Steinbachstraße 6, A-5330 Fuschl am See. ✆ +43/6226/8452, www.rodelbahnen.at. **Bahn/Bus:** Salzburg Hbf Bus 150 bis Fuschl am See/Strand, Fußweg bis Sommerrodelbahn. **Auto:** ↗ Fuschl am See, Ortseinfahrt links, grünes Schild Sommerrodelbahn. **Zeiten:** Mai – Okt täglich 10 – 17 Uhr, Juli und Aug 10 – 18 Uhr. **Preise:** Einzelfahrt 4,50 €, 6 Fahrten 22 €; Kinder 6 – 15 Jahre 4 €, 6 Fahrten 19 €; Familienkarte 10 Fahrten 31,50 €.

▶ Auf insgesamt 600 m Bahnlänge saust ihr durch rasante Kurven runter ins Tal. Das Tempo reguliert ihr. Im Zweisitzer habt ihr doppelten Spaß. Nach einem anstrengenden Wandertag oder einem lustigen Badetag, ist dies ein toller Ausklang.

Waldkletterweg

Gerhard Mösenbichler, Stegleitenstraße 12, A-5324 Faistenau. ✆ +43/6228/Handy +43/664/976484. www.waldkletterweg-faistenau.at. **Bahn/Bus:** Bus 155 bis Faistenau Schule. **Auto:** ↗ Faistenau, Dorfplatz Richtung Sportplatz, hier parken. Ausgeschilderter Fußweg 5 Min. **Zeiten:** April – Juli Sa – So 11 – 17 Uhr, Juli – Mitte Sep täglich 11 – 18 Uhr, ab 15. Sep – Okt Sa – So 12 – 17 Uhr. Bei schlechter Witterung (Regen, Sturm) geschlossen. **Preise:** 10 €; Kinder 5 – 15 Jahre 8 €; mit Gäste- oder Familienkarte günstiger. **Infos:** Max. 2 Std Aufenthalt.

Gutes Schuhwerk und dünne Leder-/Radhandschuhe mitnehmen.

▶ Nicht hoch hinaus, aber dennoch knifflig führt der Parcours durch den Wald. Im Schnitt auf etwa 1.30 m Höhe müsst ihr ohne Sicherheitssystem auskommen (nur ein Helm ist Pflicht). Das kostet hier und da sicherlich Überwindung, wenn ihr über die schwingenden Balken balanciert oder euch von Tau zu Tau hangelt. Auswählen könnt ihr zwischen drei Schwierigkeitsgraden: Der leichte, blaue Parcours hat 34 Stationen, der rote ist mittelschwer und hat 18 Stationen zu überwinden. Richtig schwierig wird es dann bei den 10 Stationen der schwarzen Strecke. Zusätzlich könnt ihr euch noch an einer tollen Kletterwand probieren. Alles in allem eine prima Sache für alle Klettermaxe zwischen 5 und 99!

Ohne doppelten Boden: Mut ist gefragt auf dem Waldkletterweg

Wintersport

Ski fahren am Thalgauberg

Irsbergbauer Schilift, Anton Pichler, Kolomannstraße 62, A-5303 Thalgau. ✆ +43/6235/7350, Handy +43/664/5120780. www.thalgau-tourismus.at. **Bahn/Bus:** Thalgau Ortsmitte Bus 140 bis Thalgau Obervetterbach, weiter Bus 148 bis Thalgauberg Mooswirt. **Auto:** A1 Ausfahrt 274 Thalgau, Landstraße überqueren Richtung Irlach, links abbiegen (Autobahn unterqueren), Wegweisung Thalgauberg 4 km folgen. **Zeiten:** 9 – 16 Uhr, Halbtageskarte 9 – 12.30 Uhr oder 12.30 – 16 Uhr. **Preise:** Tageskarte 13 €, Halbtageskarte 10 €, Einzelfahrt 2 €; Kinder 3 – 15 Jahre 12, 9 bzw. 1,50 €; Familie 1 Erw und 1 Kind 24 bzw. 18 €, 2 Erw und 2 Kinder 49 bzw. 37 €, jedes weitere Kind 11 bzw. 8 €.

Ihr findet prima Langlaufloipen am Thalgauberg.

▶ Der Schlepplift (etwa 1 km) am Thalgauberg bringt euch in die Höhe. Und schon geht es los! Ob Schuss oder Pizzastück, die einfache Abfahrt schafft jeder von euch. Ein sonniger Skihang, der durch die umliegenden Loipen und Wanderwege für alle Winterfreunde etwas bietet.

Aschaulifte in Koppl

Matthias Grösslinger, Aschaustraße 65, A-5321 Koppl. ✆ +43/6221/7816, www.koppl.at. **Auto:** ↗ Koppl, beim Gemeindeamt auf Dorfstraße, links auf Aschaustraße. **Zeiten:** Bei entsprechender Schneelage 10 – 16 Uhr. **Preise:** Einzelfahrt 0,50 €, 1 Std 2,5 €, 2 Std 4 € jeweils pro Pers, Halbtageskarte Erw 6 €, Tageskarte Erw 8 €; Kinder 4 bis 14 Jahre Halbtageskarte 5 €, Tageskarte 6 €.

Salzburger Skischule, Eggerlweg 9, Koppl. ✆ +43/664/5111778. www.ski-salzburg.com. Ferienskikurse in Weihnachts- und Semesterferien. Ski- und Snowboardkurse in Koppl, Krispl und Gaißau.

▶ Der Aschaulift liegt südwestlich von Koppl. Hier findet ihr ein wahres Kinderskiparadies. Es gibt einfache Abfahrten durch einen Märchenwald oder über bucklige Wellen. Hinauf geht es mit einem Kindertellerlift und einem einfachen Übungslift. Wer üben möchte, kann bei der Salzburger Skischule einen Skikurs machen. Ihr habt selbst keine Ski? Kein Problem Kinderski können vor Ort ausgeliehen werden.

Nocksteinlift in Koppl

Gasthof am Riedl, Eisenstraße 38, A-5321 Koppl. ✆ +43/6221/7206, www.riedlwirt.at. **Bahn/Bus:** Salzburg Hbf Bus 150 bis Koppl bei Salzburg Sperrbrücke, 15 Min Fußweg: Hauptstraße zurück, links in Koppler Straße, bergauf, nach 300 m rechts Eisenstraße. **Auto:** ↗ Koppl, vor Koppl an der B158. **Zeiten:** Täglich 9 – 16 Uhr. **Preise:** 10er-Block 6 €, Halbtageskarte 8 €, Tageskarte 9 €; Kinder 4 – 14 Jahre 10er-Block 5 €, Halbtageskarte 6 €, Tageskarte 8 €.

Hunger & Durst

Gasthof am Riedl, Eisenstraße 38, Koppl. ✆ +43/6221/7206. www.riedlwirt.at. Mo, Mi – Sa Küche 11 – 14 Uhr und 17 – 21.30 Uhr, So durchgehend warme Küche. So gibt's beim Riedlwirt Familienessen (Suppe, Hauptspeise, Dessert). Das Essen steht für alle in der Mitte und gegessen wird, bis alle satt sind. Spezielle Kinderpreise.

▶ Der Nocksteinlift liegt direkt beim **Gasthof am Riedl** und in absoluter Stadtnähe. Bei entsprechender Schneelage könnt ihr hier eure ersten Schwünge wagen oder auch schon gekonnt euer Board testen.

Skilift Oberwald

Matthias und Mathilde Ebner, Oberwaldweg 7, A-5324 Faistenau. ✆ +43/6228/20409, Handy +43/6766/1499301. www.oberwaldlift-faistenau.at. **Bahn/Bus:** Bus 155 bis Faistenau Waldwirt. **Auto:** ↗ Faistenau/Hintersee, an der L202 Richtung Faistenau. **Zeiten:** In der Saison täglich 9 – 16 Uhr, Halbtageskarte 9 – 13 oder 12 – 16 Uhr. **Preise:** 10er-Karte 6 €, Halbtageskarte 7 €, Tageskarte 9 €; Kinder 6 – 16 Jahre 10er-Karte 5 €, Halbtageskarte 6 €, Tageskarte 8 €; am Babylift Halbtageskarte 4 €.

▶ Der 300 m lange Schlepplift bringt euch den Berg hinauf. Als Anfänger und Könner findet ihr drei verschiedene Abfahrtsmöglichkeiten. Im **Stüberl** könnt ihr euch mit einem Kinderpunsch aufwärmen.

Skilift Kesselmann

Familie Strübler, Kesselmannstraße 9, A-5324 Faistenau. ✆ +43/6228/2330, Handy +43/664/7663706. www.schilift-kesselmann.at. **Bahn/Bus:** Salzburg Hbf Bus 155 bis Faistenau Waldwirt. **Auto:** ↗ Faistenau/Hintersee, 50 m nach Schlosserei Hacksteiner links einbiegen, nach 800 m Skilift Kesselmann. **Zeiten:** In der Saison täglich 9 – 16 Uhr, Halbtageskarte für 9 – 13 oder 12 – 16 Uhr. **Preise:** 10er-Karte 6,50 €, Halbtageskarte 8 €, Tageskarte 9,50 €; Kinder 6 – 16 Jahre 10er-Karte 5 €, Halbtageskarte 6,50 €, Tageskarte 8,50 €; am Babylift Halbtageskarte 4 €, Tageskarte 6 €. **Infos:** Tages- und Halbtageskarten sind nicht übertragbar.

▶ Beim Skilift Kesselmann kommen die großen und kleinen Skihasen auf ihre Kosten. Rauf geht es mit dem Schlepper und hunter wird gewedelt, gecarved oder im Schneepflug gefahren. Die ganz Kleinen können auch erst einmal am Babylift üben.

*Als der Lift vor 50 Jahren errichtet wurde, gab es noch keine **Pistenraupen**. So wurden auch Gäste aufgefordert, die Piste festzutreten. Dafür durften sie den Lift gratis nutzen. Ist doch eine gute Idee!*

Hunger & Durst

Stüberl, Skilift Oberwald, Faistenau. ✆ +43/6228/20409. www.oberwaldlift-faistenau.at. Bei Skibetrieb geöffnet.

Ab geht's ins Tal: Anfänger haben freie Bahn

FUSCHLSEE

Auf dem Bauch: So geht's die Piste noch schneller hinab

Und wenn ihr eine Pause braucht, dann gibt es in der Skihütte am Lift eine Erfrischung für euch.

Von der Schlittenhütte mit dem Rodel ins Tal

Josef und Christine Kühleitner, Schafbachstraße 30, A-5324 Faistenau. Handy +43/664/9739369. **Lage:** Schafbachtal. **Bahn/Bus:** Bus 155 bis Faistenau Keflaubrücke. **Auto:** ↗ Faistenau, Tiefbrunnaustraße bis Ortsteil Tiefbrunnau. Rechts bis Parkplatz Streitberg/Keflau. **Zeiten:** Nur im Winter geöffnet.

▶ Bis zur Schlittenhütte ist es vom Ausgangspunkt, dem Parkplatz Streitberg/Keflau, nur eine kurze Wanderung. Hier könnt ihr einkehren, bevor ihr wieder ins Tal hinunter saust. Die Hütte liegt an der beliebten Rodelstrecke der weiter oben liegenden ↗ *Schafbachalm*.

Mit eurem eigenen Schlitten oder Bob könnt ihr direkt neben der Snowtubingbahn den Hang hinunter sausen.

Auf die Reifen, fertig, los!

Snowtubing in Faistenau, Erasmus und Amalia Brandstätter, Stegleitenstraße 10, A-5324 Faistenau. ✆ +43/6228/2434, Handy +43/664/8281960. www.snowtubing.at. **Bahn/Bus:** ↗ Faistenau. **Auto:** ↗ Faistenau, Snowtubingbahn 3 Gehminuten von der Kirche (grüne Beschilderung). **Zeiten:** Vor Weihnachten Sa ab 13 Uhr, So ab 10 Uhr, 26. Dez – 6. Jan täglich, 7. Jan – 1. Feb Sa, So, 2. Jan – 24. Feb täglich, ab 25. Feb Sa, So immer ab 10 Uhr. **Preise:** 1 Std 9,50 €, 2 Std 13,50 €, 10-Punktekarte 11 €, Einzelfahrt 1,50 €, Halbtageskarte 10 – 13.30 bzw. 13 – 16.30 Uhr 18 €; Kinder 6 – 14 Jahre 1 Std 8 €, 2 Std 12 €, 10 Punktekarte 9,50 €, Einzelfahrt 1,20 €, Halbtageskarte 10 – 13.30 bzw. 13 – 16.30 Uhr 16 €.

Hunger & Durst

Asi's Tubinghütte, Stegleitenstraße 10, Faistenau. ✆ +43/664/8281960. www.snowtubing.at. Fr ab 13, Sa, So ab 10 Uhr. Direkt an der Snowtubingstrecke.

▶ Mit einem kleinen Lift werdet ihr samt Reifen den Hügel hinaufgezogen. Oben angekommen könnt ihr zwischen zwei Bahnen wählen. Die eine ist etwas gemütlicher, die andere recht rasant. Ist die Bahn frei, dann heißt es: Auf die Reifen, fertig, los! Sitzend oder auf dem Bauch liegend, rauscht ihr den 170 m langen Schneekanal hinunter. Wetten, ihr stellt euch direkt wieder an und der Spaß beginnt von vorn! Damit Snowtubing für alle sicher ist, rutscht erst los, wenn die Bahn und der Auslauf unten frei sind und setzt einen Helm auf. Allein rutschen dürft ihr, wenn ihr 6 Jahre und älter seid.

Langlaufdorf

Tourismusverband Faistenau, Am Lindenplatz 1, A-5324 Faistenau. ✆ +43/6228/2314, www.langlaufdorf.at. **Lage:** Beim Schulsportplatz Faistenau, hier starten 4 der 5 Loipen. **Bahn/Bus:** ↗ Faistenau. **Auto:** ↗ Faistenau. **Zeiten:** Dez – Feb je nach Schneelage.

▶ Faistenau bezeichnet sich als Langlaufdorf. Euch stehen fünf verschiedene gespurte Loipen zur Auswahl. Die einfachste und für Einsteiger und Kinder sehr gut geeignete Loipe ist die 4,2 km lange *Oberascher Loipe*. Start und Zielpunkt sind in Oberascher. Die Loipe ist violett gekennzeichnet. Viele Informationen und Karten bekommt ihr auf der Internetseite.

Der Natur auf der Spur

Durch die Plötz zum Wasserfall

A-5323 Ebenau. **Lage:** Nordöstlich von Ebenau im Rettenbach Tal. **Länge:** Hin- und Rückweg 2 km, kinderwagentauglich. **Bahn/Bus:** Hof bei Salzburg Bus 154 bis Ebenau Plötz. **Auto:** ↗ Ebenau, Wiestallandesstraße Richtung Ebenau, vor Ortsschild Infotafel (Holzwanderer Plötzi), Parkplatz. **Rad:** Liegt an der Strubklammtour.

▶ Die Wanderung zum Wasserfall ist nur kurz, aber plant dennoch genügend Zeit ein, denn es gibt viel zu entdecken. Ab Parkplatz Plötz wandert ihr Richtung **Plötz Wasserfall**. Schon nach wenigen Minuten kommt ihr zur ersten Mühle. Entlang dem Bach seht ihr insgesamt fünf Mühlen, bevor ihr zum Wasserfall

Nordic Fun Langlaufschule, Langlaufzentrum (Schulsportplatz), Faistenau. ✆ +43/664/5241712. www.nordic-fun.at. Dez – Feb Skatingkurs für Kinder und Jugendliche, 2 Tage je 1,5 Std, min. 3 Teilnehmer, 55 €.

Langlaufskier könnt ihr euch in vielen Sportgeschäften der Region ausleihen.

UMWELT ERFORSCHEN

Die vielen Gumpen und das niedrige Wasser laden an heißen Tagen zum Baden ein. Badehose und Handtuch also nicht vergessen. Vorsicht im und am Wasser!

Zeigt euch den Weg zur Plötz: Der Holzwanderer Plötzi

kommt. Bei den Mühlen und entlang dem Weg erfahrt ihr auf verschiedenen Infotafeln unter anderem Spannendes über den Wasserkreislauf und die Tiere im Wasser. Habt ihr Lust, ein kleines Mühlrad zu bauen? Auf einer der Infotafeln gibt es die Anleitung dafür. Beim Wasserfall angekommen, könnt ihr nach Lust und Laune kraxeln, Steine werfen oder einfach nur staunen, denn ein Wasserfall ist immer wieder ein tolles Naturschauspiel. Nicht umsonst befindet sich hier auch ein sogenannter Glücksplatz.

Zurück geht es auf gleichem Wege. Aufgrund der Kürze eignet sich die Wanderung super für kleine Wandervögel (ab 3 Jahre). Wer schon etwas fitter ist und Lust auf eine größere Wanderung hat, der folgt der Wegbeschreibung vom **Mühlenwanderweg Nr. 61.** Der Rundweg ist durchgehend Grün markiert und etwa 6 km lang.

Fischers Fritz fischt frische Fische

Karner's Fischteich, Tiefenbrunnaustraße 43, A-5324 Faistenau. ✆ +43/6228/2354-15, www.fuschlseeregion.com. **Lage:** Talschluss Tiefenbrunn. **Bahn/Bus:** Bus 155 bis Faistenau Karner. **Auto:** ↗ Faistenau, Kreuzung Richtung Tiefbrunnau, links abbiegen, Tiefenbrunnaustraße bis Talschluss folgen. **Zeiten:** Ab 8 Uhr. **Preise:** Leih-Angelrute 2 €, pro Kilo gefangenen Fisch 12 €.

▶ Diesen alten Zungenbrecher kennt ihr alle. Wieso nicht selbst mal ein Fischers Fritz sein? Bei Familie Karner könnt ihr euer Glück versuchen. Ohne extra Angelkarten könnt ihr mit eigenen oder geliehenen Angelruten Forellen und Saiblinge aus dem quellklaren Wasser fischen. Wart ihr erfolgreich, dann grillt euren Fang direkt vor Ort – da kommt dann ein bisschen Lagerfeuerstimmung auf.

HANDWERK UND GESCHICHTE

Betriebsbesichtigungen & Museen

Gutes vom Erlebnisbauernhof
Oberhinteregger's Erlebnisbauerhof, Familie Klaushofer, Tiefenbrunnaustraße 17, A-5324 Faistenau.
✆ +43/6228/2208, www.faistenauer-hofkaeserei.at.
Bahn/Bus: ↗ Faistenau. **Auto:** ↗ Faistenau, Hinterseestraße bis zur Kreuzung Richtung Tiefbrunnau links abbiegen, nach 400 m links abbiegen. **Zeiten:** Voranmeldung bis 10 Uhr. **Preise:** Nach Anfrage, Brotbacken 8 € pro Person, mit Jause 12 €.

▶ Bei Familie Klaushofer könnt ihr das Brotbackdiplom bekommen. Ihr lernt, was in einem guten Brot steckt, wie der Teig zubereitet und das Brot gebacken wird. Außerdem werden Kräuter gehackt und leckerer Käse zubereitet. Besichtigt die hofeigene Käserei. Im **Hofladen** könnt ihr euch mit all den Leckereien eindecken, damit die nächste Kindergarten- oder Schuljause auch gesund wird.

🍎 Der Hofladen hat Fr 12 – 19 Uhr geöffnet.

Via Culinaria 4 kids
Fuschlsee Tourismus GmbH Dorfplatz 1, A-5330 Fuschl am See. ✆ +436226/8384, www.fuschlseeregion.com. Die Veranstaltungen finden an verschiedenen Orten der Fuschlseeregion statt. **Bahn/Bus:** ↗ Fuschl am See. **Zeiten:** Juli – Sep. **Preise:** 1,50 – 8 € pro Kind je nach Angebot.

▶ Esst ihr gern und träumt davon, ein Meisterkoch zu werden? Dann solltet ihr unbedingt den kleinen Stier Kuhnibert kennen lernen und euch mit ihm auf eine kulinarische Reise in der Fuschlseeregion begeben. An sechs verschiedenen Orten könnt ihr euch Juli – September als GourMinis behaupten. Ob ihr Steckerlbrot in Fuschl backt oder aus selbst gesammelten Kräutern Almkräuterpesto oder Kräuterlimonade auf der ↗ Gruberalm herstellt. Ihr werdet sicher viel Spaß haben und eine Menge über die Salzburger Küche lernen. Holt euch die *GourMini Landkarte* mit allen Genusspunkten in der Tourist-Information in

FUSCHLSEE

Fuschl und macht euch auf den Weg zum Meisterkoch.

Rauchhaus Mühlgrub

Riedlstraße 1, A-5322 Hof bei Salzburg. ✆ +43/6229/2249 (Tourismusverband), www.fuschlseeregion.com. **Bahn/Bus:** Thalgau Schule Bus 148 bis Egg bei Thalgau Lackner/Senner, 10 Min Fußweg Kesselstraße, links in Riedlstraße. **Auto:** ↗ Hof, B158 Richtung Fuschl, links Wartenfelsstraße, nach 1,3 km auf Vorderelsenwang, links abbiegen, nach circa 600 m 1. Abzweigung links Riedlstraße. **Zeiten:** Führungen Juli – Okt Fr ab 14 Uhr, Mini Via Culinaria 4 Kids Juli – Sep Fr ab 13.30 Uhr. **Preise:** 1,50 € pro Person.

▶ Adventsmarkt, Tag der offenen Tür, Kochkurse (unter anderem ↗ *Via Culinaria 4 Kids*) und andere Veranstaltungen finden im Rauchhaus Mühlgrub statt. Bei einer Führung werdet ihr vieles über dieses besondere Haus erfahren. Erbaut wurde es um 1450 im typischen Stil eines Einhofs, Mensch und Tier lebten hier in einem Mehrzweckgebäude. Rauchhaus heißt das Gebäude, da der Rauch des offenen Herds ohne Schornstein abzog. Im Haus seht ihr noch heute die typische schwarze Farbe des Rußbelags.

Hier mahlen die Mühlen langsam: Ebenau im Salzkammergut

Waschl- und Pertill-Mühle

Tourismusverband Ebenau, Angela Siedl, Nr. 2, A-5323 Ebenau. ✆ +43/6221/ 8055, www.ebenau.at. **Lage:** Ortszentrum und westlich Unterberg. **Bahn/Bus:** ↗ Ebenau. **Auto:** ↗ Ebenau. **Zeiten:** Führungen nach Vereinbarung. **Preise:** Eintritt frei, Spende für Führungen erwünscht.

▶ Direkt am Ortseingang von Ebenau steht eine zweigeschossige Doppelmühle, die **Waschl-Mühle.** Wollt ihr die Pertill-Mühle sehen, dann macht einen Fußmarsch von etwa 20 Minuten. Hierfür folgt dem Weg Nr. 61 **Mühlenwanderweg** in westliche Richtung. Beide Mühlen können bei einer Führung auch von innen besichtigt werden. Hier wird viel berichtet über das Leben der Müller und die wichtige Funktion der Mühlen in Ebenau. Auch ohne Führung lohnt sich der Besuch der beiden Mühlen. Informationstafeln an den Mühlen berichten von ihrer Geschichte.

*Die **Waschl-Mühle** hat zwei Geschosse und ein großes Wasserrad. Sie wurde etwa 1875 erbaut und noch bis 1955 wurden hier Roggen, Weizen und Hafer gemahlen.*

Tatütata
Museum der freiwilligen Feuerwehr, Hinterseestraße 92, A-5324 Faistenau. ✆ +43/6228/2314, www.ff-faistenau.at. **Bahn/Bus:** ↗ Faistenau. **Auto:** ↗ Faistenau, Hinterseestraße bis zur Kreuzung Richtung Tiefbrunnau, rechts Feuerwehrhaus. **Zeiten:** Nach Vereinbarung, Anmeldung über Tourismusbüro Faistenau. **Preise:** Ab 15 Jahre 2,50 €.

▶ Viel Interessantes erfahrt ihr auf einer Führung durch das Museum der freiwilligen Feuerwehr in Faistenau. Alte Geräte zeigen euch, wie schwer die Arbeit der Feuerwehrleute damals war. Lust auf eine Fahrt mit dem Feuerwehrauto? Dann steigt ein und vielleicht müsst ihr ja einen kleinen Brand löschen.

Von Puppen und kleinen Dingen
Puppenstubenmuseum Hintersee, Albert Ebner, Hintersee 4, A-5324 Hintersee. ✆ +43/6224/8900, www.puppenstubenmuseum.com. **Bahn/Bus:** ↗ Hintersee. **Auto:** ↗ Hintersee. **Rad:** Radweg von Faistenau nach Hintersee. **Zeiten:** Mi – So 12 – 17 Uhr, Nov und April geschlossen. **Preise:** 2,80 €; Kinder 7 – 15 Jahre 1,50 €; Familie (2 Erw, 2 Kinder) 7,40 €. **Infos:** Das Museum wird auch als Seminarraum genutzt.

▶ Mitten im Ortszentrum befindet sich das Puppenstubenmuseum. Insgesamt 35 Puppenstuben entführen euch in eine Zeit, in der es noch keine Ninten-

↗ Stille-Nacht- und Heimatmuseum

dos und Barbies gab. Puppenstuben hatten in früheren Zeiten auch einen ganz praktischen Zweck, sie sollten spielerisch die Töchter aus reichen Familien auf das Leben als Erwachsene vorbereiten.

BÜHNE, LEINWAND & AKTIONEN

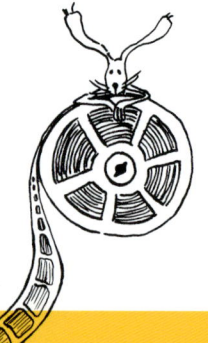

Kino & Feste

Bilderbuchkino in Faistenau

Öffentliche Bücherei der Pfarre und Gemeinde Faistenau, Am Lindenplatz 12, A-5324 Faistenau. www.faistenau.bvoe.at. **Bahn/Bus:** ↗ Faistenau. **Auto:** ↗ Faistenau. **Zeiten:** Jeden 1. Mi im Monat 15.30 – 17 Uhr. **Preise:** Kostenfrei.

▶ Gemeinsam schaut ihr euch Bilderbücher an, es wird gebastelt und im Anschluss gibt es Saft und Kuchen.

FESTKALENDER FUSCHLSEE

Ende Dez – Ende März: **Hirschfütterung** in Hintersee, Lämmerbach 50, täglich 14 – 16 Uhr, telefonische Voranmeldung unter ✆ +43/664/6189294, Kosten pro Pers 5 €, geeignet für Kinder ab 4 Jahre.

Juni – August: **Via Culinaria 4 kids,** verschiedene Genusspunkte in und um Fuschl, ↗ Handwerk und Geschichte.

August – Oktober: Faistenau, Fuschl, Hof und Thalgau: Veranstaltungen des **Bauernherbst,** www.bauernherbst.com.

September: **Familienwanderung** Zwergerlweg und Rumingmühle mit Spielstationen, Steckerlbrot und Würstchen grillen. Genauen Termin bei TI erfragen.

Dezember: An verschiedenen Adventswochenenden in den Dörfern der Region Fuschlsee: **Advent der Dörfer,** traditionelle Adventsmärkte mit Handwerksvorführungen, lebendigen Krippen und Kutschenfahrten.

WOLFGANGSEE & BAD ISCHL

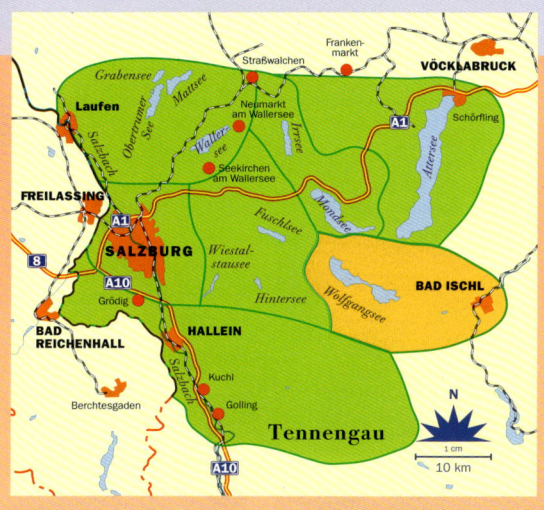

SALZBURG: NATUR & SPORT

SALZBURG: WISSEN & KULTUR

SALZBURGER SEENLAND

ATTERSEE & ATTERGAU

IRRSEE & MONDSEE

FUSCHLSEE

WOLFGANGSEE & BAD ISCHL

HALLEIN & TENNENGAU

INFO & FERIENADRESSEN

REGISTER & KARTEN

DICKE DAMPFER UND STEILE BAHNEN

Die Region Wolfgangsee und Bad Ischl hat neben vielen Aktivitäten im und am Wasser auch an Land einiges zu bieten. Da gibt es die steilste Zahnradbahn Österreichs, richtig hohe Berge wie das Zwölferhorn (1521 m) oder den Schafberg (1783 m), ein Dorf der Tiere und, und, und.

In Bad Ischl wird es kaiserlich, hier lebten einst Sisi und Co, wenn es im Sommer in Wien zu heiß war. Heute könnt ihr die alten Gebäude besichtigen.

Frei- & Strandbäder

Felmayerbad
Seestraße, A-5350 Strobl. ✆ +43/6137/7256, **Bahn/Bus:** Salzburg Hbf Bus 150 bis Strobl Bauernmarkt, 10 Min Fußweg. **Auto:** ↗ Strobl, B158 links auf Salzburgerstraße, links auf Feldweg, weiter auf Strandbad Straße, rechts auf Seestraße. **Rad:** An der alten Ischler-Bahntrasse. **Zeiten:** Mai – Sep täglich. **Preise:** 4 €; Kinder bis 14 Jahre frei.

▶ Eine große Wiese mit Schatten spendenden Bäumen, ein Badesteg und im See ein Holzfloß, das sind die Zutaten für einen gelungenen Badetag. Am Buffet könnt ihr euch zwischendurch noch stärken oder auf einem der beiden Beachvolleyballplätze eine Partie spielen. Die kleineren Badenixen und -frösche freuen sich über den Spielplatz.

Strandbad Waßwiese
Waßbad, A-5350 Strobl. **Lage:** Zwischen Abersee und Strobl. **Bahn/Bus:** Salzburg Hbf Bus 150 bis Strobl Haberg, 10 Min Fußweg. **Auto:** B158 zwischen Abersee und Strobl zum Seebad abbiegen. **Rad:** Radweg durch das Blinklingmoos. **Zeiten:** Juni — Sep täglich 8 – 20 Uhr. **Preise:** 4 €; Kinder bis 14 Jahre frei.

▶ Das Bad hat eine schöne große Liegewiese mit Schattenplätzen. Ein Steg führt ins Wasser und lässt tollkühne Kopfsprünge zu. Das Strandbad könnt ihr

TIPPS FÜR WASSERRATTEN

 Von hier geht es ins Naturschutzgebiet Blinklingmoos.

Hier geht es lang: Die Wander-, Rad- und Freizeitkarte des freytag & berndt Verlages (WK5282) lässt euch die Orientierung bewahren. ISBN 978-3-70790-784-1.

Dampfend geht es bergauf: Österreichs steilste Zahnradbahn auf den Schafberg hinauf

Badespaß für Wassernixen: Auch hier in St. Gilgen
© Frank Wallbaum

auf einer ↗ Radtour durch das *Blinklingmoos* besuchen.

Badeplatz Berau
Familie Hinterberger, Schwarzenbach 16 (Camping Berau), A-5360 St. Wolfgang-Schwarzenbach. ✆ +43/6138/2543, www.berau.at. **Bahn/Bus:** Strobl Busbhf Bus 546 bis St. Wolfgang-Schwarzenbach. **Auto:** ↗ Strobl Richtung St. Wolfgang, an der L546, Parken 3 €. **Zeiten:** Mai – Sep täglich. **Preise:** 3 €; Kinder 6 – 14 Jahre 2 €.

▶ Schöner Badeplatz beim Landhotel und Camping Berau. Leiht euch für 10 € ein Kajak und späht einsame Buchten aus.

Badewiese Sonnplatz
Mondseestraße, A-5340 St. Gilgen. www.wolfgangsee.at. **Lage:** Nähe Yachtclub St. Gilgen. **Bahn/Bus:** Ab St. Gilgen Busbhf 15 Min Fußweg. **Auto:** ↗ St. Gilgen, Mondseestraße. **Rad:** Ab Gemeindeamt über Goldgasse auf Mondseestraße. **Preise:** Frei zugänglich.

▶ Der Badeplatz mit schöner, großer Wiese in Zentrumsnähe eignet sich prima für einen schnellen Sprung ins kühle Nass.

Strandbad St. Gilgen
Mondseestraße 12, A-5340 St. Gilgen. ✆ +43/6227/7147, www.wolfgangsee.at. **Lage:** Nähe Jugendgästehaus. **Bahn/Bus:** Ab St. Gilgen Busbhf 10 Min Fußweg. **Auto:** ↗ St. Gilgen, Mondseestraße. **Rad:** Ab Gemeindeamt über Goldgasse auf Mondseestraße. **Zeiten:** Badezeiten Mai – Sep täglich 9 – 19 Uhr. **Preise:** Frei zugänglich.

▶ Das Strandbad bietet neben einer tollen, großen Liegewiese noch einen netten Spielplatz. Dies ist der perfekte Ort, um sich nach einem Ausflug abzukühlen.

Naturbadestrand Bacheck – Abersee

A-5342 St. Gilgen-Abersee. **Lage:** Nähe Campingplatz zur Überfuhr. **Bahn/Bus:** Salzburg Hbf Bus 150 bis St. Gilgen-Abersee, 25 Min Fußweg. **Auto:** ↗ Abersee, Richtung Reith bis zum Ufer. **Rad:** Bahnstraße, links auf Seestraße, rechts auf Wunderer Weg. **Preise:** Frei zugänglich.

▶ Direkt an der *Zinkenbachmündung* findet ihr einen schönen Naturbadestrand. Hier könnt ihr am flachen Uferbereich wunderbar spielen und planschen.

Schifffahrt

Was ein dicker Dampfer

Salzkammergutbahn GmbH, Markt 35, A-5360 St. Wolfgang. ✆ +43/6138/22320, www.schafbergbahn.at. 7 Anlegestellen rund um den Wolfgangsee: St. Wolfgang, Schafbergbahn, St. Gilgen, Strobl, Gschwendt-Parkplatz, Fürberg, Ried Falkenstein. **Zeiten:** Täglich laut Aushang an den Anlegestellen. **Preise:** Tageskarte 19 €, Streckenkarte 9,50 – 3,50 €; Kinder 6 – 14 Jahre Tageskarte 9,50 €, Streckenkarte 4,80 – 1,80 €; Familientageskarte (2 Erw und Kinder) 38,30 €, Ermäßigungen mit Salzkammergut Erlebnis-Card oder einer österreichischen Familienkarte. **Infos:** Aufpreis für Fahrten mit den Nostalgieschiffen.

 Räder dürfen auf dem Schiff in begrenzter Anzahl mitgenommen werden. Pro Rad 3,50 €

Insel in Sicht!

▶ Schon seit 1873 fahren Schiffe über den Wolfgangsee. Der **Raddampfer Kaiser Franz Josef I.** fuhr als erstes Passagierschiff und sorgte für eine schnelle Verbindung über den See. Das Schiff wurde inzwischen restauriert und fährt noch heute. Neben zwei Nostalgieschiffen gibt es noch vier weitere Schiffe in der Flotte, die täglich über den See fahren. Es finden eine Anzahl von Sonderfahrten statt.

Ein ganz besonderes Erlebnis ist z.B. die Adventsschifffahrt, ↗ Wolfgangseer Advent.

FRISCHE LUFT UND SPORT

*Das geschützte **Blinklingmoos** ist eine Mischung aus Nieder-, Übergangs- und Hochmoor. Hier findet ihr Streu- und Feuchtwiesen sowie Moor- und Auwälder.*

Hunger & Durst
Gasthaus Siriuskogl, Sulzbach 70, Bad Ischl. ✆ +43 660/7346302. www.siriuskogl.at. April Do – So ab 11 Uhr, Mai – Okt täglich 11 – 22 Uhr, Nov – Dez ab 12 Uhr. An der Franz-Josefs-Warte mit Spielplatz und Streichelzoo.

Radeln und wandern

Auf der Ischler Bahntrasse durchs Blinklingmoos
A-5350 Strobl. **Strecke:** Sportplatz Strobl – Strandbad Waßwiese – Schiffsanleger Gschwendt. **Länge:** 3,5 km einfache Strecke. **Bahn/Bus:** ↗ Strobl, im Ort Bahnstraße, geradeaus auf Sportplatzstraße bis Sportplatz.

▶ Auf der alten Bahntrasse radelt ihr von Strobl zum Schiffsanleger Gschwendt und zurück. Ihr startet eure Radtour am **Sportplatz** in Strobl. Von hier geht es auf ebener Strecke über geschotterte Wege durch das **Blinklingmoos.** Am Aussichtsturm könnt ihr schon eine erste Pause einlegen und euch über das 1 qkm große Moorgebiet einen Überblick verschaffen. Es ist eines der größten Moorgebiete des Salzkammergutes und ihr findet hier viele seltene Tier- und Pflanzenarten. Nach etwa 2 km kommt ihr zum ↗ **Strandbad Waßwiese.** Habt ihr die Badehose dabei, dann rein ins kühle Nass. Bis zum **Schiffsanleger** sind es noch etwa 1,5 km. Für den Rückweg könnt ihr das Schiff nehmen. Räder können auf den Schiffen mitgenommen werden, wenn genügend Platz ist (pro Rad 3,50 €).

Hinauf zur Franz-Josefs-Warte
Sulzbach 70, A-4820 Bad Ischl. ✆ +43/660/7346-302, www.siriuskogl.at. **Länge:** Fußweg vom Stadtzentrum aus etwa 25 Min bergauf. **Bahn/Bus:** Salzburg Hbf Bus 150 bis Bad Ischl Bhf Busterminal, Fußweg. **Auto:** Nicht direkt mit dem Pkw zu erreichen.

▶ Auf gut beschilderten Wegen geht es stetig bergauf zum **Gasthaus Siriuskogl** in Bad Ischl. Da die Strecke durch dichten Wald führt, könnt ihr auf dem Weg schon einiges entdecken – vielleicht habt ihr sogar Glück und findet einen der seltenen Kammermolche, die hier leben. Etwa auf halber Strecke kommt ihr an einem gewaltigen **Einsiedlerstein** vorbei. Dieser zeugt vom Abschmelzen des *Traungletschers* und lädt zum Klettern ein. Auf dem Siriuskogel angekommen, warten eine tolle Aussicht, ein Streichelzoo und ein Spielplatz auf euch! Eure Eltern werden es sich auf den Bänken im Gastgarten gemütlich machen, aber ihr könnt ja mal auf den **Turm** klettern. Schnell seht ihr, warum die Leute von hier aus früher jedes Feuer im Ort entdeckt haben.

*Die Franz-Josefs-Warte ist ein 18 m hoher **Holzturm**, der 1885 erbaut wurde und ein Geburtstagsgeschenk für Kaiser Franz Joseph (1830 – 1892) war. Früher diente der Turm als Feueraussichtsturm.*

Rund um den Nussensee
Nussenseestraße, A-4820 Bad Ischl. **Länge:** Rundweg etwa 1 Std, nicht kinderwagentauglich. **Bahn/Bus:** Salzburg Hbf Bus 150 bis Bad Ischl Abzw. Nussensee, Fußweg 2 km. **Auto:** Strobl B158 Richtung Bad Ischl bis Ramsau, rechts Beschilderung folgen. **Rad:** Von Bad Ischl über Lindau zum Nussensee.

▶ Der **Nussensee** gilt schon seit Jahrhunderten als Geheimtipp unter den Ausflugszielen rund um Bad Ischl. Ihr könnt den etwas versteckt liegenden See mit seinem klaren, aber eiskalten Wasser auf einem Rundweg kennen lernen. Startet nahe dem Parkplatz, hier führt ein Fußpfad bergauf. Recht holprig und steinig geht es einmal um den See herum. Direkten Zugang zum See habt ihr nur am Startpunkt, ansons-

 Sammelt alles, was ihr im Wald finden könnt und bastelt daraus zu Hause oder direkt auf dem Waldboden ein lustiges Bild.

Klare Sache: Toller See, der Nussensee bei Bad Ischl

ten ist der Uferbereich in Privatbesitz. Da der Weg aber durch den Wald führt, findet ihr sicherlich viele Möglichkeiten euch zu beschäftigen. Wie wäre es, wenn ihr im Herbst mal wieder Blätter, Kastanien und Eicheln sammelt?

Österreichs größtes Almgebiet: Die Postalm

Hunger & Durst
Erlbachhütte, Schattau 43 (Taladresse), Rußbach. ✆ +43/664/ 2441944. www.huettenguide.net/huetten/Erlbachhuette. Ende Mai – Anfang Nov 10 – 22 Uhr. Selbst gemachte Jausen, kleiner Streichelzoo, Sandkiste, Lager für 6 – 8 Pers möglich.

A-5350 Strobl. www.postalm.at. **Lage:** Zwischen Wolfgangsee und Lammertal, durchschnittliche Höhe 1300 m. **Länge:** R3 leichte Wanderung, circa 5,5 km, Höhenunterschied 150 m, nicht kinderwagentauglich. **Bahn/Bus:** Strobl Busbhf Bus 159 bis Postalm Parkplatz Postalmhöhe. **Auto:** ↗ Strobl, rechts Beschilderung Richtung Postalm folgen, mautpflichtig, mehrere Parkplätze. **Zeiten:** Wanderzeit Mai – Okt. **Preise:** Straßenmaut für Pkw 9 €, Motorrad 4 €, Bus 50 €.

▶ Das große Almgebiet der **Postalm** bietet eine Vielzahl von Wandermöglichkeiten. Eine Übersichtskarte der wichtigsten Wanderwege findet ihr auf der Internetseite. Hier bekommt ihr auch Informationen über das Wetter und eine Beschreibung der Wege und Almhütten.

Eine einfache Wanderung ist der **Rundweg R3.** Sie führt euch über Schotterstraßen und Almgelände, daher achtet auf gutes Schuhwerk. Fünf bewirtete Hütten liegen auf eurem Weg, ihr habt die Wahl. Ausgangspunkt der Wanderung ist der **Parkplatz 3.** Von hier wandert ihr auf der Almstraße in Richtung *Wiesleralm* mit Wiesler-, Schafbergblick- und **Erlbachhütte.** Bei der **Schafbergblickhütte** könnt ihr noch einen Abstecher in

Gab der Alm ihren Namen: Der damalige Postbus

Richtung *Wieslerhorn* (1603 m), aber nicht hinauf auf das Wieslerhorn, machen. Wandert bis zur **Seeblickhütte.** Direkt an der Hütte vorbei geht ein schmaler Pfad, der euch zu einer Stelle führt, wo ihr einen tollen Ausblick auf den *Wolfgangsee* habt. Wieder zurück geht es auf gleichem Pfad bis zur *Schafbergblickhütte.* Nun seid ihr wieder auf dem Rundweg R3 und folgt weiter der Almstraße bis zur **Thoralm.** Auf der Forststraße geht es in Richtung Süden weiter. Achtet auf die Ausschilderung, in einer Kehre müsst ihr rechts auf einen schmalen Fußweg abbiegen. Dieser führt euch hinunter zum **Wieslerbach.** Weiter wandert ihr rechts über einen Steg. Nun heißt es noch mal alle Kräfte mobilisieren, denn es geht bergauf in Richtung **Postalmhütte.** Diese historische Hütte ist sehr urig. Werft einmal einen Blick hinein. Über das Almgelände kommt ihr nach wenigen Metern zur **Postalmkapelle.** Weiter über die Almwiesen erreicht ihr schon bald den Ausgangspunkt der Wanderung.

*Zur Kaiserzeit war Bad Ischl eine bedeutende Poststelle mit vielen **Postkutschenpferden**. Zur Erholung kamen die Pferde im Sommer auf die Alm. Daher kommt der Name Postalm.*

Hinauf zur Falkensteinkirche
A-5360 St. Gilgen. www.wolfgangsee.at. **Strecke:** Ab Waldbad Fürberg Wegmarkierung 28 bis Falkenstein, Rückweg über Scheffelblick. **Länge:** Einfache Strecke 40 Min, nicht kinderwagentauglich. **Bahn/Bus:** St. Gilgen Busbhf Bus 156 bis St. Gilgen Aich, 20 Min Fußweg bis Waldbad Fürberg. **Auto:** A1 Ausfahrt 274 Thalgau, Richtung St. Gilgen auf B158, Kreisverkehr auf B154 Richtung Mondsee, nach 2 km rechts, nach 200 m wieder rechts, jeweils Richtung Gasthof Fürberg.

▶ Auf eurem Weg zur Falkensteinkirche bewegt ihr euch auf einem historischen **Pilgerpfad.** Früher gingen viele Menschen diesen Weg, um von ihren Sünden befreit zu werden. Auch heute werden noch die Gebräuche der Pilger, wie das Steintragen, ausgeübt. Ihr startet eure Wanderung beim **Waldbad Fürberg** und folgt der **Wegmarkierung 28** Richtung Falkenstein. Schon bald steigt der breite Weg steil an. Er führt euch durch einen schönen Wald, vorbei an ei-

*Früher **pilgerten** die Menschen meist aus religiösen Gründen, um für ihre Sünden zu büßen oder um auf Genesung zu hoffen. Auch heute wird noch gepilgert. Vielleicht habt ihr schon einmal etwas vom Jakobsweg, einem sehr bedeutenden Pilgerweg, gehört.*

Herbstfreunde: Gebastelt wird mit dem, was ihr im Wald findet

Hunger & Durst
Jausenstation Aschinger, Ried 15, St. Wolfgang. ✆ +43/6138/2578. www.aschinger.at. Sep – Juni Mi – So 10 – 20 Uhr, Juli – Aug Mi – Mo 10 – 20 Uhr. Die Jausenstation ist auch per Auto zu erreichen. Ab Schafbergbahn Richtung Ried, dann Beschilderung folgen. Leckere hausgemachte Mehlspeisen.

nem Bach und steilen Felswänden. Nach etwa 1 km kommt ihr zu einer kleinen Kapelle. Hier seht ihr viele Steine, die dort kunstvoll aufgestapelt wurden. Eine Informationstafel erklärt den Brauch des Steinetragens. Folgt dem Weg weiter aufwärts, bis ihr zur **Falkensteinkirche** kommt. Hier habt ihr viel Platz zum Spielen. Schaut euch in den Felshöhlen rund um die Kirche um und werft auch einen Blick in die Kirche. Wenn ihr das Seil zieht und die Glocke läutet genau drei Mal, dann bringt es euch Glück. Klettert rechts die Stiege hinauf und kriecht durch die Steinhöhle. Der Sage nach, streift ihr so eure Sünden ab. Wenn ihr euch ein wenig umgesehen habt, folgt weiter dem Weg Richtung St. Wolfgang. Es gibt nun zwei Varianten, euren Weg fortzusetzen. Entweder ihr bleibt auf dem Weg 28 bis *Ried* und fahrt mit dem Schiff zurück zur Anlegestelle Fürberg oder ihr wählt kurz nach der Kirche Falkenstein den Abzweig rechts in den Wald Richtung **Scheffelblick.** Dieser Abstecher lohnt sich, denn ihr habt einen tollen Ausblick auf den Wolfgangsee. Der Rot-Weiß-Rot markierte Weg ist sehr anspruchsvoll. Ihr müsst gutes Schuhwerk haben und trittsicher sein. Folgt dieser Markierung weiter Richtung St. Gilgen-Fürberg. Nach etwa 30 Minuten kommt ihr wieder zum Weg 28, der euch zurück zum Ausgangspunkt am Waldbad bringt.

Wanderung zur Jausenstation Aschinger
A-5360 St. Wolfgang-Ried. **Lage:** Oberhalb von St. Wolfgang. **Länge:** 1,4 km bergauf eine Strecke, kinderwagentauglich, aber anstrengend. **Bahn/Bus:** Strobl Busbhf Bus 546 bis St. Wolfgang Schafbergbahn. **Auto:** ↗ St. Wolfgang.

▶ Auf einer Wanderung könnt ihr die **Jausenstation Aschinger** in gut einer Stunde erreichen. Startpunkt ist die Talstation der **Schafbergbahn.** Entlang der Schafbergbahnstraße und weiter auf Müllnerbühel wandert ihr hinauf zum Aschinger. Der Weg führt euch durch bewaldete Abschnitte. Am **Ditlbach** findet sich vielleicht ein schöner Platz zum Rasten. Das Schnaufen der Zahnradbahn wird euch auf dem Weg begleiten, denn die Bahnlinie führt parallel zu eurer Wanderstrecke den Berg hinauf. Kurz vor dem Ziel müsst ihr die Gleise der Bahn überqueren – Vorsicht! Bei der Jausenstation erwarten euch tolle Spielgeräte wie ein Trampolin, Holzstelzen, eine Sandkiste und Gokarts. Mit einer guten Jause könnt ihr euch für den Aufstieg belohnen. Für den Rückweg wählt ihr die Strecke über Ried. Auf Beschilderung achten.

Sommerrodeln & Freizeitspaß

Rodeln im Sommer

Rodelbahnen GmbH Gschwendt 268, A-5350 Strobl. ✆ +43/6137/7085, www.rodelbahnen.at. **Bahn/Bus:** Salzburg Hbf Bus 150 bis Gschwendt bei Strobl. **Auto:** ➚ Strobl, grüne Beschilderung Richtung Sommerrodelbahn. **Zeiten:** April – Okt 10 – 17, Juli, Aug 9.30 – 19 Uhr. **Preise:** Einzelfahrt 6,70 €, 6 Fahrten 31,50 €; Kinder 6 – 15 Jahre 5,50 €, 6 Fahrten 25 €; 10 Fahrten 47 € (pro Pers wird eine Fahrt berechnet).

▶ Zwei Bahnen mit jeweils über 1 km Länge stehen in Strobl zur Auswahl. Die kleinen Kurvenflitzer sitzen mit den Eltern im Schlitten, die Großen können schon allein die 160 Höhenmeter ins Tal sausen. Hinauf geht es natürlich bequem per Lift.

Spiel- und Freizeitpark

A-5360 St. Wolfgang-Schwarzenbach. ✆ +43/6138/2312, **Lage:** Neben dem Rot-Kreuz-Gebäude/Fußballplatz. **Bahn/Bus:**

Hier wird gespielt: Der Spiel- und Freizeitpark in Schwarzenbach

 Ganz in der Nähe ist der ↗ **Badeplatz Berau.**

Strobl Busbhf Bus 546 bis St. Wolfgang Schwarzenbach. **Auto:** ↗ St. Wolfgang. **Rad:** Ab Markt über Dr. Franz Xaver Rais Promenade und Au bis Schwarzenbach. **Zeiten:** Frei zugänglich.

▶ Einen tollen Platz zum Austoben findet ihr im Ortsteil Schwarzenbach. Beim **Spiel- und Freizeitpark** könnt ihr euch auf der Skaterbahn versuchen, ein cooles Beachvolleyballspiel bestreiten oder euch auf dem Spielplatz tummeln. Neben Kletterturm und Kriechtunnel ist die Riesenpendelschaukel sicherlich der Renner.

Winterspaß

Naturrodelbahn Weißwand

A-5340 St. Gilgen. ✆ +43/6227/2321, www.wolfgangsee.at. **Lage:** Oberhalb von St. Gilgen. **Bahn/Bus:** ↗ St. Gilgen. **Auto:** ↗ St. Gilgen, B158 links Beschilderung Laim folgen. **Zeiten:** Frei zugänglich.

▶ Die Rodelbahn startet beim **Gasthaus Weißwand,** das über den Ortsteil Laim in etwa 30 Minuten zu erreichen ist. Folgt ab der Skipiste den Wegweisern Zur Weißwand. Am Gasthaus können Rodel für 2 € ausgeliehen werden. Abends könnt ihr die Rodelbahn auch nutzen, sie wird beleuchtet.

Pirouetten-Künstler und Traumtänzer

Gemeindeamt St. Gilgen, A-5340 St. Gilgen. ✆ +43/6227/2445-74, **Lage:** Am Seepark, Schiffsanleger. **Bahn/Bus:** ↗ St. Gilgen. **Auto:** ↗ St. Gilgen. **Zeiten:** 10 – 20 Uhr (bei schlechter Witterung geschlossen). **Preise:** Eintritt frei.

▶ Wenn es draußen kalt wird, kramt mal wieder eure Eislaufschuhe heraus. Schleift die Kufen und rauf geht es aufs Eis. In St. Gilgen liegt der Eislaufplatz besonders schön, direkt am See. Und da das Vergnügen kostenfrei ist, kommt doch morgen wieder!

Hunger & Durst
Gasthof Weißwand, Laim 35, St. Gilgen. ✆ +43/6227/2321. www.weisswand.at. Mai – Okt täglich 10 – 22 Uhr, Nov – April Mi – Mo 10 – 22 Uhr, bei schlechtem Wetter auf Anfrage. Start der Rodelbahn, im Sommer Wanderziel mit Gastgarten und Spielplatz, köstliche Bauernkrapfen und Kasnocken.

Einen schönen Rodelhang findet ihr auch in **St. Gilgen** in der Steinklüftstraße, unterhalb des Hotels Hollweger.

Laimerlift in St. Gilgen

Zwölferhorn Seilbahn St. Gilgen, Konrad-Lesiak-Platz 3, A-5340 St. Gilgen. ☏ +43/6227/2350, www.12erhorn.at. **Lage:** 30 Min Fußweg vom Ort aus, Beschilderung. **Bahn/Bus:** ↗ St. Gilgen. **Auto:** ↗ St. Gilgen, B158 links Beschilderung Laim folgen. **Zeiten:** Täglich 9 – 16 Uhr. **Preise:** Tageskarte 19 €, Halbtageskarte 16 €, 12er-Block 10 €; Kinder Tageskarte 10 €, Halbtageskarte 8 €, 12er-Block 5 €.

▶ Der kleine Lift in Ortsnähe ist günstig für Kinder und Anfänger, da die Piste breit präpariert ist und jeder nach seinem Können die Schwünge ausfahren kann.

Wo geht's hier zur Rodelbahn?
© Zauchtalerhof

Mit der Zwölferhornbahn hinauf und dann eine Winterwanderung machen!

Naturrodelbahn mit Hirschblick

Weißenbach 12, A-5350 Strobl. ☏ +43/6137/7383, www.kleefeld.at. **Bahn/Bus:** Salzburg Hbf Bus 150 bis Strobl Weißenbach, 1 km Fußweg. **Auto:** ↗ Strobl, grüne Beschilderung Richtung Almgasthof Kleefeld. **Zeiten:** Frei zugänglich.

▶ Unterhalb des **Gasthofes Kleefeld** startet eine 1,5 km lange Naturrodelbahn. Leihrodel gibt es für 3 € beim Gasthof.

Pistenspaß auf der Postalm

A-5350 Strobl. ☏ +43/6243/2992, www.postalm.at. **Lage:** Großes Skigebiet zwischen Wolfgangsee und Lammertal, durchschnittliche Höhe 1300 m. **Bahn/Bus:** Skibus ab St. Wolfgang und Strobl Busbhf für Skifahrer kostenfrei. Ohne gültigen Skipass 5 €, werden rückerstattet bei Skikartenkauf. Sonnenticket für Nicht-Skifahrer 10 €. **Auto:** ↗ Strobl, rechts Beschilderung

Hunger & Durst

Almgasthof Kleefeld, Weißenbach 12, Strobl. ☏ +43/6137/7383. www.kleefeld.at. Dez – März Do – Di 10 – 22 Uhr. Mit Spielplatz und Wildgehege. Regionale Küche, Kindergerichte.

Skischule Postalm, Schischulbüro bei Lift 1, Strobl. ✆ +43/6137/6090. www.schi-total.com. Wintersaison täglich 9 – 16 Uhr. Skikurse für Skizwerge (3,5 – 5 Jahre) halber Tag 37 €, Kinder und Jugendliche 1 Tag 55 €.

Richtung Postalm folgen. Mautpflichtige Straße, Rückerstattung bei Skikartenkauf bei Vorlage der Quittung. Mehrere Parkplätze. **Zeiten:** Lift 9 – 16 Uhr. **Preise:** Skilifte Tageskarte 30 €, 4 Std 27 €; Kinder 6 – 15 Jahre Tag 18 €, 4 Std 16 €; Tages-Familienkarte 2 Erw und eigene Kinder 69 €, 1 Erw und eigene Kinder 48 €.

▶ Skibegeisterte Familien kommen im Skigebiet der Postalm auf ihre Kosten. Es ist für jeden etwas dabei. Während die Zwerge unter euch erstmal auf dem Zauberteppich üben, werden die Größeren einen der sieben Skilifte oder den 4er-Sessellift nutzen, um die 20 km Abfahrten zu testen. Mama und Papa haben keine Lust auf Skifahren? Kein Problem Langlaufloipen und Winterwanderwege sind genügend da. Wer noch nicht fit im Skifahren ist, der geht in die ansässige *Skischule.* Und nach so viel Pistengaudi habt ihr vielleicht sogar noch Puste, um euch im Funpark mit Tubing oder Zipfelbob auszutoben.

UMWELT ERFORSCHEN

Tiere & Natur verstehen

Mit Max auf der Pirsch

Almgasthof Kleefeld, Johann Fürst, Weißenbach 12, A-5350 Strobl. ✆ +43/6137/7383, www.kleefeld.at. **Bahn/Bus:** Salzburg Hbf Bus 150 bis Strobl Weißenbach, 1 km Fußweg. **Auto:** ↗ Strobl, grüner Beschilderung Richtung Almgasthof Kleefeld folgen. **Zeiten:** Wildgehege ganzjährig frei zugänglich.

▶ Ein zahmer Hirsch namens Max begegnet euch im **Wildpark** beim Almgasthof Kleefeld. Doch er ist nicht allein, etwa 250 Tiere leben in einem 250.000 qm großen Gehege. Hier könnt ihr Hirsche, Dam- und Rehwild sowie Mufflons und Wildschweine in ihrer natürlichen Umgebung beobachten. Juli – September finden auf Anfrage Kinderführungen durch den Wildpark statt. Im Streichelzoo könnt ihr noch Ziegen, Hasen und andere Tiere begrüßen. Wer dann noch nicht genug hat, tobt sich auf dem Spielplatz aus.

Hunger & Durst
Almgasthof Kleefeld, Weißenbach 12, Strobl. ✆ +43/6137/7383. www.kleefeld.at. Ganzjährig Do – Di 11 – 22 Uhr. Tolles Wildgehege, Spielplatz, Kindergerichte.

Auf dem ausgeschilderten Weg Nr. 2 könnt ihr die Wildgehege umrunden. Gehzeit etwa 1 Stunde.

Dorf der Tiere

Familie Eisl, Adamgasse 3, A-5342 St. Gilgen-Abersee. ✆ +43/6227/3948, www.dorfdertiere.at. **Bahn/Bus:** Salzburg Hbf Bus 150 bis St. Gilgen Stockach, 5 Min Fußweg. **Auto:** ↗ St. Gilgen, B158 bis Abersee auf der rechten Seite. **Zeiten:** 31. März – 31. Okt täglich 9.30 – 19 Uhr. **Preise:** 3 €; Kinder 3 – 15 Jahre 3 €.

Coole Autos: Im Dorf der Tiere seid ihr flott unterwegs

▶ Auf dem Gelände des Bauern Eisl gibt es eine Menge für euch zu entdecken. Im Streichelzoo stehen die Ziegen geduldig und lassen sich streicheln, Esel und Pferde schauen dem Treiben zu. Auf den Gokarts haben die Größeren ihre Freude, die Kleinen hüpfen Trampolin und schaukeln. Zum Kräftemessen kommt es auf der riesigen Wippe. Sollte Hunger aufkommen, könnt ihr euch am Buffet stärken.

Wo die Bäume wachsen – Walderfahrungswelt

Arboretum Abersee, Forstbetrieb Flachgau Tennengau, Abersee, A-5342 St. Gilgen-Abersee. ✆ +43/6243/2335, www.wolfgangsee.salzkammergut.at. **Bahn/Bus:** Salzburg Hbf Bus 150 bis St. Gilgen-Abersee, Fußweg entlang der Zinkbacherstraße 1 km. **Auto:** ↗ St. Gilgen, B158 bis Abersee auf der rechten Seite. **Rad:** Entlang der Seestraße etwa 2 km. **Zeiten:** Mai – Okt. **Preise:** Kostenfrei.

▶ Auf einer Fläche von 7000 qm erfahrt ihr viel über den heimischen Wald – den Laubwald, die Moorwälder und die subalpinen Bergwälder, die ihr sonst nur in einer Höhe von 1800 m vorfindet. Das Erleben des Waldes wird noch spannender, wenn ihr euch in die

 Vom Dorf der Tiere könnt ihr noch einen Abstecher zum ↗ Arboretum Abersee machen. Lauft die Adamgasse runter, bis ihr auf die Zinkenbacherstraße trefft. Links halten, dann seht ihr das Gelände des Erlebnisweges.

 Nehmt ein Fernglas mit, dann könnt ihr vom Hochsteg Tiere beobachten.

Hunger & Durst
Zinkenbachmühle, Seestraße 2, Abersee. ✆ +43/6227/3415. www.zinkenbachmuehle.at. 10 – 22 Uhr. Spielplatz und Gastgarten, regionale Küche.

Baumkronen begebt. Klettert hinauf auf den 6 m hohen Steg und lauscht dem Rauschen der Blätter und dem Plätschern des nahen Baches. Hier könnt ihr den Wald mit allen Sinnen erleben. Beobachtet Insekten und Vögel aus einer euch neuen Perspektive. Riecht den Lebenszyklus des Waldes – wie riechen die Blüten und wie das vermodernde Laub? Und, gibt es sie wirklich, die Waldesruhe?

HANDWERK UND GESCHICHTE

Mit der Bergbahn

Katrin – der Hausberg

Katrin Seilbahn GmbH, Kaltenbachstraße 62, A-4820 Bad Ischl. ✆ +43/6132/23788, www.katrinseilbahn.com. **Bahn/Bus:** Bad Ischl Bhf/Busterminal Bus 552 bis Kaltenbach Katrinseilbahn. **Auto:** ↗ Bad Ischl, B158 Abfahrt West auf Salzburger Straße, rechts in Wirerstraße, Ampel rechts, Esplanade folgen bis Kaltenbach, Beschilderung folgen. **Rad:** Vom Stadtzentrum entlang der Traun Richtung Naherholungsgebiet Kaltenbach. 1,5 km Beschilderung folgen. **Zeiten:** Mai – Sep täglich 9 – 17 Uhr. **Preise:** Berg- und Talfahrt 19,50 €, Einzelfahrt 14 €; Kinder 6 – 15 Jahre 12,50 bzw. 9 €; 1 Erw und 1 Kind 29 bzw. 21 €, 2 Erw und 2 Kinder 54 € bzw. 40 €.

▶ Seit 1959 könnt ihr bequem mit der Seilbahn hinauf auf den Bad Ischler Hausberg **Katrin** kommen. Auf 1400 m Höhe könnt ihr einiges entdecken. Wer sieht zuerst alle sieben Seen? Bei guter Sicht könnt ihr auch den mächtigen Gletscher des *Dachsteinmassives* sehen. Der kurze Weg von der Bergstation bis zur **Katrinalm** ist kinderwagentauglich, alle weiteren Wanderwege aber nicht. Eine schöne **Wanderung** ist der Rundweg *Feuer- und Rosenkögerl.* Hier begebt ihr euch sogar auf die Spuren der *Kaiserin Sisi.* Für den Weg braucht ihr etwa 1 – 1,5 Stunden. Er ist ausgeschildert und startet an der Bergstation.

Hunger & Durst
Katrin Almhütte, Bad Ischl. ✆ +43/664/1523312. www.katrinalmhuette.at. Mitte Mai – 1. Nov und Mitte Dez – Ostermontag 9 – 17 Uhr. Kleine Gerichte und Mehlspeisen.

Nostalgisch geht's aufs Zwölferhorn

Zwölferhorn Seilbahn GmbH, Konrad-Lesiak-Platz 3 (Büro), A-5340 St. Gilgen. ✆ +43/6227/2350, www.12er-horn.at. **Bahn/Bus:** ↗ St. Gilgen. **Auto:** ↗ St. Gilgen, direkt an der Wolfgangsee Bundesstraße. **Zeiten:** Jan – März, Okt, Dez 9.15 – 16 Uhr, April 9.15 – 16.30 Uhr, Mai, Sep 9.15 – 17 Uhr, Juni – Aug 9 – 18 Uhr. **Preise:** Berg- und Talfahrt 22 €, Bergfahrt 15,50 €, Talfahrt 15 €; Kinder 5 – 15 Jahre Berg- und Talfahrt 14,50 €, Bergfahrt 11,50 €, Talfahrt 10,50 €; Ermäßigung für Familien mit mehr als einem zahlenden Kind und für Schulklassen.

Luftnummer: Die Zwölferhornbahn kurz vor der Bergstation

▶ Steigt ein in eine der gelben oder roten Gondeln und schwebt in einer Viertelstunde hinauf auf 1476 m. Von der Bergstation sind es nur noch wenige Schritte zum Gipfelkreuz des *Zwölferhorns*. Einkehren in eine urige **Hütte,** eine kurze Wanderung mit Seeblick oder den Paragleitern zusehen? Hier oben steht die Zeit still und ihr könnt alles ganz in Ruhe machen. Vielleicht habt ihr auch Lust auf eine **Wanderung** zur ↗ *Sausteigalm,* die ihr von der Bergstation in etwa 1 Stunde erreichen könnt.

Auf den Schafberg mit der Zahnradbahn

Salzkammergutbahn GmbH, Markt 35, A-5360 St. Wolfgang. ✆ +43/6138/22320, www.schafbergbahn.at. **Strecke:** St. Wolfgang – Schafbergalm – Schafbergspitze. **Bahn/Bus:** Strobl Busbhf Bus 546 bis St. Wolfgang Schafbergbahn. **Auto:** ↗ St. Wolfgang. **Zeiten:** Täglich laut Aushang an der Talstation. **Preise:** Berg- und Talfahrt 31 €, Berg & Schiff ab St. Gilgen

Hunger & Durst

Franzl's Hütte, Laim 31, St. Gilgen. ✆ +43/6227/7555. www.franzlshuette.at. Di – Do 9 – 22, Fr 9 – 21, Sa 8 – 21 Uhr, So 8 – 18 Uhr. Wenige Schritte von der Bergstation entfernt, regionale Speisen, Kindergerichte.

Nehmt immer eine Jacke mit, denn auf dem Berg ist es immer kühler als im Tal und ein kräftiger Wind weht.

> Erst im April 1892 begann man mit den Bauarbeiten für die Schafbergbahn, doch schon 30 Jahre zuvor wurde das **Berghotel Schafbergspitze** gebaut. Dies war überhaupt das erste Berghotel in ganz Österreich! Ihr fragt euch sicher, wie denn nun die reichen Gäste aus St. Wolfgang auf den Berg kamen, um im Hotel die gute Aussicht zu genießen? Immerhin ist der Gipfel des Schafbergs auf **1780 m Seehöhe**. Ganz einfach: Sie ließen sich tragen. In St. Wolfgang gab es zu dieser Zeit etwa 30 starke Männer, die von Beruf *Sesselträger* waren. Dieser durchaus ehrenwerte Beruf brachte den jungen Männern einen guten Nebenerwerb im Sommer. <

DIE SESSELTRÄGER VOM SCHAFBERG

Hunger & Durst
Hotel Schafbergspitze, Ried 23, St. Wolfgang. ✆ +43/6138/3542. www.schafberg.net. Täglich Mai – Okt. Am Familienfreitag für alle Kinder bis 14 Jahre ein Kindergericht für 4,20 €.

Mai – Okt könnt ihr mit eurer Familie (2 Erw und max. 3 Kinder) Fr (außer Feiertage) für 49,90 € auf den Schafberg fahren.

43,50 €; Kinder 6 – 14 Jahre 15,50 bzw. 21,80 €; Familientageskarte (2 Erw, eigene Kinder) 69,90 €, ermäßigt mit Salzkammergut Erlebnis-Card oder österreichischer Familienkarte.

> Die Fahrt mit der **Schafbergbahn** ist ein Erlebnis. Schwerfällig bewegt sie sich von Dampfloks gezogen in etwa 35 Min und mit max 25 % Steigung den steilen Berg hinauf, vorbei an Wiesen und Felsen. Bei der *Schafbergalm* müsst ihr aussteigen, um auf die Spitze des 1782 m hohen Schafberges hinauf zu kommen und den tollen Rundumblick zu genießen. Hier könnt ihr herumlaufen, aber Vorsicht – es ist alpines Gelände, also bewegt euch nur auf den vorgegebenen Wegen. Abstieg und größere Wanderungen sind wirklich nur mit älteren Kindern zu empfehlen. Eine Wanderkarte gibt es im Laden der Schafbergbahn.

Schlösser & Museen

Stadtmuseum Bad Ischl
Esplanade 10, A-4820 Bad Ischl. ✆ +43/6132/254-76, www.stadtmuseum.at. **Bahn/Bus:** Bad Ischl Bhf/Busterminal Bus 552. **Auto:** ↗ Bad Ischl. **Zeiten:** Jan –

März Fr – So 10 – 17, April – Okt Mi 14 – 19, Do – So 10 – 17 Uhr. **Preise:** 5,10 €, Krippenausstellung 2,30 €; Kinder 6 – 15 Jahre 2,50 €, Krippenausstellung 1,50 €; Ermäßigung mit Salzkammergut Erlebnis-Card, Salzburgerland Card, Salzburger Familienpass.

 Fragt an der Kasse nach dem Kinderprospekt. Zur Weihnachtszeit gibt es eine Krippenausstellung.

▶ In dem historischen Gebäude, wo sich einst Kaiser *Franz Joseph* und Elisabeth, oft *Sisi* genannt, verlobten, könnt ihr heute einiges über die Stadtgeschichte von Bad Ischl erfahren. Die Ausstellung ist auf drei Stockwerke verteilt, jedes Stockwerk hat einen anderen Schwerpunkt. Auf Karten und Reliefs könnt ihr euch zunächst ein Bild über die geographische Lage Bad Ischls machen. Die Bedeutung des Salzwesens wird in Modellen dokumentiert. Prächtig wird es im ersten Obergeschoss. Hier seht ihr unter anderem original Uniformen von Kaiser Franz Joseph. Im obersten Stock steht die Kultur von Bad Ischl im Vordergrund. Bauernstuben und Hausgeräte aus früheren Zeiten, aber auch altes Brauchtum könnt ihr hier kennen lernen.

Kaiservilla und Kaiserpark in Bad Ischl

Kaiservilla Besichtigungsbetriebs GmbH, Jainzen 38, A-4820 Bad Ischl. ✆ +43/6132/23241, www.kaiservilla.at. **Bahn/Bus:** ↗ Bad Ischl Bhf, Fußweg zur Kaiservilla über Vogelhuberstraße 5 Min. **Auto:** ↗ Bad Ischl. **Zeiten:** Jan – März Mi 10 – 16 Uhr Führungen stündlich, Osterferien, April, Okt und Adventwochenenden täglich 10 – 16 Uhr Führungen stündlich, Mai – Sep täglich 9.30 – 17 Uhr Führungen

Feriengäste: Kaiser Franz Josef und Kaiserin Sisi machten Ferien in Bad Ischl
© Museum der Stadt Bad Ischl

▶ Kennt ihr die schöne Elisabeth? Sie heiratete 1854 mit nur 16 Jahren den damaligen Kaiser Franz Joseph I. Ein Jahr zuvor hatten sich die beiden in **Bad Ischl** getroffen. Doch die verliebte junge Frau war in ihrer Ehe sehr unglücklich. Aufgewachsen im ländlichen Bayern, musste sie nun plötzlich alle Pflichten einer Kaiserin übernehmen. Die Mutter von Kaiser Franz Joseph behandelte Sisi zudem sehr streng und ihr Ehemann hatte wenig Zeit für sie. Sisi galt als besonders schön. Ihre langen Haare, die ihr bis zu den Fersen reichten, frisierte sie täglich mehrere Stunden lang. Vier Kinder bekam sie, aber die wurden von Lehrern und Erziehern nach Regeln des Hofes erzogen und verbrachten wenig Zeit mit ihrer Mutter. Sisi starb 1898 und erst nach ihrem Tod stellte man fest, dass die Kaiserin auf ihrer Schulter einen Anker tätowiert hatte. Stellt euch vor, was das in der damaligen Zeit für ein Schock war! ◀

KAISERIN SISI

*Noch heute feiert man in Bad Ischl rund um den 18. August des **Kaisers Geburtstag**. Lustig, bunt und mit Umzügen, aber auch sehr festlich mit einer Kaisermesse in der Stadtpfarrkirche.*

laufend. **Preise:** Park mit Kaiservilla 13 €; Kinder 7 – 16 Jahre 7,50 €; Familie (Eltern und 1 Kind) 26,50 €, jedes weitere Kind 5 €. **Infos:** Eintritt beinhaltet 45 Min Führung.

▶ Die berühmte Sommerfrische genossen **Kaiser Franz Joseph** und *Sisi* in Bad Ischl. Wie stellt ihr euch das kaiserliche Ferienhaus vor? Ihr werdet staunen, denn ihr empfindet es sicherlich genauso prunkvoll wie ein Schloss. Für Kaiser und Kaiserin war dies aber die einfache Ausgabe ihrer kaiserlichen Umgebung in Wien. Viele Geschichten rund um das Leben des Kaiserpaares werdet ihr hören und vielleicht, wenn ihr so durch den großen Park streift, fühlt ihr euch selbst ein wenig wie Prinz und Prinzessin.

Musik aus aller Welt
Musikinstrumenten Museum der Völker, Askold zur Eck, Aberseestraße 11, A-5340 St. Gilgen. ✆ +43/ 6227/8235, www.hoerart.at. **Bahn/Bus:** ↗ St. Gilgen. **Auto:** ↗ St. Gilgen, B158 auf Aberseestraße. **Zeiten:** 7. Jan – 31. Mai Mo – Do 9 – 11, 15 – 18, Fr 9 – 11, So

Knifflige Rätselfragen findet ihr unter www.hoerart.at.

15 – 18 Uhr, Juni – Mitte Okt Di – So 9 – 11, 15 – 19 Uhr, ab 16. Okt auf Anfrage, 1. Dez – 6. Jan Mo – Fr 9 – 11, 14 – 17 Uhr. **Preise:** 4 €; Kinder 6 – 18 Jahre 2,50 €; Gruppen ab 20 Pers Erw 3 €, Kinder 2 €.

▶ Das Motto dieses einzigartigen Museums ist *Eure Ohren werden Augen machen!*, womit nicht alles gesagt ist. Denn auch die Augen werden staunen, über so viele unterschiedliche **Instrumente** aus verschiedenen Materialien, von ganz klein bis ganz groß und aus allen Teilen der Welt. Boah! Stundenlang könnt ihr den teilweise geheimnisvollen Klängen und den Erzählungen des Herrn zur Eck lauschen. Kostenfreie Führungen werden für Kinder auf Anfrage angeboten.

*Beim Spielen der **Nasenflöte** verschließt sich der Spieler beim Blasen ein Nasenloch mit Baumwollfetzen oder Tabak.*

Märkte & Feste

Wolfgangseer Advent
Wolfgangsee Tourismus Gesellschaft, Au 140, A-5360 St. Wolfgang. ✆ +43/6138/8003, www.wolfgangseer-advent.at. **Bahn/Bus:** ↗ St. Gilgen. **Auto:** B158 bis St.

BÜHNE, LEINWAND & AKTIONEN

Advent im Kerzendorf: St. Gilgen strahlt und die Kinder auch

© Karin Besel

Im Advent fahren Fr Kinder bis 14 Jahre in Begleitung eines Erw auf allen Schiffen der Wolfgangsee Schifffahrt kostenlos (ausgenommen Fei).

Gilgen – Strobl – St. Wolfgang. **Zeiten:** Im Advent Do – Fr 12 – 19.30, Sa, So 10 – 19.30, 26. – 31. Dez täglich 14 – 19 Uhr.

▶ In den drei Orten rund um den Wolfgangsee wird es zur Adventszeit besonders still. Hier könnt ihr euch auf schönen Advents- und Weihnachtsmärkten auf das Christkind freuen. Unter dem Motto *Advent wie damals* hat jeder Ort einen besonderen Schwerpunkt.

In **St. Gilgen** könnt ihr entlang dem Brauchtumsweg (zwischen Fischer Wirt am Seeufer und Kirchenplatz) in vier Hütten sehen, wie die Bevölkerung früher die Vorweihnachtszeit erlebt hat. Im Advent wird St. Gilgen zum Kerzendorf, eine 11 m hohe Kerze steht am Seeufer und begrüßt die Gäste, weitere Kerzen sind entlang dem Weg zum Adventsmarkt aufgestellt.

Im **Krippendorf Strobl** erlebt ihr Wildtiere und eine lebensgroße Schaukrippe mit Streicheltieren. Schon von Weitem seht ihr das große **Friedenslicht vor St. Wolfgang.** Hier erwarten euch die Engel höchst persönlich. Ihr könnt eure Wünsche an das Christkind aufschreiben und beim Engerl-Postamt abgeben.

	FESTKALENDER WOLFGANGSEE & BAD ISCHL
Juli – August:	**Kinderprogramm,** Infos bei den Tourismusverbänden vor Ort.
August:	Anfang, Strobl: **Orts- und Seefest** mit Kinderspielfest und Feuerwerk. Eintritt frei.
	Um den 18. Aug, Bad Ischl: **Kaisertage** mit Festumzügen.
Oktober:	**Wolfgangseer Almabtrieb** mit Kirtag.
	Mitte, Strobl: **Wolfgangsee Junior Marathon,** an der Seepromenade.
Dezember:	**Wolfgangseer Advent** in allen Orten um den Wolfgangsee.

HALLEIN & TENNENGAU

SALZBURG: NATUR & SPORT

SALZBURG: WISSEN & KULTUR

SALZBURGER SEENLAND

ATTERSEE & ATTERGAU

IRRSEE & MONDSEE

FUSCHLSEE

WOLFGANGSEE & BAD ISCHL

HALLEIN & TENNENGAU

INFO & FERIENADRESSEN

REGISTER & KARTEN

KELTEN, SALZ UND NATURSCHAUSPIELE

Verwaltungssitz des Tennengaus ist die Stadt Hallein, die durch die Geschichte der Kelten und der Salzgewinnung überregional bekannt ist. Wollt ihr etwas über die Kelten erfahren, dann besucht das Keltenmuseum und die Keltensiedlung auf dem Dürrnberg. Und weil Hallein die Stadt des Salzes ist, darf ein spannender Besuch der Salzwelten nicht fehlen. Rund um Hallein locken sportliche Aktivitäten wie Skifahren auf dem Dürrnberg oder in Krispl-Gaißau im Winter und im Sommer das Radfahren und Wandern.

Der Tennengau wird geprägt durch die imposante Bergkulisse des Tennengebirges im Süden und den Verlauf der *Salzach*. Entlang dieser bieten sich viele Möglichkeiten zum Radfahren und Skaten. Tiefe Schluchten und tosende Bäche könnt ihr im südlichen Tennengau bestaunen. Der Gollinger Wasserfall, die Salzachöfen oder die Lammerklamm in Scheffau werden euch hier besonders in Erinnerung bleiben. Schaut doch auch mal bei einer der zahlreichen Almkäsereien vorbei und kostet den herrlich frischen Almkäse.

Radfahren und Wandern, das geht besonders gut mit der Wander-, Rad- und Freizeitkarte des freytag & berndt Verlags (WK392). ISBN 978-3-85084-739-1.

Frei- & Hallenbäder

Freibad Schloss Wiespach

Wiespachstraße 5, A-5400 Hallein. ✆ +43/6245/80679, www.hallein.com. **Bahn/Bus:** Salzburg Hbf Bus 160 bis Oberalm Haunsperg. **Auto:** A10 Ausfahrt 16 erst Richtung Hallein, dann Richtung Oberalm, 3. Kreisverkehr links auf Schloßstraße, am Ende links, Parken 0,70 €. **Zeiten:** Mai – Mitte Sep täglich 9 – 19, Mitte Juni – Mitte Aug 9 – 20 Uhr. **Preise:** 3,90 €, ab 16 Uhr 2 €; Kinder 6 – 15 Jahre 1,15 €.

▶ Das schön gelegene Freibad hat ein Sportbecken mit Sprungturm, ein Kinderbecken mit Rutsche sowie ein extra Babybecken. Spielplatz und Beachvolleyballplatz sorgen an Land für Kurzweiligkeit, der alte Baumbestand für ausreichend Plätze im Schatten.

TIPPS FÜR WASSERRATTEN

Mit viel Geschick: Eine Runde im Paddel-Parcours

Happy Birthday!
Geburtstagsparty in der Aqua Salza für Kinder bis 14 Jahre ab einer Gruppe von 5 Kindern. Mit Animation und Kindermenü für 13,90 € pro Kind. Für Geburtstagskinder gratis.

Aqua Salza Golling

Möslstraße 199, A-5440 Golling. ✆ +43/6244/200-400, www.aqua-salza.at. **Bahn/Bus:** Salzburg Hbf S3 bis Golling-Abtenau Bhf, 10 Min Fußweg oder ab Hallein Bus 170 bis Golling Regionalbad Aqua Salza. **Auto:** ↗ Golling, Beschilderung folgen. **Zeiten:** täglich 10 – 20 Uhr. **Preise:** 3 Std 9 €, Tageskarte 11 €, ab 18 Uhr 6 €; Kinder 4 – 17 Jahre 3 Std 6 €, Tageskarte 8 €, ab 18 Uhr 4 €; Familien minus 10 %, mit Salzburger Familienpass minus 20 %.

▶ Ob ihr sportlich eure Bahnen schwimmt oder schwungvoll die Wasserrutsche runtersaust, langweilig wird euch sicher nicht in der Aqua Salza. Jederzeit könnt ihr durch den Durchschwimmkanal nach draußen schwimmen, dort warten Strömungskreisel und Bodensprudler auf alle Wasserratten. Besonders an trüben Tagen ist es ein besonderes Erlebnis, draußen zu schwimmen. Ihr seid noch nicht richtig fit im Schwimmen? Kein Problem, es werden regelmäßig Schwimmkurse (auch in den Ferien) angeboten. Kosten für 10 Unterrichtsstunden 139 €. Fragt doch einfach mal nach.

Erlebnisbad Abtenau

Kehlhof 100, A-5441 Abtenau. ✆ +43/6243/2284, www.erlebnisbad.abtenau.at. **Bahn/Bus:** ↗ Abtenau. **Auto:** ↗ Abtenau, auf B162, links auf Döllerhof, links halten Richtung Kehlhof, Ausschilderung folgen. **Zeiten:** Mitte Mai – Mitte Sep 9 – 19, bei Schönwetter Ende Juni – Mitte Aug bis 20 Uhr. **Preise:** 5,30 €, ab 13 Uhr 4,50 €, ab 16 Uhr 3,60 €; Kinder 6 – 15 Jahre 3,20 €, ab 13 Uhr 2,30 €, ab 16 Uhr 2 €; Alleinerzieher mit Kindern 8,50 €, Familie mit Kindern 13,80 €. **Infos:** Tageskarten sind für Einheimische günstiger.

▶ Das im Ort gelegene Erlebnisbad bietet für alle Wasserbegeisterten eine Menge Spaß. Sport- und Erlebnisbecken mit Kletternetz, drei verschiedene Rutschen und ein toller Kinderbereich mit Duschlöwe warten darauf, von euch entdeckt zu werden. Mal keine Lust aufs Baden? Dann könnt ihr am Spielbach planschen oder euch einen schattigen Platz auf der Liegewiese suchen.

Strandbäder & Wasserspaß

Naturschwimmbad in Rußbach
A-5442 Rußbach am Pass Gschütt. www.russbach.info. **Bahn/Bus:** ↗ Rußbach. **Auto:** ↗ Rußbach, Beschilderung folgen. **Zeiten:** Mai – Sep täglich 9 – 20 Uhr. **Preise:** Tageskarte 3,50 €, ab 13 Uhr 2,50 €, ab 16 Uhr 2 €; Kinder 5 – 15 Jahre Tageskarte 2 €, ab 13 Uhr 1,50 €, ab 16 Uhr 1 €; Familientageskarte (2 Erw und Kinder bis 15 Jahre) 10 €.

▶ Nach einem Wandertag gibt es nichts Schöneres, als sich in einem See oder Schwimmbad abzukühlen. Das Naturschwimmbad liegt zentral im Ort, direkt am ↗ *Wasserpark*. Es wird nicht mit Chlor gereinigt, sondern über den natürlichen Pflanzenwuchs, das ist gut für Menschen mit empfindlicher Haut. Für den Badespaß ist natürlich gesorgt, es gibt einen Wasserfall, eine Wasserrutsche und verschiedene Sprungmöglichkeiten.

 Nebenan ist die Kinder-Kanu-Strecke des Wasserparks.

Hunger & Durst
Seestüberl, Saag 100, Rußbach. ✆ +43/664/4271092. www.russbach.info. Öffnungszeiten wie Naturbad direkt daneben. Leckere Pizzen und Nudelgerichte.

Bürgerausee Kuchl
Bürgerauweg, A-5431 Kuchl. ✆ +43/6244/6202, www.kuchl.net. **Bahn/Bus:** Salzburg Hbf S3 bis Kuchl Bhf, 2 Min Fußweg. **Auto:** B159 bis Kuchl, rechts Untermarktstraße, rechts halten, wird zur Salzachstraße, nach der Bahnunterführung rechts Parkplatz, links liegt der See. **Rad:** Ab

Wer hat da genascht? Picknick am Badesee

Ortsmitte über Severinplatz 750 m bis Bürgerauweg. **Zeiten:** Ganzjährig. **Preise:** Frei zugänglich.

▶ Das Gelände am See bietet viele Möglichkeiten, euch auszutoben. Ob ihr euch wie Tarzan am Seil in die Fluten stürzt oder vom Turm aus Kunstsprünge übt – hier ist für jeden was dabei. Die Kleineren haben sicherlich ihren Spaß auf dem Matschspielplatz. Sollte das Wetter nicht badetauglich sein, könnt ihr den See zu Fuß umrunden und lernt dabei auch noch etwas über die heimische Tier- und Pflanzenwelt. Die 15 Schautafeln wurden von Schülern der Hauptschule Kuchl gestaltet. Beim Kiosk gibt es einen tollen Spielplatz.

Im Wasserpark Rußbach

Die Kanu-Strecke liegt direkt neben dem ↗ Naturschwimmbad.

A-5442 Rußbach am Pass Gschütt. www.russbach.info. **Bahn/Bus:** ↗ Rußbach. **Auto:** ↗ Rußbach, Beschilderung folgen. **Zeiten:** Ganzjährig frei zugänglich.

▶ Im Wasserpark kommen alle Seemänner und -frauen auf ihre Kosten. Neben einem schönen Spielbach und einer Kneippanlage gibt es eine Kinder-Kanu-Strecke. Ihr könnt euch Kanus gratis ausleihen und einen kleinen Parcours paddeln. Wer ist als Erster im Ziel? Das kann schon mal eine feuchte Angelegenheit werden. Entweder ihr packt Wechselsachen ein oder zieht direkt die Badehose an. Das Wasser ist niedrig, sodass nichts passieren kann.

FRISCHE LUFT UND SPORT

Radeln

Mit dem Rad entlang der Königsache

A-5083 Grödig-St. Leonhard. **Strecke:** St. Leonhard – Rif – Neu-Anif – Grödig – St. Leonhard. **Länge:** 8,5 km, leichte Rundtour, keine Steigungen, mit Radanhänger zu befahren. **Bahn/Bus:** Salzburg Hbf Bus 25, ab Salzburg Zentrum Bus 28 bis Talstation Untersbergbahn. **Auto:** A10 Ausfahrt 8 Grödig auf B160 Richtung Richtung Deutschland, nach 1,5 km links.

▶ Diese schöne und leichte Tour führt euch von St. Leonhard entlang der Königsache zur Salzach und über Neu-Anif zurück zum Ausgangspunkt. Entlang der Königsache gibt es immer wieder Stellen, an denen ihr direkt ans Ufer kommt und spielen könnt.

Startet beim Gasthof Schorn in **St. Leonhard** und fahrt in Richtung Kirche. Nach dem Gasthaus Simmerlwirt biegt ihr rechts in den Gutratweg und fahrt über eine kleine Brücke. Dort geht es direkt links auf die Gartenaustraße. Dieser folgt ihr gut 1 km. Ihr radelt durch einen Wald und nach 450 m erreicht ihr eine Hauptstraße, die ihr überquert. Achtung: Rechts gibt es einen Übergang mit Ampelanlage! Folgt dem Rad- und Fußweg bis zur *Salzach*. Wer jetzt schon müde ist, macht Pause beim **Gasthaus Am Spitz.** Ihr fahrt links über die Brücke, direkt wieder links und zurück entlang der **Königsache.** Etwa 1 km verläuft der Weg wieder parallel zur Ache. Hier werdet ihr sicherlich einen Platz finden, um eure Füße im kalten Wasser zu erfrischen. An einer größeren Weggabelung haltet euch rechts, bis ihr zu einer Schranke kommt. Jetzt geht es geradeaus auf den **Salzweg.** Nach dem Überqueren der Hauptstraße radelt weiter links und direkt rechts über den **Dorfplatz.** Hinter der Feuerwehr biegt ihr rechts in den Gangsteinweg ein. Schon bald kommt ein toller, weitläufiger **Spielplatz.** Am Ende des Gangsteinweges biegt ihr links in die Kirchenstraße, die zur Neu-Anifer-Straße wird. Nach 900 m kommt ihr wieder zu einer stark befahrenen Straße, die ihr an der Fußgängerampel überquert. Jetzt geht es geradeaus Richtung Grödig. Bei der Sparkasse fahrt ihr links in die Dr.-Richard-Hartmann-Straße. Am Ende der Straße biegt wieder

Jetzt geht's los: Nik ist startklar
© Frank Wallbaum

Hunger & Durst
Gasthaus am Spitz, Rif am Spitz 18, Hallein.
✆ +43/699/11091350
www.hallein.com. Mai – Ende Sep Di – So, Okt – April Mi – So, jeweils 12 – 22 Uhr. Direkt am Radweg, kleiner Spielplatz, Kindergerichte.

HALLEIN & TENNENGAU

Ein Skulpturenweg mit modernen Bildhauerwerken führt euch von Gartenau entlang der Königsache Richtung Marktschellenberg (D). Infos unter www.leube.at.

 Von Oberscheffau könnt ihr einen Abstecher in die ↗ *Lammerklamm* oder zum ↗ *Mühlenrundweg* machen.

links auf die Hauptstraße ab. Nach 200 m geht es links in den **Mitterweg**. Den fahrt ihr entlang, bis ihr nach 1 km ein letztes Mal die Berchtesgadener Straße überqueren müsst. Jetzt seid ihr wieder am **Startpunkt**.

Radeln entlang der Lammer

A-5440 Scheffau a.Tbg.. www.lammerklamm.at. **Strecke:** Unterscheffau – Freizeitanlage Harrbergsee – Oberscheffau. **Länge:** Etwa 6,5 km, flach, mit Radanhänger zu befahren, kinderwagentauglich. **Bahn/Bus:** Golling Bhf Bus 470 bis Unterscheffau Ortsmitte. **Auto:** ↗ Scheffau, Parken im Ort. **Rad:** Tauernradweg bei Golling Richtung Scheffau verlassen.

▶ Startet eure Radtour am Sportplatz in **Unterscheffau** an der Kuchlbachbrücke. Der Rad- und Wanderweg führt euch entlang dem Fluss *Lammer* in Richtung Oberscheffau. Auf eurem Weg kommt ihr sowohl an einem **Spielplatz** als auch an der *Freizeitanlage Harrbergsee* vorbei. Hier wie dort lässt sich prima eine Pause einlegen. Vom Ziel **Oberscheffau** geht es auf gleicher Strecke zurück. Teile des Weges sind asphaltiert, können also auch mit Inlinern oder Tretroller befahren werden. Ansonsten ist der Belag eine feine Schotterdecke.

Wandern

Hunger & Durst
Enzianhütte am Trattberg, Trattbergstraße 127, St. Koloman. ✆ +43/664/4095580. www.enzianalmhuette.at. Anfang Mai – Mitte Nov täglich 10 – 18 Uhr. Urige Hütte mit regionalen Jausen.

Um den Seewaldsee und zur Auerhütte

Auerhütte am Seewaldsee, Anita Köhler, Seewaldstraße 41, A-5423 St. Koloman. ✆ +43/6241/382, www.auerhuette.at. **Länge:** Rundweg 3 km einfaches Gelände, zum Teil kinderwagentauglich. **Bahn/Bus:** Hallein Bus 460 bis St. Koloman Wegscheid (ab Ortsmitte Bus 460 bis St. Koloman Seewaldsee nur Sa, So). **Auto:** St. Koloman, weiter auf L210, vor Ortsteil Wegscheid links in den Wald abbiegen, Schild Auerhütte/Seewaldsee, bei Gabelung rechts halten, 3,5 km geradeaus, bis zur Schranke, hier parken, 15 Min Fußweg bis zur Auerhütte. **Zeiten:** Auerhütte Mai – Okt täglich 10 – 18 Uhr.

▶ Der **Seewaldsee** ist ein kleiner Moorsee, der unterhalb des *Trattberges* liegt. Auf einer einfachen Wanderung könnt ihr den See umrunden. Startet, vom Parkplatz kommend, links um den See. Der Weg ist recht holprig und es geht über Stock und Stein. Am Ende des Weges könnt ihr bei der **Auerhütte** einkehren, euren Durst löschen und eine leckere Jause oder einen Apfelstrudel verputzen. Schaut bei den Tieren vorbei. Hier seht ihr Nutztierrassen, die vom Aussterben bedroht sind. Der Auerbauer züchtet die Tiere, um ihre Art zu erhalten. Wenn ihr mit Kinderwagen unterwegs seid, wählt den Weg, der rechts um den See führt. Hier könnt ihr ein Stück den breiteren Forstweg gehen, jedoch nicht den gesamten Rundweg, da er später sumpfig und recht holprig wird.

 Etwas anspruchsvoller: Vom Parkplatz wählt links den Weg 843 über die Almwiesen, später durch den Wald hoch. Der Weg ist steil und hat viele Kraxelstellen, ist aber mit Volksschulkindern schon gut zu bewältigen. Ziel ist die **Enzianhütte Vordertrattberg.**

Auf dem Trattberg – Wanderung zur Moosangeralm

Tauglstraße 137, A-5423 St. Koloman. ✆ +43/6241/310, www.moosangeralm.com. **Lage:** Auf 1500 m Seehöhe im Almgebiet des Trattbergs. **Länge:** 3 km einfache Wanderung auf Almweg, mit Steigungen, aber kinderwagentauglich. **Bahn/Bus:** ↗ St. Koloman, ab Ortsmitte Bus 460 bis St. Koloman Hintertrattberg (nur Sa, So). **Auto:** ↗ St. Koloman, weiter auf L210 bis Ortsteil Wegscheid Abzweig Seewaldsee/Trattberg, Staßenmaut für Trattbergstraße Pkw 5 €. **Zeiten:** Mai – Okt Sa – Do 10 – 20 Uhr. **Infos:** Hausgemachte Speisen. Gute Brettljausen und leckerer Apfelstrudel, hmm.

Auch die Kleinste marschiert fleißig mit: Das gibt stramme Beinchen
© Conny Tavae

☀ Auf der Straße zwischen Vorder- und Hintertrattberg befindet sich eine Aussichtsplattform. Wer kennt sich denn schon richtig gut aus in der Bergwelt des Tennengaus? Schaut nach auf der Panoramakarte.

Hunger & Durst
Neuwirt Landgasthof, Am Dorfplatz 10, Bad Vigaun. ✆ +43/6245/ 83434. www.neuwirt-badvigaun.at. Täglich 10 – 22 Uhr. Am Ende eurer Wanderung habt ihr euch ein großes Eis beim Neuwirt verdient.

▶ Das Trattbergalmgebiet liegt auf 1758 m und ist ein beliebtes Ausflugs- und Wanderziel. Auf der Trattbergpanoramastraße könnt ihr teilweise bis an die Almen heranfahren, was in den Sommermonaten für reichlich Trubel sorgt. Wollt ihr es ruhiger, dann wandert zu der etwas abseits liegenden **Moosangerlalm.** Ihr startet beim Parkplatz Hintertrattberg und folgt dem Wegweiser rechts zur Moosangerlalm. Zunächst ist der Weg noch asphaltiert, dann wird er eher steinig und holperig. Mit einem geländetauglichen Kinderwagen ist er aber begehbar. Auf eurem Weg durch das Almgebiet begegnet ihr Rindern, Pferden und Schafen, die hier die Sommerfrische genießen. Nach gut 1 Stunde erreicht ihr die Alm, hier könnt ihr euch ausruhen, spielen und den kleinen Hasen und Ziegen einen Besuch abstatten. Zurück geht es auf gleicher Strecke.

Entlang der Taugl: Breite Schotterflächen und enge Schluchten
A-5424 Bad Vigaun. **Strecke:** Bad Vigaun (Dorfstraße) – NSG Tauglgries – Waldmeisterbrunnen – Römerbrücke. **Länge:** Einfache Strecke etwa 2,5 km. **Bahn/Bus:** Salzburg Hbf S3 bis Bad Vigaun, 1 km Fußweg. **Auto:** A10 Ausfahrt 16 Hallein, Bad Vigaun, rechts Dorfstraße, P hinter Autobahnunterführung. **Rad:** Saalach-Radweg bis Bad Vigaun.

▶ Der Startpunkt der Wanderung ist am **Spielplatz** unterhalb der Kirche direkt an der Autobahnunterführung. Folgt ab jetzt der Wegkennzeichnung Nr. 6. Der Weg führt durch den geschützten Landschaftsteil der *Tauglgries.* Zwar gibt es immer wieder die Möglichkeit, direkt an die Schotterflächen der Taugl zu kommen, doch achtet auf die Vogelschutzzonen, die April – Ende Juli nicht betreten werden dürfen. Erlebt auf eurem Weg die Veränderung des Flussverlaufs. Zu Beginn der Wanderung findet ihr ein weites Tal mit Schotterflächen. Nach etwa der Hälfte der Strecke kommt ihr zum **Waldmeisterbrunnen,** wo ihr euch eine Pause verdient habt. Ab hier verengt sich nicht nur der Wanderweg (Hinweis Natursteig), auch der Uferbereich der Taugl verändert sich. Während ihr auf dem Weg nun etwas kraxeln müsst, könnt ihr am Ufer über große Steinplatten steigen. Nach insgesamt 2,5 km erreicht ihr das Ziel, die **Römerbrücke.** Von hier könnt ihr noch einen Blick auf den Wasserfall werfen, wo der wilde Gebirgsfluss von den hohen Felsen heruntersprudelt. Auf Höhe der Römerbrücke könnt ihr im Sommer ein einzigartiges Bad nehmen. Der **Naturbadeplatz** ist nicht ausgeschildert, doch sicherlich findet ihr selbst den schönsten Platz, um im kalten Gebirgsbach zu baden. Als Rückweg könnt ihr entweder denselben Weg wählen oder ihr folgt der Straße in Richtung Bad Vigaun. Kurz hinter dem ehemaligen Gasthaus Sandwirt geht links der Weg Nr. 3 ab. Er führt durch Felder zurück in den Ort.

Spannende Wanderung: Entlang der Taugl bei Bad Vigaun
© Karin Besel

Achtung! In den Vogelschutzzonen im Auenbereich haben Wasservögel ihren Brutraum gefunden.

Im Bluntautal bei Golling

A-5440 Golling. **Strecke:** Parkplatz Bluntaustraße – Bluntaubrücke (– Bluntauseen) – Bärenhof. **Länge:** Variabel 1 – 3 km einfache Strecke, kinderwagentauglich. **Bahn/Bus:** Salzburg Hbf S3 bis Golling-Abtenau Bhf, 45 Min Fußweg. **Auto:** ↗ Golling, im Ort Beschilderung Bluntautal folgen, Parkplatz Bluntaustraße, Parken 2,50 €, Fußweg ab Parkplatz 10 Min. **Zeiten:** Ganzjährig begehbar.

▶ Vom Parkplatz wandert ihr in südwestliche Richtung. Ab der **Bluntaubrücke** könnt ihr verschiedene Wege wählen. Wenn ihr euch rechts haltet, wandert

*Der **Bärenhof** erhielt seinen Namen, als man vor vielen Jahren in der nahe liegenden Torener Bärenhöhle Knochen des Meister Petz gefunden hatte.*

Hunger & Durst

Bärenhof, Torren 145, Golling. ✆ +43/6244/6172. Jan – Mai Sa – So, Mai – Mitte Okt Di – So 10 – 24 Uhr. Am Talschluss gelegen. Der Naturraum bietet Möglichkeiten zum Spielen. Einfache Speisen und Eis.

ihr entlang einem malerischen Bächlein, dem *Torrener Ache,* durch den Wald. Hier findet ihr im Sommer sicherlich viele Stellen zum Spielen. Ein Abstecher zu den *Bluntauseen* ist auch zu empfehlen. Hier könnt ihr allerlei Wassertiere beobachten. Anschließend könnt ihr entweder den Rückweg antreten oder ihr wandert weiter bis zum **Gasthaus Bärenhof.** Nach einer kleinen Stärkung geht es wieder zurück. Wählt entweder den gleichen Weg den Bach entlang oder den Fahrweg, der euch nach 2,5 km wieder zum Ausgangspunkt, der **Bluntaubrücke** bringt. Das Bluntautal ist ein beliebtes Ausflugsziel und daher an sonnigen Wochenenden eher überlaufen.

EINE GLATTE, RUNDE SACHE: DIE MARMORKUGELN

▶ Marmorkugeln wurden früher in Marmorkugelmühlen hergestellt. Davon gab es sehr viele. Heute könnt ihr im Salzburgerland und im angrenzenden Bayern noch vier besuchen: Die ↗ *Kugelmühle* im Teufelsgraben bei Seeham, die ↗ *Marmorkugelmühle* am Mühlenwanderweg in der Scheffau, eine Mühle in Fürstenbrunn am Untersberg und in Berchtesgaden in der Almbachklamm. Viel über die Geschichte der Mühlen und der Marmorkugeln erfahrt ihr in der Talstation der ↗ *Festungsbahn* in Salzburg. Die Herstellung von Marmorkugeln als Spielzeug hatte Tradition und war sehr verbreitet. Sie wurden bis weit in die Welt hinaus verkauft. Heute könnt ihr euch die schönen Kugeln als Erinnerung mitnehmen. ◀

Aus groben Marmorbrocken werden glatte Kugeln: Die Marmorkugelmühle

Auf dem Mühlenrundweg

A-5440 Scheffau a.Tbg.
www.lammerklamm.at.
Lage: Im Lammertal. **Länge:** Gehzeit bis zu den Mühlen etwa 1 Std, bis hier kinderwagentauglich, Rundweg etwa 2 Std. **Bahn/Bus:** Ab Golling Bhf Bus 470 bis Oberscheffau Ortsmitte, 10 Min Fußweg bis Brücke über Lammer. **Auto:** ↗ Scheffau, B162, kurz nach Lammerklause rechts abbiegen, Parkplatz. **Rad:** Am Lammerradweg bis Oberscheffau.
Zeiten: Mai – Okt.

Genau hingehört: Wald-, Wind- und Wassergeräusche
© Karin Besel

▶ Der **Mühlenweg** startet am Parkplatz an der Lammer und ist gut gekennzeichnet. Er ist mit festen Schuhwerk zu begehen. Entlang dem Weg gibt es viele Kleinigkeiten zu entdecken, so zum Beispiel einen Hörtrichter, der euch die Geräusche des Waldes nahebringt. Bei den Mühlen angekommen, könnt ihr erst mal eine Pause machen. Die **Marmormühle** kann auf Anfrage bei Frau Bammer besichtigt werden, in den Sommermonaten gibt es hier immer wieder Veranstaltungen. Folgt ihr dem Weg nun weiter bis zum ausgeschilderten **Winnerfall,** werdet ihr staunen, dass hier kein Wasser fällt. Der Winnerfall führt nur zur Zeit der Schneeschmelze im Frühjahr für etwa 3 – 4 Wochen Wasser. Auf einer Exkursion mit dem Salzburger Höhlenverein könnt ihr die **Höhlen** rund um den Winnerfall besuchen. Infos unter www.hoehlenverein-salzburg.at.

Rauf zur Rocheralm

Maria Quehenberger, A-5441 Abtenau. ✆ +43/6243/2030, Handy +43/664/4311110. www.rocheralm.at.
Lage: Im Lammertal. **Länge:** Gehzeit kürzere Strecke 15 Min kinderwagentauglich, längere Varianten etwa 2 Std nicht kinderwagentauglich. **Bahn/Bus:** ↗ Abte-

 Parallel zum Mühlenweg verläuft der **Herzerlweg**. Folgt den kleinen Herzen, die ihr auf Steinen und Hölzern seht. Der Weg bringt euch über die Herzerlbucht bis zu den Mühlen.

🍎 **Künstlerhäuschen HerzArt,** Scheffau am Tennengebirge 114, Golling. ✆ +43/6244/8408. www.herzart.at. Mai – Sep bei schönem Wetter So und Fei 10 – 17 Uhr. Kostenfreie Besichtigung und Führung durch die Marmorkugelmühle und die Alte Mühle. Im Künstlerhäuschen gibt es hübsche Dinge aus Marmor und Holz.

Füße kühlen mit toller Aussicht: In Abtenau auf der Rocheralm
© Conny Tavae

nau. **Auto:** Anfahrt über Voglau: ↗ Scheffau, weiter B162 bis Voglau, bei Voglauerhof vorbei rechts den Berg hoch, nach 5 km parken am Hochsattel; Anfahrt über Abtenau Au: ↗ Abtenau, B162 beim Billa Richtung Au, Beschilderung Wasserfälle folgen, 2 km bis Gasthof Aumühle, rechts vorbei über 2 Brücken. Nach 2 km Burkhartbauer, rechts der Schotterstraße parken. **Zeiten:** Rocheralm Mai – Okt Mo, Di bis 17 Uhr, Mi – So länger.

▶ Die kürzere Variante der Wanderung zur Rocheralm startet am Parkplatz Hochsattel, ↗ Anfahrt über Voglau. Ihr könnt die Almhütte von hier schon sehen und wandert in gut 15 Minuten der Beschilderung folgend nach oben. Das schaffen auch kleine Wandervögel schon. Bei der **Rocheralm** erwarten euch ein kleiner Sandspielplatz und jede Menge Platz zum Spielen. Seid ihr schon größere Wandersleut', dann schafft ihr locker die längere Variante, ↗ Anfahrt über Abtenau Au. Hier gibt es die gemütliche Strecke entlang der Forststraße oder die anspruchsvollere Variante über einen Weg, der teilweise recht steil und schwieriger begehbar ist. Hier ist also absolute Trittsicherheit gefordert. Für den 2. Weg nehmt ihr etwa 100 m nach dem Parkplatz beim *Burkhartbauern* den Abzweig über eine Holzbrücke in Richtung **Seitenalm.** Von dort geht es weiter über den **Hochsattel** zur Rocheralm. Da dieser Weg schwieriger ist, solltet ihr hierfür mehr Zeit einplanen. An sich sind beide Strecken über Au in gut zwei Stunden zu meistern. Oben angekommen, habt ihr euch eine gute Jause verdient. Der kurze Weg bis zum Gipfelkreuz ist natürlich ein Muss.

🐌 Am Abend keine Lust mehr auf den Abstieg? Kein Problem, die Hütte bietet Schlafplätze für etwa 25 Pers. Und am Morgen gibt es ein Almfrühstück.

Abenteuer, Sport & Spiel

Mit 2 PS durchs Bluntautal
Familie Kronreif, A-5440 Golling. ✆ +43/6244/6473, Handy +43/676/9116013. www.kutschenfahrten.cc. **Strecke:** Bluntaubrücke – Gasthof Bärenhof im Pendelverkehr. **Bahn/Bus:** Ab Golling-Abtenau Bhf 35 Min Fußweg. **Auto:** ↗ Golling, Richtung Bhf Golling, Bahnübergang links überqueren, links Bluntaustraße, Beschilderung Bluntautal folgen. **Zeiten:** Mai – Okt Sa – So und Fei 13 – 16.45 Uhr (auf Anfrage auch in der Woche). **Preise:** 4,50 €; Kinder 2 €.

▶ Eine schöne Variante für diejenigen, die nicht so viel laufen mögen oder können: Lasst euch gemütlich mit der Kutsche bis zum Gasthof ↗ *Bärenhof* bringen. Start der Kutschfahrt ist die Bluntaubrücke. Für den Rückweg könnt ihr entweder wieder die Kutsche nehmen oder zu Fuß entlang der *Torrener Ache* wandern.

Im Winter geht es mit dem Pferdeschlitten durch das Bluntautal. Kuschelig eingepackt, ist dies ein besonderes Erlebnis.

Talwärts mit dem Keltenblitz
Weissenwäschweg 19, A-5422 Hallein-Bad Dürrnberg. ✆ +43/6245/85105, www.duerrnberg.at. **Bahn/Bus:** Hallein Bhf Bus 41 bis Bad Dürrnberg Zinkenlift. **Auto:** ↗ Hallein, B159 Richtung Salzburg, Beschilderung Dürrnberg folgen. **Zeiten:** Mai – Juni, Sep – Mitte Okt Mo – Fr 11 – 17, Sa, So, Fei 10.30 – 17 Uhr, Mitte Juni – Anfang Sep täglich 10 – 18 Uhr. **Preise:** Bergfahrt Doppelsessellift und Talfahrt Sommerrodelbahn 9 €; Kinder 6 – 15 Jahre 6,20 €; Familie (Eltern, eigene Kinder bis 15 Jahre) 24,20 €. **Infos:** Für mehr Spaß gibt es 2-er-, 3-er- und 5-er-Blocks (Bergfahrt und Sommerrodel).

▶ Mit dem Doppelsessellift geht es auf 1330 m Höhe. Talwärts saust ihr die 2,2 km lange Strecke der **Sommerrodelbahn** mit dem Keltenblitz hinunter. Wer fährt die Kurven am rasantesten und wer mag es lieber ein bisschen gemütlich? Kinder unter 6 Jahre fahren bei ihren Eltern auf dem Rodel mit.

Achtung! Rodelspaß gibt es nur bei schönem Wetter.

Edna hat gut lachen: Jetzt wird erstmal eine Pause gemacht!

Hunger & Durst
Landhotel Gasthaus Traunstein, Au 66, Abtenau. ✆ +43/6243/2438. www.gasthaustraunstein.at. Täglich 10 – 22 Uhr. An der Talstation. Wahres Spielparadies mit Klettergeräten, Trampolin, Gokart-Strecke und Minigolf (2 – 3 €). Im Haus Spielraum für Kinder.

Auf dem **bewegten Schulweg** könnt ihr an 13 Stationen klettern, schaukeln, balancieren und unter Anleitung alles ausprobieren, was euch in Bewegung hält.

Auch im Sommer wird gerodelt
Abtenauer Bergbahnen, Au 99, A-5441 Abtenau. ✆ +43/6243/2432, www.karkogel.com. **Bahn/Bus:** Golling-Abtenau Bhf Bus 470 bis Abtenau Karkogelbahn. **Auto:** ↗ Abtenau. **Rad:** Über Au bis Talstation. **Zeiten:** Mai – Juni Mi, Do, Sa 10 – 12, 12.45 – 16, So, Fei 10 – 17 Uhr, Juli – 10. Sep täglich 9 – 17 Uhr, 11. Sep – 6. Okt Mi, Do, Sa, So 10 – 12, 12.45 – 16 Uhr. **Preise:** Bergfahrt und Sommerrodel Einzelfahrt 10,90 €, 2 Fahrten 18,10 €, 3 Fahrten 22,90 €, 5 Fahrten 31,90 €; Kinder 6 – 15 Jahre Bergfahrt und Sommerrodel Einzelfahrt 7,50 €, 2 Fahrten 12,50 €, 3 Fahrten 15,80 €, 5 Fahrten 21,90 €; Familie 2 Erw, 2 Kinder Tageskarte 66,70 €, ab 13 Uhr 51,80 €, 1 Elternteil, 2 Kinder Tageskarte 55,40 €, ab 13 Uhr 49,90 €, ab dem 3. Kind fahren die jüngsten Kinder frei.

▶ Der Gipfel am **Karkogel** in Abtenau ist für euch sicherlich eine Abfahrt mit der **Sommerrodelbahn**. Bequem bringt euch die **Karkogelbahn** hinauf und schon geht es los. Die 1980 m durch Kurven und Schussstrecken liegen schnell hinter euch. Da bleibt nur eins, rein in die Gondel und auf zur nächsten Abfahrt. Seid ihr über 6 Jahre und könnt die Bremse betätigen, dann könnt ihr schon allein runterdüsen. Seid ihr noch jünger, wollt aber auch schon mächtig schnell unterwegs sein? Dann fragt mal Mama oder Papa, ob sie nicht auch Spaß am Rodelvergnügen haben. Wetten, das haben sie?!

Outdoor-Anlagen Rif
Universitäts- und Landessportzentrum, A-5400 Hallein-Rif. ✆ +43/6245/87035, www.ulsz-rif.at. **Lage:** Am Sportzentrum Rif. **Bahn/Bus:** O-Bus 5 bis Birkensiedlung, weiter Bus 35 bis Sportzentrum Schloss Rif. **Auto:** A10 Ausfahrt 8 Grödig, B160 Richtung Deutschland, Beschilderung folgen. **Rad:** Saalach-Radweg, rechts auf Rifer Hauptstraße, nach 800 m auf Parkweg.

▶ Alle Sportbegeisterten aufgepasst: In Rif könnt ihr so richtig sporteln. Inlineskate-Hockeyanlage, Basketball-Funpark, Beachvolleyballanlage, Laufparcours und Kneipp-Anlage sind frei zugänglich und kostenfrei. Der Kletterturm ist gegen eine Gebühr von 1,80 € Mo – Fr 7 – 20, Sa und So 7 – 19 Uhr zur Benutzung frei. Ausrüstung ist mitzubringen.

Kletterhalle Kuchl
Klettercenter am Bürgerausee (OeAV), Bürgerauweg, A-5431 Kuchl. Handy +43/664/7824836. www.kletterhalle-kuchl.at. **Bahn/Bus:** Ab Kuchl Bhf 2 Min Fußweg. **Auto:** B159 bis Kuchl, rechts Untermarktstraße, rechts halten, wird zur Salzachstraße, nach der Bahnunterführung rechts Parkplatz, See liegt links. **Rad:** Ab Ortsmitte über Severinplatz 750 m bis Bürgerauweg. **Zeiten:** Täglich 8.30 – 22 Uhr, Türcode über Handy abzufragen. **Preise:** 6 € (ÖAV-Mitglied 4 €), Kassenautomat in der Halle; Kinder 6 – 18 Jahre 4 € (ÖAV-Mitglied 2 €).
▶ In der Kletterhalle in Kuchl könnt ihr allein oder in einer Trainingsgruppe klettern. Da keine Aufsicht hier ist, solltet ihr schon recht fit im Klettern sein. Verschiedene Routen mit verschiedenen Schwierigkeitsgraden stehen zur Auswahl. Auch Kletterkurse werden angeboten.

Ski fahren und rodeln

Skigebiet Dürrnberg Zinkenlift
Weissenwäschweg 19, A-5400 Hallein-Bad Dürrnberg. ✆ +43/6245/85105, www.duerrnberg.at. **Bahn/Bus:** Von Saisonstart bis Ende März gratis Skibus. Ab Hallein Bhf Bus 41 bis Bad Dürrnberg Zinkenlift. **Auto:** ↗ Hallein, B159 Richtung Salzburg, Beschilderung Dürrnberg. **Zeiten:** Täglich 9 – 16 Uhr. **Preise:** Tageskarte 23 €, 4 Std 20 €, 2 Std 16 €; Kinder 6 – 15 Jahre Tageskarte 14 €, 4 Std 12 €, 2 Std 9 €; Ermäßigung mit Salzburger Familienpass.

Jugend zum Sport, Hallein-Rif. www.salzburg.gv.at/themen/ks/sport. 2 Wochen Ende der Sommerferien, täglich 9 – 12 Uhr. Bei dieser Veranstaltung könnt ihr viele auch außergewöhnliche Sportarten ausprobieren. Pro Kind und Tag 4 €.

Hunger & Durst
Zinkenstüberl, Weissenwäschweg 19a, Bad Dürrnberg. ✆ +43/6245/70367. www.zinkenstueberl.at. Täglich 10 – 22 Uhr. An der Bergstation des Sessellifts. Kinderteller mit Fleisch und Pommes.

Am Faschingsdienstag bekommen verkleidete Narren 20 % Rabatt auf die Liftkarte.

▶ Eine Sesselbahn bringt euch hinauf auf 1330 m Höhe. Hier könnt ihr zwischen drei verschiedenen Abfahrten wählen. Sie sind alle schon etwas schwieriger – also eher etwas für die Profis unter euch. Wer es gemütlich mag, der nutzt den Dürrnberg Schlepplift oder den Rottenlift und schwingt sich die blauen Pisten hinunter.

Familienskigebiet Gaißau – Hintersee

Gaißau Nr. 187a, A-5425 Krispl-Gaißau. ✆ +43/6240/2070, www.gaissauhintersee.at. **Bahn/Bus:** Von Saisonstart bis März gratis Skibus. Ab Salzburg Bhf Bus 150, 155 bis Hintersee Dreisesselbahn. Ab Hallein Bhf Bus 450 bis Gaißau Spielbergalm Lift. **Auto:** ↗ Krispl-Gaißau. **Zeiten:** Täglich, Tageskarte 9 – 16 Uhr, Halbtageskarte 9 – 13 oder 12 – 16 Uhr. **Preise:**

@Fragen und Antworten zum Thema Skifahren und Umwelt findet ihr unter www.umweltkids.de.

SKISPORT MIT RÜCKSICHT

▶ Skifahren ist lustig und gehört, keine Frage, in die Alpen und damit auch ins Salzburger Land. Dennoch solltet ihr das Thema ruhig kritisch betrachten. Ist euch bewusst, dass für die Pisten Bäume gefällt werden mussten und der Bau der Skilifte einen Einschnitt in das natürliche Landschaftsbild bedeutet? Wusstet ihr, dass, wenn nicht genug Schnee liegt, Schneekanonen unter hohem Wasser- und Energieverbrauch künstlichen Schnee herstellen? Skier und Pistenraupen können die Pflanzen und Böden für lange Zeit zerstören. Und nicht zuletzt solltet ihr wissen, dass die Tiere in ihrer Winterruhe gestört werden. Wie könnt ihr euch verhalten, damit das Skifahren ein halbwegs naturfreundliches Erlebnis ist? In erster Linie verhaltet euch der Natur und Umwelt gegenüber sensibel. Fahrt zum Beispiel nur Ski, wenn min. 30 cm Schnee liegen und meidet Pisten mit Flutlicht. Im Sommer gibt es Spannenderes, als auf einem Gletscher Ski zu fahren. Selbstverständlich solltet ihr nie abseits der Pisten fahren, um Pflanzen und Tiere zu schonen. Und zu guter Letzt könnt ihr fast alle im Freizeitführer aufgeführten Skigebiete und Pisten mit einem kostenlosen Skibus oder auch mit der Bahn erreichen und das Auto stehen lassen. ◀

Tageskarte 31,90 €, Halbtageskarte 27,60 €, 2 Std 18,50 €; Kinder 6 – 15 Jahre Tageskarte 12 €, Halbtageskarte 9,90 €, 2 Std 9 €; Familien mit Kindern bis 15 Jahre: 2. Kind zahlt nur 50 %, ab dem 3. Kind Skipass gratis.

▶ Ein absolut hitverdächtiges Skigebiet ganz in der Nähe von Salzburg. Die Skischaukel Gaißau-Hintersee bietet mit drei Sesselliften und sechs Schleppern jede Menge Abfahrtsspaß für alle Ski- und Snowboardfreunde. Im Skigebiet findet ihr mehrere bewirtschaftete Hütten. Gleich vier Skischulen sorgen dafür, dass auch die Anfänger unter euch sicher die Pisten hinunter kommen. Besonders für die Kleineren bietet die Kinderskiwelt bei der Spielbergalm mit Übungshang und Rodelberg viel Abwechslung.

Wie im Bilderbuch: Mit dem Pferdeschlitten durch die weiße Winterwelt

© Zauchtalerhof

Naturrodelbahn Krispl

A-5425 Krispl-Gaißau. www.krispl-gaissau.at. **Start:** Hinter der Kirche. **Länge:** 1,5 km. **Bahn/Bus:** ↗ Krispl. **Auto:** ↗ Krispl.

▶ Die alte Krispler Straße ist für den Autoverkehr gesperrt und ihr könnt hier gefahrenfrei durch die Kurven flitzen, die steileren Passagen meistern und in Rekordzeit die 125 Höhenmeter hinter euch lassen.

Rodelhang bei Krispl

A-5425 Krispl-Gaißau. **Bahn/Bus:** Hallein Bhf Bus 450 bis Krispl Hinterhof, 10 Min Fußweg zurück. **Auto:** ↗ Krispl, L209 von Adnet kommend vor Krispl Ortsteil Winkl, rechts liegt der Rodelhang.

▶ Einen schönen Rodelhang findet ihr kurz vor Krispl auf der rechten Seite. Eine Mordsgaudi ist es, mit

Rodel können beim Krisplwirt oder beim Tourismusverband ausgeliehen werden.

Hunger & Durst
Gasthof Krisplwirt, Krispl 17, Krispl-Gaißau. ✆ +43/664/450-5210. www.krisplwirt.at. Fr – Mo 10 – 22 Uhr. Direkt an der Kirche, Kindergerichte.

dem Schlitten, dem Zipfelbob oder dem Rutschbrettl hinunterzusausen. Schneemänner dürfen gebaut werden und bei zu viel Übermut gibt es noch eine lustige Schneeballschlacht.

Übungslift Krispl

Gasthof Alpenblick, Cilli und Bernhard Schorn, Krispl 45, A-5425 Krispl-Gaißau. ✆ +43/6240/272, www.alpenblick-krispl.at. **Bahn/Bus:** Hallein Bhf Bus 450 bis Krispl Hinterhof. **Auto:** ↗ Krispl, L209 von Adnet kommend vor Krispl Ortsteil Winkl, rechts liegt der Übungslift. **Zeiten:** Bei entsprechender Schneelage täglich 9 – 16 Uhr. **Preise:** Tageskarte 15 €, Halbtageskarte 13 €, 10er-Karte 11 €; Kinder 6 – 12 Jahre Tageskarte 13 €, Halbtageskarte 11 €, 10er-Karte 9 €.

▶ Der kleine Übungslift liegt direkt am Gasthof Alpenblick. Gemütlich geht es mit dem Schlepper 600 m hinauf. Die Abfahrt könnt ihr im eigenen Tempo bestreiten. Die ↗ *Salzburger Skischule* bietet hier Kinder-Skikurse an.

Jan – März finden **Fackelwanderungen** entlang dem Winterwanderweg in Krispl statt. Anschließend gibt es Kinderpunsch. Informationen unter www.krispl-gaissau.at.

Ski fahren und Rodeln beim Berggasthof

Berggasthof Bachrain, Familie Siller, Moosegg 19, A-5440 Scheffau a.Tbg.-Voregg. ✆ +43/6244/6166, www.bachrain.at. **Auto:** ↗ Golling, B159 Richtung Kuchl, nach 2,4 km rechts abbiegen auf St. Koloman Landesstraße L210, nach 600 m rechts Moldanstraße, nach 700 m rechts auf Voregg, 4 km bis Gasthof Bachrain. **Zeiten:** Skilift Schulferien Mo – Fr 9 – 16, Sa, So 12 – 16 Uhr, außerhalb der Ferien täglich 12 – 16 Uhr. **Preise:** Tageskarte 14 €, Halbtageskarte 12 €, ab 13 Uhr 9,80 €; Kinder 9,50, 8, bzw. 6,80 €.

▶ Am Berggasthof Bachrain könnt ihr in einem kleinen, sonnigen Gebiet Ski fahren. Ein Babylift für die Anfänger und ein Schlepplift stehen bereit. Oben angekommen könnt ihr euch zwischen verschiedenen Abfahrten entscheiden. Nach so viel Schneevergnügen ist eine Einkehr im Gasthof obligatorisch.

Hunger & Durst

Berggasthof Bachrain, Moosegg 19, Scheffau a.Tbg.-Voregg. ✆ +43/6244/6166. www.bachrain.at. Di – So 11.30 – 19.30 Uhr. Sommer wie Winter ein schöner Platz. Kleiner Spielplatz vor dem Haus. Damwild.

Packt den Rodel ein. Für Nicht-Skifahrer gibt es schöne Wanderwege.

Skivergnügen auf dem Karkogel

Abtenauer Bergbahnen, Au 99, A-5441 Abtenau. ✆ +43/6243/24-32, www.karkogel.com. **Bahn/Bus:** Golling-Abtenau Bhf Bus 470 bis Abtenau Karkogelbahn. **Auto:** ↗ Abtenau. **Zeiten:** Mitte Dez – Ende März täglich 9 – 16.15 Uhr. **Preise:** Tageskarte 29, 80 €, ab 13 Uhr 19,90 €; Kinder 6 – 15 Jahre Tageskarte 14,30 €, ab 13 Uhr 10,90 €; Familie 2 Erw, 2 Kinder Tageskarte 66,70 €, ab 13 Uhr 51,80 €, 1 Elternteil, 2 Kinder Tageskarte 55,40 €, ab 13 Uhr 49,90 €, ab dem 3. Kind fahren die jüngsten Kinder frei.

Aufstehen und weiterfahren: So fangen auch die Profis an
© Frank Wallbaum

▶ Mit der **Karkogelbahn** geht es hinauf ins Skivergnügen. Euch erwartet ein nettes Skigebiet mit gewagten Abfahrten. Oben auf dem Berg gibt es noch einen weiteren Schlepplift. Urige Hütten laden zum Aufwärmen ein.

Rodelspaß und mehr auf dem Karkogel

Abtenauer Bergbahnen, Au 99, A-5441 Abtenau. ✆ +43/6243/2432, www.karkogel.com. **Start:** Direkt an der Bergstation. **Bahn/Bus:** Golling-Abtenau Bhf Bus 470 bis Abtenau Karkogelbahn. **Auto:** ↗ Abtenau. **Zeiten:** Mitte Dez – Ende März täglich 9 – 16.15 Uhr, ab 26.12. Do – Sa 18.30 – 21.30 Uhr. **Preise:** 3 Std 20,90 €, 2 Std 18,90 €; Kinder 6 – 15 Jahre 3 Std 11,90 €, 2 Std 19,50 €; Familie 2 Erw, 2 Kinder 2 Std 47,10 €, 3 Std 54,20 €. **Infos:** Günstigere Abendkarten 18.30 – 21.30 Uhr. Alle Preise gelten für Hauptsaison.

▶ Testet doch mal die 3 km lange Rodelstrecke am Karkogel. Hier geht es in steilen Kurven und mit viel Spaß den Berg hinunter – entweder sportiv auf dem Sportrodel oder gemütlich auf dem Zweisitzer. Die Äl-

Outdoor Unlimited – Rodelcenter Talstation, Au 99, Abtenau. ✆ +43/6243/28874. www.outdoor-unlimited.at. Mo – Fr 9 – 16.45 Uhr, bei Abendbetrieb 18.30 – 22.45 Uhr. Verleih von Rodeln und Funsportgeräten.

Packt warme Skibekleidung, warme Schuhe und eine Skibrille ein. Kinder tragen einen Skihelm.

Hunger & Durst
Karkogel Hütte, Döllerhof 98 (Taladresse), Abtenau. ✆ +43/6243/28828. www.karkogel-huette.net. Täglich 9 – 24 Uhr. Direkt an der Bergstation.

Ski- und Snowboardschule, Döllerhof 115, Abtenau. ✆ +43/664/4155534. www.skischule-snowboardschool.at. Kurszeiten So – Fr 10 – 13 Uhr. Spezielles Kinderprogramm, mit Förderband, Skikarussell und Schneespaßgeräten, Kinder ab 3 Jahre 1 Tag 48 €.

WM Sport 2000, Markt 113, Abtenau. ✆ +43/6243/364417. www.sport-2000rent.at/abtenau. Mo – Fr 9 – 12 Uhr, 14 – 18 Uhr, Sa 9 – 17 Uhr, So 9 – 12 und 14 – 17 Uhr. Langlaufschule, Verleih von Ski, Langlaufski, Snowboards und Rodeln.

teren und Mutigen unter euch leihen sich eines der Fungeräte, wie etwa ein Bockerl oder ein Airboard aus, die gibt es bei Outdoor Unlimited!

Übungslift für die Kleinsten
Abtenauer Bergbahnen, Döllerhof 115, A-5441 Abtenau. ✆ +43/6243/2432, www.karkogel.com. **Bahn/Bus:** ↗ Abtenau. **Auto:** ↗ Abtenau. **Zeiten:** 9 – 16 Uhr. **Preise:** Punktekarte 15,90 €; Kinder 11,90 €.
▶ Am Sonnteit'n Lift können die Kleinsten ihre ersten Schwünge üben. Der zentral im Ort gelegene Tellerlift bringt euch den Übungshang hinauf. Und dann geht es im schönsten Schneepflug wieder hinunter.

Langlaufloipen rund um Abtenau
Tourismusbüro Abtenau, Markt 165, A-5441 Abtenau. ✆ +43/6243/4040, www.abtenau-info.at. **Bahn/Bus:** ↗ Abtenau. **Auto:** ↗ Abtenau.
▶ In Abtenau gibt es schöne Langlaufloipen, die sich auch für Einsteiger und Kinder eigenen. Direkt an der Talstation der Karkogelbahn gibt es eine einfache Loipe für Kinder.
Eine Übersichtskarte aller Langlaufloipen mit Schwierigkeitsgraden findet ihr auf der Internetseite unter *Bewegung, Wintersport, Langlaufen*.

Eislaufen auf dem Naturplatz in Abtenau
Tourismusbüro Abtenau, Markt 165, A-5441 Abtenau. ✆ +43/6243/404054, www.abtenau-info.at. **Lage:** Neben den Tennisplätzen. **Bahn/Bus:** ↗ Abtenau. **Auto:** ↗ Abtenau, vor Lagerhaus links abbiegen. **Zeiten:** Di, Do – So 16 – 21 Uhr bei geeigneter Witterung. **Preise:** 3 €; Kinder 6 – 15 Jahre 2 €, Schlittschuhverleih 2,80 €.
▶ Auf dem Natureis in Abtenau könnt ihr, sobald es entsprechend kalt ist, eure Eislaufschuhe anziehen und dahinsausen. Es gibt sogar Musik und am Abend Beleuchtung. Sollten die Eislaufschuhe nicht mehr passen, könnt ihr euch vor Ort welche ausleihen.

Skiregion Dachstein West

Rußbacher Bergbahnen, A-5442 Rußbach am Pass Gschütt. ✆ +43/6242/440, www.dachsteinwest.at. **Bahn/Bus:** ↗ Tipp in der Randspalte (Shuttlebus). **Auto:** ↗ Rußbach. **Zeiten:** Hauptsaison ab 21. Dez – Anfang Jan und Feb – Anfang März 9 – 12, 13 – 17 Uhr. **Preise:** Tageskarte 38,70 €, 4 Std 36 €, 2 Std 23,20 €; Kinder 6 – 15 Jahre Tageskarte 16,30 €, 4 Std 15,20 €, 2 Std 9,80 €; Vor-, Nach- und Zwischensaison günstiger. **Infos:** Skipass ab 1,5 Tage gilt auch für die Skigebiete Postalm, Karkogel in Abtenau, Zinkenlifte in Bad Dürrnberg.

▶ Die Skiregion Dachsteinwest erstreckt sich über Gosau, Rußbach und Annaberg. Mit der **Hornbahn** geht es schnell hinauf ins Pistenvergnügen. Das weit verzweigte Netz an Abfahrten und weiteren Liften und Bahnen bietet für jeden etwas. Für Ski-Neulinge gibt es Übungslifte, Zauberteppiche und Märchenslaloms und natürlich könnt ihr im Bärencamp das Skifahren erst einmal lernen.

Zusammen moards a Gaudi: Rodeln in Krispl
© Zauchtalerhof

Ab Salzburg EM Stadion und Alpenstraße P&R (hält auch an weiteren Orten) fährt in der Saison täglich ein kostenloser **Shuttlebus** nach Rußbach. www.dachsteinwest.at. Anmeldung unter ✆ +43/664/4518-380 oder 6242/440.

Natur verstehen und entdecken

Salzachöfen Golling

Obergäu 82, A-5440 Golling. ✆ +43/6244/4356, www.golling.info. **Lage:** Nähe Pass Lueg. **Länge:** Gehzeit Hin- und Rückweg etwa 1 Std, nicht kinderwagentauglich. **Bahn/Bus:** Golling Bhf Bus 170 bis Golling/Salzach Pichler, 20 Min Fußweg bis Eingang Salzachöfen. **Auto:** ↗ Golling, B159 Pass Lueg. **Rad:** Am Tauernradweg. **Zeiten:** täglich Mai – Okt. **Preise:** 2,50 €;

UMWELT ERFORSCHEN

Teamspirit Austria.com, Vollererhofstraße 831, Puch. ✆ +43/699/11437302 (Handy). www.teamspiritaustria.com. Jeden Do und So, bei Voranmeldung täglich ab 5 Pers buchbar. Entdeckt die Salzachöfen auf einer spannenden Führung. Nervenkitzel bereitet der Flying Fox, der euch im Tiefflug über die Salzach bringt. 24,80 €, Kinder 7 – 14 Jahre 16,80 €.

Es kann nass werden. Packt einen Regenponcho oder Wechselsachen ein.

Kinder 6 – 14 Jahre 1,50 €; günstiger mit Gästekarte und Salzburger Familienpass, Familie (2 Erw und Kinder) 6 €.

▶ In der letzten Eiszeit brach sich die *Salzach* ihren Weg zwischen Tennen- und Hagengebirge. Entstanden sind die Salzachöfen, eine Schlucht mit imposanten Felswänden. Heute könnt ihr dieses Naturdenkmal auf einer kleinen Wanderung erleben. Vom Eingang (Kasse) führt euch der Weg über einen Aussichtsbalkon, zum Gletschertopf bis hin zum Salzach-Dom, der in Jahrtausenden von Jahren durch Wasserkraft geschliffen wurde. Das Gelände ist uneben, feste Schuhe mit Profil und Trittsicherheit sind wichtig.

Rauschendes Wasser

Gollinger Wasserfall, Tourismusverband Golling, A-5440 Golling-Torren. ✆ +43/6244/4356, 7766. www.golling.info. **Lage:** 3 km vom Zentrum Golling, **Gehzeit:** Etwa 1,5 Stunden, nicht kinderwagentauglich. **Bahn/Bus:** ↗ Golling, ab Bhf 40 Min Fußweg bis Eingang Wasserfall. **Auto:** ↗ Golling, Beschilderung folgen. **Rad:** Am Tauernradweg. Radständer im Kassenbereich. **Zeiten:** Mai – Okt täglich. **Preise:** 2,50 €; Kinder ab 6 Jahre 1,50 €; günstiger mit Gästekarte und Salzburger Familienpass, Familie (2 Erw und deren Kinder 6 – 14 Jahre) 6 €.

▶ Vom Parkplatz aus sind es etwa 10 Minuten Gehzeit bis zu den Wasserfällen. In zwei Fallstufen stürzt das Wasser insgesamt 75 Höhenmeter in die Tiefe. Der Weg führt euch direkt an die Fälle und bei der **Regenbogenbrücke** überquert ihr sogar das rauschende Wasser. Dann wird es etwas anstrengender. Über Holzstufen geht ihr weiter hinauf zum **Hexenkesselsteg** und zur **Quellhöhle.**
Zurück geht es auf gleichem Weg. Der Weg ist mit guten Schuhwerk zu begehen. Vorsicht, es kann rutschig sein. Je nach Wind und Witterung, kann der Ausflug auch sehr feucht werden!

Naturschauspiel Lammerklamm

A-5440 Scheffau a.Tbg. www.lammerklamm.at. **Länge:** Gehzeit Hin- und Rückweg etwa 1 Std, nicht kinderwagentauglich. **Bahn/Bus:** Golling Bhf Bus 470 bis Oberscheffau Lammeröfen. **Auto:** ↗ Scheffau, Lammertal B162, Beschilderung folgen. **Rad:** Am Lammerradweg. **Zeiten:** Täglich Mai – Okt 9 – 17, Juni – Sep 9 – 18, Juli – Aug 9 – 19 Uhr. **Preise:** 3,50 €; Kinder 6 – 15 Jahre 1,50 €; frei für Besitzer der Salzburgerland Card, Ermäßigungen mit Salzburger und OÖ Familienkarte.

▶ Die Lammerklamm ist eine tiefe Schlucht, die der Fluss *Lammer* vor mehr als zehntausend Jahren in den Felsen gegraben hat. Während früher Holz durch die engen Schluchten transportiert wurde, erlebt ihr heute ein Naturschauspiel aus Licht und Schatten. Das Rauschen des Wassers begleitet euch auf dem Weg durch die Klamm. Auf befestigten Wegen und über unzählige Stufen geht ihr in den schönsten Teil der Klamm, die *Dunkle Klamm*. Der Weg durch die Klamm zu den Stromschnellen, die hier Katarakt genannt werden, und der hohen Brücke wird gekrönt durch den Panoramablick auf das *Tennengebirge*. Der Weg durch die Klamm ist anspruchsvoll, aber überall gesichert. Achtet dennoch auf richtiges Schuhwerk und verlasst niemals die befestigten Wege.

Marmorweg

Adnet 18, A-5421 Adnet. ✆ +43/6245/80625, www.adnet.at. **Länge:** 3,5 km, etwa 2 Std mit Führung, kinderwagentauglich. **Bahn/Bus:** ↗ Adnet. **Auto:** ↗ Adnet. **Zeiten:** Führung Mai – Okt jeden Di 11 Uhr, Treffpunkt 10.45 Uhr im Marmormuseum. **Preise:** 6 – 10

Mystisch: Die Klamm im Lammertal mit Licht und Soundeffekten
© Tourismusverband Scheffau am Tennengebirge

Hunger & Durst

Lammerklause, Oberscheffau 151, Scheffau a.Tbg. ✆ +43/6244/8424. www.lammerklause.at. Di – So 10 – 22 Uhr. Bio-Säfte und leckere Jausen.

 Mitte Juli – Mitte Sep könnt ihr abends die *Mystische Klamm* mit Licht und Klängen erleben. 5 €, Kinder 6 – 12 Jahre 2 €. Genaue Termine unter www.lammerklamm.at.

Was hat eine rote Mütze und steht im Wald?

Pers 4 € pro Person, ab 11 Pers 3 € pro Person; für Gäste mit Unterkunft in Adnet kostenfrei.

▶ Der Marmorweg führt euch zu fünf aktiven und aufgelassenen Steinbrüchen. Ihr könnt den Lehrpfad auf eigene Faust besuchen oder an einer der Mai – Okt angebotenen Führungen teilnehmen. Startet eure Wanderung im Zentrum von Adnet und werft zunächst mal einen Blick in die **Pfarrkirche.** Hier wurde ganz viel Marmorgestein für die Innengestaltung der Kirche verwendet. Nach dem Besuch der Kirche folgt ihr der Beschilderung, die euch als Erstes zum **Eisenmannbruch** führt. Aus diesem historischen Steinbruch stammen die 24 Säulen des Wiener Parlaments. Entlang dem Weg findet ihr 15 Stationen, die euch über den Adneter Marmor, seine Entstehung und die verschiedenen Abbaumethoden informieren. Auch Gegenstände, die aus dem Marmor entstanden sind, werdet ihr auf eurem Weg sehen. Der Weg führt durch dichten Wald und kann somit bei jeder Witterung gegangen werden. Besonders schön erkennt ihr die Muster des Marmors allerdings bei Regen. Also Gummistiefel und Regenjacke anziehen.

HANDWERK UND GESCHICHTE

Bahnen & Besichtigungen

Untersbergbahn

Dr.-Friedrich-Oedlweg 2, A-5083 Grödig-Gartenau. ✆ +43/6246/724770, www.untersbergbahn.at. **Lage:** Südlich von Salzburg. **Bahn/Bus:** Salzburg Hbf Bus 25, ab Salzburg Zentrum Bus 28 bis Talstation Untersbergbahn. **Auto:** ↗ Grödig, Ortsteil St. Leonhard links abbiegen, Beschilderung folgen. **Rad:** Von Grödig über Mitterweg. **Zeiten:** März – Juni 8.30 – 17 Uhr, Juli – Sep 8.30 – 17.30 Uhr, 1. Okt – 26. Okt 8.30 – 17 Uhr, 17.

Dez – 28. Feb 9 – 16 Uhr, jeweils zur vollen und halben Std. **Preise:** Berg- und Talfahrt 21 €; Kinder 6 – 14 Jahre 10,50 €, mit Salzburger Familienpass 7,50 €; Familienbonus: Eltern zahlen nur für das erste Kind den Kinderpreis, alle weiteren Kinder fahren frei.

▶ Der **Untersberg** ist Teil der nördlichen Kalkalpen und eine markante Landmarke am Alpenrand. Die zwei Hauptgipfel liegen in zwei verschiedenen Ländern. Der 1973 m hohe *Berchtesgadener Hochthron* liegt auf deutscher Seite und der etwa 100 m niedrigere *Salzburger Hochthron* auf österreichischer. In etwa 10 Minuten befördert euch die Kabinenbahn auf den **Salzburger Hochthron** (1853 m) und überwindet dabei einen Höhenunterschied von 1320 m. Oben angekommen, erwartet euch ein unglaublicher Ausblick auf Salzburg und die umliegende Bergwelt. Hier könnt ihr eine kleine Wanderung machen. Aber Vorsicht, geht nur mit gutem Schuhwerk und einer Karte (erhaltet ihr auch an der Talstation der Bergbahn) ins Gelände und bleibt auf den Wegen.

An verschiedenen Tagen gelten Sonderpreise, z.B. fahren alle Frauen und Mädchen am Muttertag für nur 4 €. Infos gibt es im Internet.

Hunger & Durst
Bergstation Untersberg, Grödig. ✆ +43/ 662/625176. www.untersbergbahn.at. Ganzjährig (außer zu Revisionszeiten der Untersbergbahn) Mo – So 9 – 17 Uhr. Von hier habt ihr einen tollen Blick auf das Salzburger und Berchtesgadener Land.

Mit der Hornbahn in Brunos Bergwelt
Rußbacher Bergbahnen, A-5442 Rußbach am Pass Gschütt. ✆ +43/6242/440, www.dachsteinwest.at. **Lage:** Einfacher Rundweg direkt an der Bergstation, weitere Wanderung bis zur Edtalm auf Forststraße kinderwagentauglich. **Bahn/Bus:** Golling-Abtenau Bhf Bus 470 bis Rußbach am Pass Gschütt Hornbahn. **Auto:** ↗ Rußbach, bis Talstation Hornbahn. **Zeiten:** Mai, Juni, Sep Mi, Juli, Aug auch Do und So jeweils 9 – 12, 13 – 17 Uhr. **Preise:** Berg- und Talfahrt 14 €, Berg oder Tal 8,60 €, Aufpreis Ameisenexpress 5 €; Kinder 4 – 15 Jahre 7 bzw. 4,50 €, Ameisenexpress frei; Ermäßigung mit Gästekarte und für Einheimische (Sbg, OÖ, Bayern).

▶ Rund um die Bergstation der Kabinenseilbahn findet ihr die Welt vom Bären Bruno. Hier könnt ihr spielen, klettern und staunen. Besucht die Ameise *Emma* und spürt selbst, wie sich eine Ameise fühlt, wenn sie durch den Wald wandert. Ein Schaukelwald, eine

Hunger & Durst
Edtalm, Rußbach am Pass Gschütt. ✆ +43/ 664/9060183. Juni – Sep täglich. Endstation Ameisenexpress. Kleiner Spielplatz direkt an der Hütte, Spielbach etwas abseits der Hütte.

HALLEIN & TENNENGAU

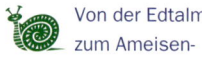

Von der Edtalm zum Ameisensee – eine nette Wanderung für größere Kinder mit guter Wanderkondition.

Fossilienkiste, ein Baumhaus – ihr seht schon, hier gibt es viel zu entdecken. Mit dem **Ameisenexpress,** einer kleinen Bimmelbahn, könnt ihr bis zur **Edtalm** fahren. Oder ihr wandert auf der breiten Forststraße in gut einer Stunde dorthin. In den Monaten Juli und August könnt ihr an der Bärenolympiade oder Expeditionen zum **Ameisensee** teilnehmen. Beides ist kostenfrei, die genauen Termine erfahrt ihr auf der Internetseite.

Salzwelten Hallein

Ramsaustraße 3, A-5422 Hallein-Bad Dürrnberg. ✆ +43/6245/8528511, www.salzwelten.at. **Bahn/ Bus:** ↗ Hallein, Bus 41 Bad Dürrnberg Salzbergwerk. **Auto:** ↗ Hallein, Beschilderung Salzwelten, Parkplatz kostenlos am Eingang zum Stollen. **Zeiten:** Täglich Führungen Mitte Jan – März 10 – 15, April – Okt 9 – 17, Nov – Dez 10 – 15 Uhr. **Preise:** 19 €; Kinder 4 – 15 Jahre 9,50 €, Salty Joe Führung 16 € pro Kopf, Cleverix Führung 12 € pro Kopf; Familienkarte (2 Erw, 1 Kind) 40 €, jedes weitere Kind 8,50 €.

Wieder über Tage? Dann könnt ihr kostenfrei (mit eurer Eintrittskarte) das ↗ *Keltendorf* direkt gegenüber vom Salzwerk, das ↗ *Keltenmuseum* und das Stille-Nacht-Museum in Hallein besuchen.

▶ Mit dem Bergmannsgruß »Glück auf« werdet ihr von einem Bergmann begrüßt. Dann fahrt ihr mit der Grubenbahn in den Stollen ein. Tief unter der Erde erwarten euch *Jacobus vom Dürrnberg* und der Fürsterz-

▶ Die Stadt Hallein und der Dürrnberg sind eng verbunden mit dem Salz und der Salzgewinnung. Doch wie kommt das Salz überhaupt in den Berg hinein? Dafür reisen wir mit der Zeitmaschine um viele, viele Millionen Jahre zurück. Damals war hier, wo heute das Salz aus dem Berg geholt wird, ein riesiges Meer. Im Meerwasser war das Salz gespeichert. Als das Meerwasser durch Wärme in Form von Sonneneinstrahlung verdunstete, blieb nach vielen Jahrmillionen das Salz zurück. In weiteren Millionen Jahren wurde das Salz durch neue Erdschichten bedeckt. So entstanden die unterirdischen Salzstöcke. ◀

DAS WEISSE GOLD

bischof *Wolf Dietrich von Raitenau* – nicht in echt, denn die lebten vor langer Zeit (nicht im Schacht!), aber sie erzählen euch in Filmen Geschichten rund um den Salzabbau vom *Dürrnberg*. Ihr geht nicht nur auf eine spannende Zeitreise, sondern auch auf eine Reise durch den Berg. Dabei werdet ihr Grenzen überschreiten, waghalsige Rutschpartien erleben und euch auf eine mystische Fahrt begeben. Die Salzwelten bieten auch tolle **Kinderführungen** an. Gemeinsam mit *Salty Joe* oder dem Keltenjungen *Cleverix* macht ihr eine abenteuerliche Tour durch den Berg. Termine findet ihr im Internet.

Zeigt euch die abenteuerliche Welt des Salzes: Salty Joe

© Salzwelten Hallein

Alles Käse oder was?
Bio-Hofkäserei Fürstenhof, Niki Rettenbacher, Kellau 15, A-5431 Kuchl. ✆ +43/6244/6475, www.fuerstenhof.co.at. **Bahn/Bus:** Hallein Bus 170 bis Kuchl Bachbauer, 20 Min Fußweg über Lengriesweg. **Auto:** ↗ Kuchl, B159 Richtung Golling, rechts auf Kellau, am Ende rechts auf Kellau bleiben, 2. rechts auf Gaismaierstraße, rechts auf Fürstenweg. **Rad:** Am Tauernradweg. **Zeiten:** Schaukäserei täglich 11 Uhr, Hofladen Mo – Fr 9 – 17, Sa 9 – 12 Uhr. **Preise:** Führung mit kleiner Käseverkostung 6,90 €; Kinder 6 – 14 Jahre 3,50 €; Preise für Kindergruppen auf Anfrage.

▶ Von der Milch zum Käse: Beim Fürstenhof lernt ihr, wie die Milch gewonnen und zu Käse verarbeitet wird. Seht euch bei den Kühen um, werft einen Blick in die Käserei und den Reiferaum und schaut, was macht der Käser mit dem Kupferkessel macht. Den Käse könnt ihr gleich kosten, doch euren selbst gemachten Käse gibt es erst nach einem Tag Reife für

die Jause zu Hause. Dieses spezielle Kinderprogramm dauert etwa 2 – 3 Stunden. Darüber hinaus bietet die Hofkäserei täglich um 11 Uhr Führungen mit kleiner Käseverkostung an.

Museen

Radiomuseum Grödig

Hans Martin Walchhofer, Hauptstraße 3, A-5082 Grödig. ✆ +43/6246/72857, www.radiomuseum-groedig.at. **Bahn/Bus:** Salzburg Hbf O-Bus 5 bis Salzburg/Birkensiedlung, weiter Bus 35 bis Grödig Marktplatz. **Auto:** ↗ Grödig, rechts auf Hauptstraße, Beschilderung folgen. **Zeiten:** Mi 15 – 19 Uhr. **Preise:** 2,50 €; Kinder 6 – 15 Jahre 1 €.

▶ In einer Zeit vor MP3-Playern und Fernsehern saßen die Familien oft gemeinsam vor dem Radio und hörten sich Sendungen an. In diese Zeit entführt euch Herr Walchhofer in seinem Radiomuseum. Hier seht ihr die Geschichte von der »Stimme aus dem Kasten«, oder besser, ihr hört sie. Könnt ihr euch vorstellen, wie ein Detektorempfänger gebaut wird? Könnt ihr Morsezeichen geben? Nein!? Dann fragt nach bei Herrn Walchhofer, denn auf Anfrage gibt er Sonderführungen und taucht mit Kindern ein in die Welt der Weltempfänger. Alle Geräte sind noch funktionsfähig.

Keltenmuseum Hallein

Pflegerplatz 5, A-5400 Hallein. ✆ +43/6245/80783, 884288. www.keltenmuseum.at. **Bahn/Bus:** Ab Hallein Bhf 10 Min Fußweg. **Auto:** ↗ Hallein, Beschilderung folgen. **Rad:** Am Tauernradweg. **Zeiten:** Täglich 9 – 17 Uhr, jeden 2. So im Monat Familiensonntag. **Preise:** 6 €; Kinder 7 – 19 Jahre 2,50 €, Angebote für Kinder (zzgl. Eintritt) 2,50 – 6 €.

▶ Das Keltenmuseum ist ein tolles Mitmach-Museum rund um die Welt der Kelten. Besonders span-

🍎 **Werksverkauf Salzburg Schokolade,** Hauptstraße 14, Grödig. ✆ +43/6246/8911-290. www.schoko.at. Mo – Do 7.30 – 18, Fr 7.30 – 17 Uhr. Alle Naschkatzen aufgepasst! Im Werksverkauf bekommt ihr prima Sachen als 2. Wahl und Sonderangebote.

Happy Birthday!
Schild, Schwert, Helm, Prunkdolch, Schmuck: Basteln, Kleistern und viele spannende Informationen gibt es beim Geburtstags-Workshop. Ab 8 Jahre, 2 Std, 6 – 12 Teilnehmer, 6 € plus Eintritt.

nend sind die Kinder-Workshops, die das Museum zusätzlich anbietet, für die ihr euch aber anmelden müsst. Wie lebten und arbeiteten die Kelten? Aber auch: Wie arbeiten Archäologen und was passiert im Knochenlabor? Diese und andere Fragen werden euch hier beantwortet. Es gibt verschiedene Programme, je nach Altersstufe und Interesse. Schaut auf der Internetseite unter *Angebote für Kinder* nach. Jeden zweiten Sonntag im Monat ist **Familiensonntag**, da könnt ihr ohne Anmeldung kommen und mitmachen, das jeweilige Thema gibt es im Internet.

Marmormuseum

Adnet 18, A-5421 Adnet. ✆ +43/6245/80625, www.adnet.at. **Bahn/Bus:** ↗ Adnet. **Auto:** ↗ Adnet. **Zeiten:** Mitte April – Ende Okt Di 9 – 11, Do und Sa 15 – 17 Uhr. **Preise:** 3 €; Kinder 6 – 15 Jahre 2 €; Familienkarte 6 €. **Info:** Anmeldung zu Gruppenführungen unter ✆ 0699/11318874 oder eva.reinecker@gmx.at.

▶ Im 1. Stock des Gemeindeamtes in Adnet befindet sich das Marmormuseum. Die Entstehung des Marmors, der Abbau sowie die Verarbeitung des kostbaren Steins stehen in der Ausstellung im Vordergrund. Speziell für Klassen und Kindergruppen (ab 5 Teilnehmer) gibt es Führungen durch das Museum mit dem **Ammonit Marmoris.**

Keltendorf auf dem Dürrnberg

Salzwelten Hallein, Ramsaustraße 3, A-5422 Hallein-Bad Dürrnberg. ✆ +43 6245/8528511, www.salzwelten.at. **Lage:** Bei den Salzwelten. **Bahn/Bus:** ↗ Hallein, Bus 41 Bad Dürrnberg Salzbergwerk. **Auto:** ↗ Hallein, Beschilderung Salzwelten folgen, Parkplatz kostenlos am Eingang zum Stollen. **Zeiten:** Mitte Jan – März 10 – 15, April – Okt 9 – 17, Nov – Dez 10 – 15 Uhr. **Preise:** Frei zugänglich.

▶ Die rekonstruierte Siedlung der Kelten auf dem Dürrnberg bei Hallein erzählt vom Leben und Arbei-

*Schon die Römer haben den rötlichen Stein für ihre prunkvollen Gebäude abgebaut. Heute könnt ihr **Adneter Marmor** in der Säulenhalle des Österreichischen Parlaments in Wien oder der Mariensäule in München bestaunen.*

Der ↗ **Marmorweg** führt euch zu fünf heute noch bestehenden Steinbrüchen.

Holt euch an der Kasse der Salzwelt für 2 € einen Audio-Guide mit Informationen zum Keltendorf.

Ohren gespitzt: Mit dem Audio-Guide geht es durch das Keltendorf auf dem Dürrnberg
© Karin Besel

ten der Kelten. Hier könnt ihr hören, wie es bei einer Versammlung im zentralen Versammlungshaus heiß herging. Schaut ins Grab des Fürsten und verschafft euch einen Eindruck von der harten Arbeit der keltischen Bergleute, die damals schon das Salz am Dürrnberg abgebaut haben. Schlüpft selbst einmal in die Rolle eines Keltenkindes – das Gelände lädt zum Spielen ein.

Am Eingang des Keltendorfs befinden sich zudem ein kleiner Spielplatz und ein Picknickplatz. Und Eis gibt es gegenüber am Kiosk der Salzwelten.

Museum Burg Golling

Markt 1, A-5440 Golling. ✆ +43/660/3543302, Handy +43/664/5321270. www.museumburggolling.at.
Bahn/Bus: Salzburg Hbf S3 bis Golling-Abtenau Bhf oder ab Hallein Bus 170 bis Golling/Salzach Burg.
Auto: ↗ Golling, Zentrum. **Rad:** Am Tauernradweg.
Zeiten: Mai – Okt Di – So 10 – 12 und 13 – 17 Uhr.
Preise: 5 €; Kinder ab 6 Jahre 2 €, Gruppenführung 35 €.

▶ Unübersehbar trotzt die Burg über dem Ort Golling. Hier sind die Räume des Museums untergebracht. Neben Fossilien und Mineralienfunden gibt es eine jährliche Sonderausstellung. Für Kindergruppen und Klassen werden eigene Führungen durch die Burg und die Ausstellung angeboten. Ich bin gespannt, ob ihr das Burggespenst hoch oben im Turmzimmer treffen werdet.

🍎 Ein gemütlicher Adventsmarkt findet im Dez im Innenhof der Burg statt.

BÜHNE, LEINWAND & AKTIONEN

Theater, Kino & Feste

Theater aus dem Koffer

Michel Widmer, A-5400 Hallein. ✆ +43/6245/81793, www.theaterausdemkoffer.at. **Zeiten:** Laut Spielplan im

Internet. **Preise:** Je nach Veranstaltung gratis oder bis 6 €; Familie (2 Erw und Kinder) 15 €.

▶ Clownerie und Theaterwelt – bei Michel Widmer wird gezaubert und verzaubert. Das Theater aus dem Koffer besucht euch im Kindergarten und spielt regelmäßig in der **Theaterschachtel Hallein.** Hierbei stehen Spaß und Musik mit auf dem Programm. Schaut auf der Internetseite, wann und wo es wieder Zeit zum Staunen ist.

Theaterschachtel Hallein, Davisstraße 7, Hallein. ✆ +43/6245/81793. www.theaterschachtel.at. Programm laut Spielplan im Internet. Feste Workshops, Musiktheater-Werkstatt.

Stadtkino – Stadttheater

Kuffergasse 2, A-5400 Hallein. ✆ +43/6245/80614, www.hallein.gv.at. **Bahn/Bus:** Ab Hallein Bhf 10 Min Fußweg. **Auto:** ↗ Hallein, Beschilderung Keltenmuseum, in unmittelbarer Nähe befindet sich das Stadttheater. **Rad:** Am Tauernradweg. **Preise:** 5 – 7 €, Mo, Di, Mi Kinotage Einheitspreis 5 €.

▶ Vom angesagten Hollywoodstreifen bis zum Programmkino, von Kasperle bis zu Konzerten, im Stadttheater/Stadtkino Hallein findet ihr ein abwechslungsreiches Programm. Weitere Informationen zum Programm findet ihr in der Tageszeitung oder im Internet.

Weihnachtsstimmung in St. Leonhard

A-5083 Grödig-St. Leonhard. www.adventmarktsanktleonhard.at. **Lage:** An der Kirche. **Bahn/Bus:** Salzburg Hbf Bus 25 bis Grödig Gartenauer Platz, von Berchtesgaden Bus 840 bis St. Leonhard Untersbergbahn. **Auto:** A10 Ausfahrt 8 Grödig auf B160 Richtung Richtung Deutschland, nach 1,5 km links. **Zeiten:** Im Advent Sa 14 – 19 und So, Fei 11 – 19 Uhr.

▶ Vor den Toren der Stadt Salzburg gibt es in der Adventszeit viele schöne Weihnachtsmärkte. Einer davon ist zweifelsohne der Adventsmarkt um die Kirche von St. Leonhard. Hier gibt es Kunsthandwerk aus Bayern und Österreich, Kinderspielzeug, Weihnachtspunsch, Maroni und, und, und. Besonders feierlich wird es, wenn die Turmbläser auftreten. Habt ihr eu-

Ganz nebenbei tut ihr mit eurem Besuch des Adventsmarktes auch noch etwas Gutes. Das Geld, das hier eingenommen wird, wird der *Lebenshilfe* Salzburg gespendet. Die Lebenshilfe kümmert sich um Menschen mit Behinderung. Tolle Sache!

re Weihnachtsbäckerei noch nicht fertig? In der Advent-Backstube könnt ihr noch fleißig arbeiten.

FESTKALENDER HALLEIN & TENNENGAU

Januar – Februar:	**Fackelwanderung** in Krispl-Gaißau sowie Abtenau. Infos bei den Tourismusverbänden.
Juli:	Beginn der Schulferien: **Schulschlussrallye** im Tennengau.
	Stadtfest in Hallein.
Juni – September:	Hallein: **Moonlight-Shopping**, gratis Kino für Kinder.
Juli – September:	Ferienspaß im Tennengau: **Rußbacher Abenteuersommer, Kreativ Aktiv Kids Golling.**
August:	Anfang, Hallein: **Italienischer Markt** mit **Italienischer Nacht** in der Altstadt.
	Letztes Wochenende: **St. Leonharder Kirtag.**
	Letztes Wochenende: **Dorffest in Adnet** mit Tag der Blasmusik.
August – Oktober:	Veranstaltungen des **Bauernherbst** in Abtenau, Bad Vigaun und Kuchl. **Infos:** www.bauernherbst.com.
September: Anfang:	**Kirtag in Golling.**
	Mitte, Hallein: **Mittelaltermarkt.**
November:	Um den 5. Nov, St. Leonhard: **Traditioneller Leonhardi-Ritt.**
November – Dezember:	**Adventsmarkt** in der Alten Saline und in der Halleiner Altstadt.
Dezember:	Um den 6. Dez: **Umzug der Grödiger Krampusse.**
	7. und 8.: **Christkind auf der Burg,** Adventsmarkt im Innenhof der Burg Golling mit Bastelstube und Kinderprogramm.
	Ende Nov – 22. Dez: **Adventsmarkt** in St. Leonhard/Grödig: Kekse, Kerzen, Kinderspielzeug.
	Im Advent Sa, So, St. Jakob am Thurn: **Weihnachtsmarkt.**

INFO & FERIENADRESSEN

SALZBURG: NATUR & SPORT

SALZBURG: WISSEN & KULTUR

SALZBURGER SEENLAND

ATTERSEE & ATTERGAU

IRRSEE & MONDSEE

FUSCHLSEE

WOLFGANGSEE & BAD ISCHL

HALLEIN & TENNENGAU

INFO & FERIENADRESSEN

REGISTER & KARTEN

GUT INFORMIERT STARTEN

Mit diesem Führer im Gepäck seid ihr bestens gerüstet für eine Reise oder einen Ausflug nach Salzburg und Umgebung.

Wollt ihr euch vor Ort informieren, sind die Tourist-Informationen die erste Adresse für Fragen, Tipps und Buchungen. Vorab kann auch ein Blick ins Internet helfen.

In dieser Griffmarke findet ihr neben den wichtigsten Internetportalen, die Adressen der Tourist-Informationen aller Orte, die im Buch erwähnt werden inklusive Anfahrt und einer kleinen Beschreibung. Im Anschluss an die Ortsinformationen folgen ein paar allgemeine Infos zur Anreise mit öffentlichen Verkehrsmitteln.

Referat für Familien und Generationen

Gstättengasse 10, A-5020 Salzburg. ✆ +43/662/8042-5421, www.familie-salzburg.at.

▶ Die Sommerferien stehen vor der Tür? Die Datenbank mit Ferienprogrammen des Referats für Familie und Generationen gibt euch einen Überblick über kostenlose und kostenpflichtige Angebote mit und ohne Übernachtung, die tage- und wochenweise gebucht werden können. Hier gibt es Zirkusworkshops, Walderlebnisse, Sprach- und Sporttage – schaut einfach mal rein, was bei euch in der Nähe los ist. Denn langweilig soll es in den Ferien ja nicht werden.

Internetportale für die Region

www.salzburgland.com und **www.oberoesterreich.at** sind die Internetpräsenzen der Dachorganisationen für das gesamte Salzburger Land bzw. ganz Oberösterreich.

Die Stadt Salzburg präsentiert sich im Netz unter **www.salzburg.info.**

www.salzburger-seenland.at weist euch den Weg durch den nördlichen Flachgau.

www.salzkammergut.at deckt die Griffmarken Attersee und Attergau, Irrsee und Mondsee sowie Wolf-

Euch fehlt die Orientierung? Mit diesen Adressen findet ihr den richtigen Weg

INFO & FERIENADRESSEN

gangsee und Bad Ischl ab. Euer Ziel liegt in der Fuschlseeregion? Dann informiert euch unter **www.fuschlseeregion.com.**

Unter **www.tennengau.com** bekommt ihr Informationen über die Orte im Tennengau und die Stadt Hallein.

Seid ihr mit dem Rad unterwegs? Dann findet ihr alle wichtigen Infos rund ums Radwandern unter **www.radwandern.com.** Alle wichtigen Radstrecken seht ihr auf einer interaktiven Karte, dazu sind noch radfreundliche Betriebe für die Einkehr aufgelistet. Spezielle Tipps für Familien findet ihr unter dem Menüpunkt Familienradeln.

Mit diesen Karten wird gespart

Familienkarte OÖ: Die gratis Karte gibt es beim Amt der Oberösterreichischen Landesregierung. www.familienkarte.at.

Salzburger Familienpass: Bietet Ermäßigungen in vielen Freizeiteinrichtungen im Land Salzburg. Ausgestellt wird der kostenlose Familienpass in eurer Heimatgemeinde. Hier bekommt ihr auch eine Broschüre mit allen Partnern. www.salzburg.gv.at/familienpass.

Salzburg Card: Einmaliger, freier Eintritt in alle Salzburger Sehenswürdigkeiten und Museen sowie freie Nutzung des ÖPNV sowie der Festungs- und Untersbergbahn. 24-, 48-, 72-Std-Karte. Mai – Okt 26 – 41 €, Kinder 6 – 15 Jahre 13 – 20,50 €, Nov – April 23 – 36 €, Kinder 6 – 15 Jahre 11,50 – 18 €. www.salzburg.info.

Salzburgerland Card: 190 tolle Attraktionen im gesamten Salzburgerland. 6-Tages- oder 12-Tages-Karte. 59 bzw. 69 €, Kinder 6 – 15 Jahre 29,50 bzw. 34,50 €. 3. Kind einer Familie 6 – 15 Jahre erhält eine gratis Salzburgerland Card. www.salzburgerlandcard.com.

Salzkammergut Erlebnis-Card: Bis zu 30 % Ermäßigung bei 130 Sehenswürdigkeiten und Freizeitangeboten. Gültig Mai – Okt für die Dauer des Urlaubs, für Einheimische 21 Tage ab Ausstellung. 4,90 €, Kinder bis 15 Jahre benötigen keine eigene Karte, bekommen aber in Begleitung eines Kartenbesitzers Ermäßigung. www.salzkammergut.at.

Seenland Card: Gratis Karte für rund 50 Ausflugsziele im Seenland und Umgebung. Unter anderem sind alle Strandbäder im Seenland für Kartenbesitzer kostenfrei. Die Karte ist bei 54 Betrieben im Seenland erhältlich. www.salzburger-seenland.at.

Mit dem Auto unterwegs

▶ Die A1 Westautobahn und A10 Tauernautobahn sind mautpflichtige Autobahnen. Das heißt, eure Eltern müssen für ihren Pkw eine Vignette kaufen. Die gibt es an Tankstellen und kostet für 10 Tage 8,30 €. Das **Pickerl** muss gut sichtbar an der Windschutzscheibe kleben. Auch für kurze Autobahnstrecken das Pickerl anbringen, sonst wird es teuer!

Pickerl steht allgemein für den Begriff *Aufkleber*. Im Zusammenhang mit der Autobahnvignette spricht man überall nur vom Pickerl.

Salzburg

Salzburg

Tourist-Info Salzburg am Mozartplatz, Mozartplatz 5, A-5020 Salzburg. ✆ +43/662/88987-330, www.salzburg.info. **Bahn/Bus:** IC/EC, DB Regio bis Salzburg Hbf, Lokalbahn und S-Bahn S1, S2, S3, S11, ↗ Postbus, innerhalb des Stadtgebietes O-Bus Linienverkehr. **Auto:** A1 oder A10. **Rad:** Start- und Zielpunkt des Mozart-Radweges. **Zeiten:** Jan – März Mo – Sa 9 – 18 Uhr, April, Mai täglich 9 – 18 Uhr, Juni täglich 9 – 18.30 Uhr, Juli, Aug täglich 9 – 19 Uhr, Sep – Dez Mo – Sa 9 – 18 Uhr (Advent, Weihnachten und Silvester länger).

▶ Das Wahrzeichen Salzburgs ist die *Festung Hohensalzburg*. Sie liegt 119 m über der Stadt. Die *Salzach* fließt durch die Stadt. Auf beiden Seiten gibt es viel zu entdecken: das *Geburtshaus von Mozart* in der Getreidegasse, tolle Museen, *Schloss Mirabell* mit dem

ORTE & INFO-STELLEN

 Insgesamt 170 km Radstrecke, aufgeteilt in 28 verschiedene Radrouten 1 – 13 km Länge, durchkreuzen die Stadt. Infos unter www.topbike.at, www.radinfo.at.

INFO & FERIENADRESSEN

Buchhandlung Motzko, Elisabethstraße 1, Salzburg. ✆ +43/0662/8833110 www.motzko.at. Mo – Fr 9 – 18.30, Sa 9 – 17 Uhr. Hier gibt es für 4,90 € den Salzburger Radwegeplan und auch dieses Buch zu kaufen.

Hunger & Durst
Grünauerhof, Grünauer Straße 90, Wals. ✆ +43/0662/850464. www.gruenauerhof.at. Täglich 11 – 22 Uhr. Toller Abenteuerspielplatz und Kleinkinderspielplatz, Spielzimmer im Haus.

Zwerglgarten oder den *Kapuzinerberg* (einer der beiden Stadtberge). Außerhalb des Zentrums warten *Zoo, Schloss Hellbrunn,* tolle Radwege und Badeplätze … ein Tag in Salzburg reicht sicher nicht aus!

Wals-Siezenheim
Tourismusverein Wals-Siezenheim-Himmelreich, Bundesstraße 23, A-5071 Wals-Siezenheim. ✆ +43/662/851067, www.wals-siezenheim.com. **Bahn/Bus:** Salzburg Hbf O-Bus 2, 10 bis Walserfeld, ab Walserfeld Bus 32 bis Gemeindeamt, ↗ Postbus 180. **Auto:** A1 Ausfahrt 297 Salzburg-West. **Rad:** Saalach-Radweg. **Zeiten:** Ostern – Okt und Dez Mo – So 10 – 18 Uhr.
▶ Wals-Siezenheim liegt westlich von Salzburg direkt an der *Saalach.* Mit dem Rad erreicht ihr Salzburg über Nebenstraßen und ausgewiesene Radrouten.

Salzburg Umgebungsorte
Info- und Servicezentrale, Gartenauerstraße 8, A-5083 Grödig-St. Leonhard. ✆ +43/6246/73570, www.salzburg-umgebungsorte.com. **Bahn/Bus:** Salzburg Hbf Bus 25 bis Grödig Gartenauer Platz. **Auto:** A10 Ausfahrt 9 Grödig, B150 Richtung Deutschland bis St. Leonhard, Ampel rechts. **Zeiten:** Mo – Fr 8.30 – 12, 13 – 17 Uhr.
▶ Auf einer einzigen Internetseite könnt ihr euch über die Umlandgemeinden Salzburgs informieren. Ob ihr in Anthering die Wildschweine besuchen oder in Großgmain ins Freilichtmuseum gehen wollt. Hier sind alle wichtigen Adressen der sechs Umlandgemeinden **Anif, Anthering, Bergheim, Elsbethen, Eugendorf** und **Großgmain** zusammengefasst.

Salzburger Seenland

Informationsstelle für das Seenland
Salzburger Seenland Tourismus GmbH, Manuela Stock, Seeweg 1, A-5164 Seeham. ✆ +43/6217/20220, www.salzburger-seenland.at. **Bahn/Bus:** Salz-

burg Hbf Bus 120 bis Seeham Ortsmitte. **Auto:** ↗ Seeham. **Zeiten:** Mo – Fr 8 – 16.30 Uhr.

▶ Alle Informationen rund ums Seenland bekommt ihr hier: ausführliche Broschüren, Karten und Unterkunftstipps. Auch die Internetseite bietet viele Infos.

Oberndorf bei Salzburg
Tourismusverband Oberndorf, Stille-Nacht-Platz 2, A-5110 Oberndorf bei Salzburg. ✆ +43/06272/4422, www.stillenacht-oberndorf.at. **Bahn/Bus:** Salzburg Hbf S1 bis Oberndorf bei Salzburg. **Auto:** A1 Ausfahrt 288 Salzburg, B156 Richtung Braunau, links ab auf B156a Richtung Oberndorf Zentrum. **Rad:** Am Tauernradweg. **Zeiten:** März – Jan 9 – 16 Uhr, im Advent 9 – 18 Uhr.

Am Heiligen Abend fährt ein Nostalgiezug von Salzburg bis Oberndorf. Mit dabei ist der Weihnachtsmann.

▶ Oberndorf liegt an der Salzach. Eine besondere Bedeutung hat die Stille-Nacht-Kapelle. Die Geschichte hierzu sowie die Geschichte von Oberndorf könnt ihr im *Stille-Nacht- und Heimatmuseum* erfahren. Da an Oberndorf viele Radwege vorbeiführen, ist der Ort ein guter Ausgangspunkt für Radfahrer.

Obertrum am See
Tourismusbüro Obertrum, Schulstraße 2, A-5162 Obertrum am See. ✆ +43/6219/6307, www.tourismus-obertrum.at. **Bahn/Bus:** Salzburg Hbf Bus 120 bis Obertrum Ortsmitte. **Auto:** A1 Ausfahrt 281 Wallersee, B1 Richtung Eugendorf, 2. Kreisverkehr 1. Ausfahrt, nach 800 m rechts auf L102 Obertrumer Landstraße, Richtung Obertrum. **Rad:** Am Seenland-Radweg. **Zeiten:** Mo – Fr 9 – 12 und 14 – 18, Sa 9 – 13 Uhr.

▶ Direkt am **Trumer See**, am Fuße des *Haunsbergs* liegt Obertrum. Der Trumer See ist einer von drei Seen, die das Salzburger Seenland bilden.

Mattsee
Tourismusbüro Mattsee, Passauer Straße 30, A-5163 Mattsee. ✆ +43/6217/6080, www.mattsee.co.at. **Bahn/Bus:** Salzburg Hbf Bus 120 bis Mattsee Schuhfabrik. **Auto:** A1 Ausfahrt 281 Wallersee, B1 Richtung Eu-

In der Weyerbucht wurde ein Bajuwarengehöft nachgebaut.

Verein Menschen Werk, Burghard-Breitner-Weg 28, Mattsee. ✆ +43/699/81520938. www.vereinmenschenwerk.com. Der Verein organisiert Kurse und Projekte rund um Handwerk und naturnahes Arbeiten u.a. am Bajuwarengehöft.

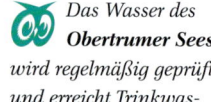
Das Wasser des ***Obertrumer Sees*** *wird regelmäßig geprüft und erreicht Trinkwasserqualität.*

gendorf, 2. Kreisverkehr 1. Ausfahrt, nach 800 m rechts auf Obertrumer Landstraße (L102), Kreisverkehr in Obertrum 1. Ausfahrt Richtung Mattsee (L101). **Rad:** Am Seenland-Radweg und Salzkammergutradweg. **Zeiten:** 10 – 18 Uhr.

▶ Direkt am gleichnamigen See gelegen, wird der Ort Mattsee natürlich durch die Aktivitäten am und auf dem Wasser geprägt. Der *Buchberg* lädt zu Wanderungen ein und wenn ihr kreativ sein wollt, dann schaut mal bei der *Leonardo Kunstakademie* vorbei.

Seeham

Tourismusverband Seeham, Renate Schaffenberger, Dorf 12, A-5164 Seeham. ✆ +43/6217/5493, www.seeham-info.at. **Bahn/Bus:** Salzburg Hbf Bus 120 bis Seeham Ortsmitte. **Auto:** A1 Ausfahrt 288 Bergheim, B156 Richtung Braunau, Kreisverkehr 2. Ausfahrt Richtung Mattsee/Obertrum, 4. Kreisverkehr Richtung Seeham. **Rad:** Am Seenland-Radweg. **Zeiten:** Jan – April, Okt – Dez Mo – Fr 8.30 – 12 Uhr, Mai – Juni, Sep Mo – Fr 8.30 – 12, Mo, Di, Do, Fr 14 – 17 Uhr, Juli – Aug Mo – Sa 8.30 – 12.30, 14 – 18, So 9 – 12 Uhr.

▶ Alle Wasserratten unter euch kommen in Seeham auf ihre Kosten. Direkt am **Obertrumer See** gelegen, begleitet euch das Element Wasser auf Schritt und Tritt. Spannend und aktiv wird es beim *Naturerlebnisweg Teufelsgraben*.

Perwang am Grabensee

Gemeindeamt Perwang am Grabensee, Hauptstraße 16, A-5166 Perwang am Grabensee. ✆ +43/6217/8247-0, www.perwang.at. **Bahn/Bus:** Salzburg Hbf Bus 131 bis Perwang/Grabensee Abzweig Palting. **Auto:** A1 Ausfahrt 288 Bergheim, B156 Richtung Braunau, im Kreisverkehr Richtung Mattsee/Obertrum, 4. Kreisverkehr Richtung Seeham, weiter Richtung Perwang. **Zeiten:** Mo – Fr 8 – 12 Uhr, Di 13 – 18 Uhr.

▶ Perwang liegt im Norden des Seenlandes am **Grabensee**. Mit 1,3 qkm Größe ist der naturgeschützte

Grabensee der kleinste der Trumer Seen. Ihr könnt ihn auf einer tollen Radtour einmal umrunden.

Seekirchen am Wallersee

Tourismusbüro Seekirchen, Stiftsgasse 1, A-5201 Seekirchen am Wallersee. ✆ +43/6212/4035, www.seekirchen-info.at. **Bahn/Bus:** Salzburg Hbf S2 bis Seekirchen/Wallersee. **Auto:** A1 Ausfahrt 281 Wallersee, B1 Richtung Eugendorf, nach 800 m rechts auf L102 Obertrumer Landstraße, Richtung Seekirchen. **Rad:** Am Wallersee-Rundweg. **Zeiten:** Juli und Aug Mo – Fr 8 – 12, Mo – Do 14 – 19, Fr 16 – 19, Sa 10 – 13 Uhr, Sep – Juni Mo – Do 13 – 16 Uhr.

▶ Seekirchen liegt am Südende des **Wallersees.** Hier könnt ihr euch im *Strandbad* austoben, mit dem Rad den See umrunden oder eine lustige Bootstour machen. Zwischen Stadtzentrum und Strandbad verkehrt im Sommer der kostenlose *Wallersee-Express.*

Neumarkt am Wallersee

Tourismusverband Neumarkt am Wallersee, Hauptstraße 30, A-5202 Neumarkt am Wallersee. ✆ +43/6216/6907, www.neumarkt-info.at. **Bahn/Bus:** Salzburg Hbf S2 Neumarkt-Köstendorf, weiter mit Bus 130 bis Neumarkt Hauptplatz oder Bus 130 ab Salzburg Hbf. **Auto:** A1 Ausfahrt 281 Wallersee, B1 Richtung Straßwalchen, Neumarkt. **Rad:** Seenland-Radweg und Wallersee-Rundweg. **Zeiten:** Juli und Aug Mo – Fr 9 – 12, 14 – 19 Uhr, Sep – Juni Mo – Fr 8 – 12, Mo – Do 14 – 16 Uhr.

▶ Am nördlichen *Wallersee* gelegen, bietet Neumarkt viele Möglichkeiten der Freizeitbeschäftigung rund ums Wasser. Mit dem *Museum Fronfeste* hat die kleine Stadt ein spannendes Museum für alle kleinen und großen Geschichtsinteressierten.

Köstendorf

Tourismusbüro Köstendorf, Kirchenstraße 5, A-5203 Köstendorf. ✆ +43/6216/5313-15, www.koesten-

*Der **Wallersee** ist mit 6,4 qkm der größte See des Salzburger Seenlandes und ein richtiges Paradies für Wasserratten.*

*Neumarkt hieß früher **Forum Novum**. Es hatte viele Rechte zu dieser Zeit: Schank- und Mautrecht sowie das Wochenmarktrecht. Heute erinnern noch die bunten Häuser entlang der Hauptstraße an die alten Zeiten.*

dorf.at. **Bahn/Bus:** Salzburg Hbf Bus 120 bis Köstendorf Ortsmitte oder S2 bis Neumarkt-Köstendorf, weiter mit Bus 132 bis Köstendorf Ortsmitte. **Auto:** A1 Ausfahrt 288 Salzburg, B156 Richtung Braunau, im Kreisverkehr Richtung Mattsee, nach 14 km auf L206 Richtung Köstendorf. **Rad:** Am Seenland-Radweg. **Zeiten:** Mo – Fr 7.30 – 12, Mo auch 16.30 – 18.30 Uhr.

▶ Köstendorf ist eine extrem fortschrittliche Gemeinde, denn sie befasst sich intensiv mit dem Thema Energie und wie wir diese am besten nutzen. Darüber erfahrt ihr jede Menge auf dem **Energie-Rundwanderweg,** der 1,3 km durch den Ort führt (www.smartgridssalzburg.at).

Straßwalchen

Tourismusbüro Straßwalchen, Sabrina Huber, Salzburger Straße 26 (in der Volksbank), A-5204 Straßwalchen. ✆ +43/6215/6420, www.tvb-strasswalchen.at. **Bahn/Bus:** Salzburg Hbf S2 oder Bus 130 bis Straßwalchen Bhf. **Auto:** A1 Ausfahrt 281 Wallersee, B1 Richtung Straßwalchen. **Zeiten:** Mo – Fr 8 – 12.30 und Mo, Di, Do, Fr 14 – 16.30 Uhr.

▶ Straßwalchen liegt im nördlichen Seenland und bietet damit eine tolle Ausgangslage für Ausflüge ins Seenland, an den Irrsee oder in den Attergau. Ein Höhepunkt ist der *Freizeitpark Fantasiana,* dessen Besuch sicherlich ein Muss ist!

Schleedorf

Tourismusbüro Schleedorf, Dorf 1, A-5205 Schleedorf. ✆ +43/6216/4100, www.schleedorf.at. **Bahn/Bus:** Salzburg Hbf S2 bis Neumarkt/Köstendorf, Bus 132 bis Schleedorf. **Auto:** A1 Ausfahrt 288 Salzburg, B156 Richtung Braunau, Kreisverkehr 2. Ausfahrt Richtung Mattsee, nach 14 km auf L206 Richtung Köstendorf, nach 4 km Schleedorf. **Zeiten:** Mo – Fr 8 – 12 Uhr und Mo 13 – 19, Mi 17 – 19 Uhr.

▶ Schleedorf bezeichnet sich als Zukunftsdorf – viele Projekte zielen auf Nachhaltigkeit, denn Schlee-

---

Hunger & Durst
Gasthof Franz-Josef, Brunn 2, Straßwalchen. ✆ +43/6215/8243. www.franz-josef.at. Mi – Mo ganztägig. In der Nähe des Freizeitparks.

Wimmer schneidert, Dorf 96, Schleedorf. ✆ +43/6216/6562. www.wimmertracht.at. Mo – Fr 8 – 12, 13 – 18 Uhr, Sa 8 – 12 Uhr. Ein Dirndl für die Dirndln. Ein toller Tipp für Mama.

dorf möchte ein Dorf bleiben. Spannend! Neben dörflichen Strukturen gibt es auch eine tolle Klamm, die ihr erkunden könnt, die *Tiefensteinklamm*.

Attersee & Attergau

Infos rund um den Attersee
Tourismusverband Ferienregion Attersee-Salzkammergut, Nußdorfer Straße 15, A-4864 Attersee. ℂ +43/7666/7719, www.attersee.at. **Bahn/Bus:** Attergaubahn bis Attersee Bhf. **Auto:** A1 Ausfahrt 242 Sankt Georgen, Richtung Attersee. **Zeiten:** Okt – April 9 – 12 Uhr, Mai, Juni, Sep 9 – 12 und 14 – 17 Uhr, Ferien OÖ Mo – Fr 9 – 18, Sa, So 9 – 12 Uhr (aktuelle Öffnungszeiten im Internet).

▶ Die Vermarktungsorganisation für die Region Attersee hat ihren Sitz im Ort Attersee. Hier bekommt ihr Broschüren, Daten zu den Veranstaltungen und könnt eine Ferienunterkunft buchen.

Informiert euch über den Attergau
Tourismusverband St. Georgen, Straß, Berg, Attergaustraße 31, A-4880 St. Georgen im Attergau. ℂ +43/7667/6386, www.attergau.at. **Bahn/Bus:** Salzburg Hbf ÖBB bis Vöcklabruck Bhf, weiter Bus 565 bis St. Georgen im Attergau Schulzentrum. **Auto:** A1 Ausfahrt 242 St. Georgen, Kreisverkehr 3. Ausfahrt L540 Thern, nach 1 km Attergaustraße. **Zeiten:** Mo – Fr 9 – 12 und 14 – 17 Uhr, Juli – Aug Mo – Fr 9 – 17, Sa 9 – 12 Uhr.

▶ St. Georgen im Attergau liegt westlich des *Attersees*. Sie ist die größte der vier Gemeinden des Attergaus. Hier könnt ihr viel über das keltische Leben erfahren, denn der *Keltenbaumweg* liegt im Gemeindegebiet. In der Gemeinde Straß bildet der *Aussichtsturm Lichtenberg* im wahrsten Sinne des Wortes den Höhepunkt des Gemeindegebietes.

Auf der Seilrutsche: Das kribbelt so schön im Bauch

Aquarium Weyregg, Erholungsgelände beim Musikpavillon, Weyregg am Attersee. ✆ +43/7664/2236. www.attersee.at. Anfang Mai – Mitte Okt täglich 9 – 22 Uhr. Hier seht ihr die typischen Fischarten des Attersees: Hecht, Barsch, Perlfisch u.a. Außerdem werden Kurzfilme über das Leben im Wasser gezeigt. Zugang kostenfrei.

Weyregg am Attersee
Informationsbüro Weyregg, Weyregger Straße 69, A-4852 Weyregg am Attersee. ✆ +43/7664/2236, www.attersee.at. **Bahn/Bus:** Vöcklabruck Bus 565 bis Attersee Schiffstation, Schiff bis Weyregg Attersee Schiffstation oder Vöcklabruck Bus 562 bis Weyregg am Attersee Gemeindeamt. **Auto:** A1 Ausfahrt Seewalchen, B152 Richtung Weyregg. **Zeiten:** Okt – April Mo – Fr 9 – 13 und Mi, Fr 14 – 16.30 Uhr, Mai, Juni, Sep Mo – Fr 9 – 12, 14 – 17, Fei 9 – 12 Uhr, Ferien OÖ Mo – Fr 9 – 18, Sa, So 9 – 12 Uhr.

▶ Weyregg liegt auf der Sonnenseite des *Attersees*. Im Winter erwartet euch ein nettes *Skigebiet* mit tollen Abfahrten. Der Fischreichtum des Attersees wird im **Schau-Aquarium** dokumentiert. Hier startet auch der 3 km lange **Wassererlebnisweg,** der an 13 Stationen Spannendes zum Thema Wasser vermittelt.

Steinbach am Attersee
Informationsbüro Steinbach am Attersee, Steinbach Nr. 5, A-4853 Steinbach am Attersee. ✆ +43/7663/401, www.attersee.at. **Lage:** Süd-Ostufer. **Bahn/Bus:** Ab Attersee Schiffstation Schiff bis Steinbach Schiffstation oder ab Attersee Bhf Bus 564 bis Unterach Ortsmitte weiter Bus 562 bis Steinnbach Nord. **Auto:** A1 Ausfahrt Seewalchen, B152 Richtung Steinbach. **Zeiten:** Okt – April 9 – 12 Uhr, Mai, Juni, Sep 9 – 12, 14 – 17 Uhr, Ferien OÖ Mo – Fr 9 – 18, Sa, So 9 – 12 Uhr.

▶ Steinbach mit seinem Ortsteil **Weißenbach** liegt am südöstlichen Atterseeufer und ist mit dem Schiff, Bus oder Auto zu erreichen. Imposant erhebt sich das *Höllengebirge* hinter dem Örtchen. Von Steinbach lassen sich zahlreiche Wanderungen starten und natürlich steht das Wasservergnügen im und am *Attersee* im Vordergrund.

Seewalchen und Schörfling am Attersee
Informationsbüro Seewalchen/Schörfling, Hauptstraße 30, A-4861 Schörfling am Attersee. ✆ +43/7662/

2578, www.attersee.at. **Bahn/Bus:** Westbahn bis Vöcklabruck, Kammer Bahn bis Bhf Kammer Schörfling oder Vöcklabruck Busbhf Bus 562 bis Kammer Attersee Hauptstraße. **Auto:** A1 Ausfahrt 234 Seewalchen. **Zeiten:** Okt – April 9 – 12, Mai, Juni, Sep 9 – 12, 14 – 17 Uhr, Ferien OÖ Mo – Fr 9 – 18, Sa, So 9 – 12 Uhr.

▶ Türkisgrün schimmert der Attersee, wenn ihr hier vom Nordufer aus in Richtung Süden schaut. **Seewalchen** steht für Kunst und Geschichte. Im Pfahlbau Pavillon, an der Atterseestraße von **Schörfling** Richtung Weyregg, erfahrt ihr Interessantes über die Menschen und das Leben in der Jungsteinzeit.

Gustav-Klimt-Zentrum, Hauptstraße 30, Schörfling am Attersee. ✆ +43/7662/2578. www.klimt-am-attersee.at. Juni – Sep täglich 10 – 18 Uhr, Okt – Mai Mi – So 10 – 16 Uhr. Das Gustav-Klimt-Zentrum bietet im Aug einen Workshop für Kinder an. Dann wird gebastelt und gemalt.

Attersee

Informationsbüro Attersee, Nußdorfer Straße 15, A-4864 Attersee. ✆ +43/7666/7719, www.attersee.at. **Bahn/Bus:** Attergaubahn bis Attersee Bhf. **Auto:** A1 Ausfahrt 242 Sankt Georgen, Richtung Attersee. **Zeiten:** Okt – April 9 – 12, Mai, Juni, Sep 9 – 12, 14 – 17 Uhr, Ferien OÖ Mo – Fr 9 – 18, Sa, So 9 – 12 Uhr.

▶ Der gleichnamige Ort liegt am Nordöstlichen Ufer des Attersees. Alle Aktivitäten rund ums Wasser stehen hier im Vordergrund. Von Attersee aus könnt ihr mit einer Schmalspurbahn, der *Attergaubahn,* eine Tour in den Attergau starten.

Nußdorf am Attersee

Informationsbüro Nußdorf am Attersee, Dorfstraße 33, A-4865 Nußdorf am Attersee. ✆ +43/7666/8064, www.attersee.at. **Lage:** Westliches Seeufer. **Bahn/Bus:** Westbahn bis Vöcklabruck, Attergaubahn bis Attersee, Bus 564 oder ab Attersee mit Schiff bis Nußdorf Schiffstation. **Auto:** A1 Ausfahrt 243 St. Georgen/Attersee, B151 Richtung Nußdorf. **Zeiten:** Okt – April 9 – 12 Uhr, Mai, Juni, Sep 9 – 12 und 14 – 17 Uhr, Ferien OÖ Mo – Fr 9 – 18, Sa, So 9 – 12 Uhr.

▶ Dass der Nussbaum nicht nur Namensgeber des Ortes ist, sondern welch große Bedeutung das Holz hat, erfahrt ihr auf dem *Wildholzweg*.

Dez – Mitte Jan könnt ihr die lebensgroßen Figuren der Nußdorfer Krippe im Musikpavillon bewundern.

Unterach am Attersee
Informationsbüro Unterach am Attersee, Hauptstraße 9, A-4866 Unterach am Attersee. ✆ +43/7665/8327, www.unterach.at. **Bahn/Bus:** Salzburg Hbf Bus 140 bis Unterach/Attersee oder Mondsee Busterminal Bus 562 bis Unterach/Attersee. **Auto:** A1 Ausfahrt 264 Mondsee, B151 Richtung Unterach. **Rad:** Am Salzkammergutradweg. **Zeiten:** Okt – April 9 – 12 Uhr, Mai, Juni, Sep 9 – 12, 14 – 17 Uhr, Ferien OÖ Mo – Fr 9 – 18, Sa, So 9 – 12 Uhr.

▶ Unterach liegt am südlichen Ende des Attersees. Entlang der *Seeache* könnt ihr zu Fuß oder mit dem Rad zum *Mondsee* gelangen.

Weißenkirchen im Attergau
Gemeindeamt Weißenkirchen im Attergau, Franz Wendl, Nr. 13, A-4890 Weißenkirchen im Attergau. ✆ +43/7684/6355, www.attergau.at. **Auto:** A1 Ausfahrt 242 Sankt Georgen, L540 Richtung Vöcklamarkt, Kreisverkehr L1283 Richtung Weißenkirchen. **Zeiten:** Mo – Fr 8 – 12 Uhr.

▶ Weißenkirchen ist eng verbunden mit der Geschichte des *Freudenthals.* Der Themenweg *Das gläserne Tal* erzählt diese sehr anschaulich. Beim *Glasmacherfest* zeigen Glaskünstler ihre Arbeit.

Irrsee & Mondsee

Informationen rund um Mond- und Irrsee
MondSeeLand Information, Dr.-Franz.Müller-Straße 3, A-5310 Mondsee. ✆ +43/6232/2270, www.mondsee.at. **Bahn/Bus:** Salzburg Hbf Bus 140 bis Mondsee Busterminal. **Auto:** A1 Ausfahrt 264 Mondsee. **Zeiten:** Okt – April Mo – Fr 8 – 17 Uhr, Mai Mo – Fr 8 – 18 Uhr, Juni, Sep Mo – Fr 8 – 18, Sa 9 – 18 Uhr, Juli – Aug Mo – Fr 8 – 19, Sa, So, Fei 9 – 19 Uhr.

▶ Die MondSeeLand Information informiert euch über die Orte, die rund um den Mond- und den Irrsee liegen. Holt euch das aktuelle Sommer-Kinderprogramm und geht mit *Moni Mondeule* auf Entdeckungstour.

Oberwang

Gemeinde Oberwang, Oberwang 90, A-4882 Oberwang.
✆ +43/6233/8217, www.oberwang.at. **Bahn/Bus:**
Salzburg Hbf Bus 140 bis Mondsee Busterminal, weiter
Bus 592 bis Oberwang Ortsmitte. **Auto:** A1 Ausfahrt
254 Oberwang. **Zeiten:** Mo, Di, Do 7.15 – 12, Mo, Di,
Do 13.15 – 18, Mi, Fr 7.15 – 13 Uhr.

▶ Oberwang hat 1500 Einwohner und liegt zwischen Mond- und Attersee. Gelebte Geschichte erfahrt ihr auf dem Themenweg Lebensroas. Einen schönen Tag im Schnee könnt ihr am Skilift und beim Rodeln verbringen.

Erfrischung an heißen Tagen: Die schmeckt wirklich jedem!
© Karin Besel

Zell am Moos am Irrsee

Tourismusverband Mondsee – Irrsee, Kirchenplatz 1,
A-4893 Zell am Moos am Irrsee. ✆ +43/6234/8215,
www.mondsee.at. **Bahn/Bus:** Mondsee Busterminal
Bus 595 bis Zell am Moos Ortsmitte. **Auto:** A1 Ausfahrt
265 Mondsee, B154 Richtung Zell am Moos. **Rad:** Radweg rund um den Irrsee. **Zeiten:** Juli – Aug Mo – Do 9 –
12 und 13 – 18 Uhr, Fr 9 – 12 und 14 – 19 Uhr, Sa, So
10 – 12 und 15 – 17 Uhr.

▶ Zell am Moos liegt am wärmsten See des Salzkammerguts. Mit bis zu 27 Grad ist der Irrsee ein Traum für alle Wasserratten. Der *Kinderbadestrand* begeistert Familien und Kinder. Der ganze See steht unter Naturschutz und darf daher nicht mit Motorbooten befahren werden. Mit dem Rad lässt er sich prima umrunden.

Oberhofen am Irrsee

Tourismusbüro Oberhofen am Irrsee, Tatjana Rothner,
Oberhofen 12, A-4894 Oberhofen am Irrsee. ✆ +43/
680/2104752, www.oberhofen-irrsee.at. **Bahn/Bus:**
Mondsee Busterminal Bus 595 bis Oberhofen Ortsmit-

 Der Hügel im Ortsteil **Gegend** ist ein Keltenhügel. Wenn ihr dort hinaufwandert, steht ihr auf einem keltischen Fürstengrab.

te. **Auto:** A1 Ausfahrt 265 Mondsee, B154 Richtung Straßwalchen. **Zeiten:** Mo – Fr 8 – 12 Uhr.

▶ Oberhofen am nördlichen Ufer des Irrsees ist ein prima Ausgangspunkt für Radtouren und andere Unternehmungen. Der schöne Badeplatz lädt im Sommer zum Verweilen ein. Im Winter könnt ihr auf dem zugefrorenen See eislaufen.

Fuschlsee

Infos über die Tourismusregion Fuschlsee
Fuschlsee Tourismus GmbH, Dorfplatz 1, A-5330 Fuschl am See. ✆ +43/6226/8384, www.fuschlsee-region.com.

▶ Sieben Orte werden durch die Fuschlsee Tourismus GmbH vermarktet. Hier könnt ihr euch über Unterkünfte und aktuelle Veranstaltungen in Ebenau, Faistenau, Fuschl, Hintersee, Hof und Koppl informieren. Besonders spannend sind die Kinder-Erlebniswochen im Juli und August, zum Beispiel mit Brotbacken oder Erlebnistagen auf dem Pferd. Fragt mal bei den Tourist-Informationen in den Orten nach oder schaut ins Internet.

Thalgau
Tourismusverband Thalgau, Marktplatz 4, A-5303 Thalgau. ✆ +43/6235/7350, www.thalgau-tourismus.at. **Bahn/Bus:** Salzburg Hbf Bus 140 bis Thalgau Ortsmitte. **Auto:** A1 Ausfahrt 274 Thalgau. **Zeiten:** Juli – Aug Mo – Fr 9 – 12, 14 – 18, Sa 9 – 12 Uhr, Sep – Juni Mo, Di, Do 9 – 12.30, 14 – 17, Mi 9 – 12.30, Fr 9 – 14 Uhr. **Infos:** Informationsbroschüre zur Via Talagova gib es bei der Tourist-Information.

▶ Thalgau ist im Sommer und Winter ein tolles Ziel für Unternehmungen. Markant ist die *Burgruine Wartenfels,* die ihr über eine kurze Wanderung erreichen könnt.

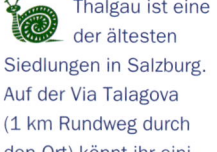 Thalgau ist eine der ältesten Siedlungen in Salzburg. Auf der Via Talagova (1 km Rundweg durch den Ort) könnt ihr einiges über die frühe Besiedlung erfahren.

Koppl

Tourismusverband Koppl, Dorfstraße 9, A-5321 Koppl. ✆ +43/6221/7205, www.koppl.at. **Bahn/Bus:** Salzburg Hbf Bus 150 bis Koppl Sperrbrücke, weiter Bus 152 bis Ortsmitte. **Auto:** A1 Ausfahrt 274 Thalgau, rechts auf L241 bis Hof, Kreisverkehr B158 Richtung Koppl. **Zeiten:** Sep – Juni Mo, Mi, Do 8.30 – 12.30 Uhr, Juli und Aug Mo – Fr 9 – 12 Uhr.

▶ Östlich von Salzburg – zwischen Stadt und Fuschlsee – liegt Koppl. Der *Nockstein* ist eine markante Landmarke auf dem Gemeindegebiet. Kleine Skilifte mit familienfreundlichen Preisen und ein spannendes Moorgebiet sorgen für Abwechslung.

 Ein Lehrpfad führt euch durch das Moorgebiet. Regelmäßig finden Führungen statt.

Hof bei Salzburg

Tourismusverband Hof, Postplattenstraße 1, A-5322 Hof bei Salzburg. ✆ +43/6229/2249, www.fuschlseeregion.com. **Bahn/Bus:** Salzburg Hbf Bus 150 bis Hof bei Salzburg Ortsmitte. **Auto:** A1 Ausfahrt 274 Thalgau, rechts auf L241 bis Hof. **Zeiten:** Sep – Juni Mo 9 – 12, Di – Fr 9 – 16 Uhr, Juli – Aug Mo – Fr 9 – 17 Uhr.

▶ Hof liegt an der B158 zwischen Salzburg und dem Fuschlsee. Der Ort wird auch als Tor zum Salzkammergut bezeichnet. Ihr könnt hier spannende Wanderungen unternehmen oder euch am Badeplatz im Fuschlsee abkühlen.

 Holt euch beim Tourismusverband die Wegbeschreibungen zu den **Hofspuren.** Dies sind 6 Themenwege rund um Hof. Wald- und Vogelspur sind kurz und können mit dem Kinderwagen begangen werden.

Ebenau

Tourismusverband Ebenau, Nr. 2, A-5323 Ebenau. ✆ +43/6221/8055, www.ebenau.at. **Bahn/Bus:** Hof bei Salzburg Bus 154 bis Ebenau Ortsmitte. **Auto:** B158 bis Abzweig Ebenau. **Zeiten:** Mai – Okt Mo – Fr 9 – 13 Uhr, Nov – April Mo, Mi, Do 9 – 13 Uhr.

▶ Ebenau liegt zwischen Salzburg und dem Salzkammergut. Von hier gibt es viele Wandermöglichkeiten. Ein besonderes Naturdenkmal ist die *Plötz* mit ihrem Wasserfall. Entlang dem *Mühlenwanderweg* könnt ihr einige Mühlen besichtigen.

 Im Ortszentrum von Ebenau könnt ihr die **Klamm** des *Schwarzaubaches* bestaunen. Hinter dem Gemeindeamt befindet sich ein historischer Wasserstollen.

Faistenau

Tourismusverband Faistenau, Am Lindenplatz 1, A-5324 Faistenau. ✆ +43/6228/2314, www.fuschlseeregion.com. **Bahn/Bus:** Salzburg Hbf Bus 155 bis Faistenau Ortsmitte. **Auto:** A1 Ausfahrt 274 Thalgau, rechts auf L241 bis Hof, B158 bis Kreisverkehr Baderluck, Ausfahrt Richtung Faistenau. **Zeiten:** Mo, Di, Do, Fr 9 – 17, Mi 9 – 13, Juli – Aug, Ende Dez 9 – 13 Uhr.

▶ Faistenau liegt auf einem 786 m hohen Plateau der *Osterhorngruppe.* Hier könnt ihr euch im Winter auf der Snowtubingbahn austoben und im Sommer stehen neben Baden im nahe gelegenen *Hintersee* tolle Wanderungen auf dem Programm.

*Die **Linde** auf dem Dorfplatz ist schon 1000 Jahre alt.*

Hintersee

Tourismusverband Hintersee, Lämmerbach 50, A-5324 Hintersee. ✆ +43/6224/344, www.fuschlseeregion.com. **Bahn/Bus:** Salzburg Hbf Bus 155 bis Hintersee Ortsmitte. **Auto:** A1 Ausfahrt 274 Thalgau, rechts auf L241 bis Hof, B158 bis Kreisverkehr Baderluck, 1. Ausfahrt Richtung Faistenau/Hintersee. **Zeiten:** Mo, Mi, Fr 8 -12, Juli – Aug Mo – Fr 8 – 12 Uhr.

▶ Ganz klein und versteckt liegt die Gemeinde **Hintersee** tief im Tal. Sie ist angebunden an das Skigebiet Hintersee-Gaißau, ihr könnt also im Winter das Skiabenteuer genießen. Bei Hitze und nach einer Almwanderung lockt der kalte, klare Hintersee für eine Abkühlung.

*Mit nur 460 Einwohnern ist **Hintersee** der kleinste Ort im Salzburger Alpenvorland.*

Fuschl am See

Tourismusverband Fuschl am See, Dorfplatz 1, A-5330 Fuschl am See. ✆ +43/6226/8250, www.fuschlseeregion.com. **Bahn/Bus:** Salzburg Hbf Bus 150 bis Fuschl Ortsmitte. **Auto:** B158 bis Fuschl am See. **Zeiten:** Mai, Juni – Anfang Sep Mo – Fr 9 – 18, Sa 9 – 13 Uhr, Juli – Aug Mo – Sa 9 – 18 Uhr, So 9 – 13 Uhr, Mitte Sep – April Mo – Fr 9 – 17 Uhr.

▶ Fuschl liegt am Ostufer des gleichnamigen Sees. Der See gilt als der sauberste und klarste See im

*Der **Fuschlsee:** 4,1 km lang, 0,9 km breit, 67,3 m max. Tiefe. Der See liegt auf 664 m Seehöhe.*

Salzkammergut, denn es dürfen keine Motorboote darauf fahren. Im *Fuschlsee* könnt ihr baden oder ihn umwandern. Die *Sommerrodelbahn* ist klasse!

Wolfgangsee & Bad Ischl

Bad Ischl
Tourismusverband Bad Ischl, Bahnhofstraße 6, A-4820 Bad Ischl. ✆ +43/6132/27757, www.badischl.at. **Bahn/Bus:** Salzburg Hbf über Attnang-Puchheim mit ÖBB oder Bus 150 bis Bad Ischl. **Auto:** A1 Ausfahrt 274 Thalgau, B158 Wolfgangseer Bundesstraße bis Bad Ischl. **Zeiten:** Mai – Sep Mo – Sa 9 – 18, So, Fei 10 – 18 Uhr, Okt – April Mo – Sa 9 – 17, So, Fei 10 – 14 Uhr.

▶ Wenn ihr durch die Straßen von Bad Ischl geht, dann könnt ihr euch vielleicht vorstellen, wie im 19. Jahrhundert die feinen Leute aus Wien hier ihre Sommerzeit verbracht haben. Heute gibt es noch einige mondäne Bauten, doch spannender für euch ist vielleicht eine Fahrt mit der Seilbahn auf die *Katrin*. Diesen netten Namen hat der Hausberg von Bad Ischl.

Dicker Brocken: Der Einsiedlerstein auf dem Weg zum Siriuskogel

St. Gilgen
Wolfgangsee Tourismus Gesellschaft, Mondsee Bundesstraße 1a, A-5340 St. Gilgen. ✆ +43/6227/2348, www.wolfgangsee.at. **Bahn/Bus:** Salzburg Hbf Bus 150 bis St. Gilgen Busbhf. **Auto:** A1 Ausfahrt 274 Thalgau, Richtung St. Gilgen auf B158. **Zeiten:** Mo – Fr 9 – 17 Uhr, je nach Saison Sonderöffnungszeiten.

▶ Der hübsche Ort St. Gilgen liegt am Nordwestufer des Wolfgangsees. Von hier aus könnt ihr mit dem Schiff über den Wolfgangsee schippern oder einen Ausflug mit der Seilbahn auf das *Zwölferhorn* machen. Dort oben habt ihr nicht nur Weitsicht, ihr könnt auch tolle Wanderungen unternehmen.

An der Uferpromenade in St. Gilgen gibt es einen schönen Spielplatz.

Strobl

Wolfgangsee Tourismus Gesellschaft, Moosgasse 275, A-5350 Strobl. ✆ +43/6137/7855, www.wolfgangsee.at. **Bahn/Bus:** Salzburg Hbf Bus 150 bis Strobl Busbhf. **Auto:** A1 Ausfahrt 274 Thalgau, B158 Wolfgangseer Bundesstraße bis Strobl. **Zeiten:** Mo – Fr 9 – 17 Uhr, je nach Saison Sonderöffnungszeiten.

▶ Strobl liegt am südlichen Ufer des Wolfgangsees. Badeplätze, das *Naturschutzgebiet Blinklingmoos,* die *Sommerrodelbahn* und ein Hirsch namens Max warten schon auf euren Besuch.

St. Wolfgang

Wolfgangsee Tourismus Gesellschaft, Au 140, A-5360 St. Wolfgang. ✆ +43/6138/8003, www.wolfgangsee.at. **Bahn/Bus:** Salzburg Hbf Bus 150 bis Strobl Busbhf, weiter mit Bus 546 bis St. Wolfgang. **Auto:** A1 Ausfahrt 274 Thalgau, B158 Wolfgangseer Bundesstraße bis St. Wolfgang. **Zeiten:** Mo – Fr 9 – 19 Uhr, Sa 9 – 18 Uhr, So 10 – 17 Uhr.

▶ Am Nordufer des Wolfgangsees liegt St. Wolfgang am Fuße des mächtigen *Schafberges* (1782 m). Hinauf kommt ihr mit der nostalgischen Zahnradbahn. Im Ort könnt ihr Minigolf spielen, baden und Rad fahren. Eine Fahrt mit dem Schiff über den See ist obligatorisch.

 **Minigolf St. Wolfgang,** Markt 208, St. Wolfgang. ✆ +43/6138/3630. www.minigolf-stwolfgang.at. Mai – Okt täglich 9 – 19 Uhr. Direkt bei der Talstation der Schafbergbahn, 3 €, Kinder 2,50 €.

Hallein & Tennengau

Viele Informationen über die Region Tennengau

Gästeservice Tennengau, Mauttorpromenade 8, A-5400 Hallein. ✆ +43/6245/70050, www.tennengau.com. **Bahn/Bus:** Salzburg Hbf S3 bis Hallein Bhf, 10 Min Fußweg. **Auto:** ↗ Hallein, Beschilderung Pernerinsel folgen. **Zeiten:** Mo – Fr 8.30 – 17 Uhr.

▶ Der Gästeservice Tennengau ist die zentrale Marketingorganisation für den Tennengau. Die 14 Orte

des Tennengaus werden auf einer umfangreichen Internetseite und in zahlreichen Broschüren präsentiert. Dass es im Tennengau viel zu erleben gibt, zeigt euch der Keltenjunge *Cleverix,* holt euch bei den Tourist-Informationen vor Ort die Stempelkarte und schon geht es los.

 Mit der Cleverix Stempelkarte könnt ihr an 26 Stationen eine Rätselfrage lösen und euch einen Stempel geben lassen. Für 7, 15 oder 26 Stempel gibt es dann eine tolle Überraschung.

Scheffau am Tennengebirge
Tourismusbüro Scheffau am Tennengebirge, Scheffau 50, A-5440 Scheffau a.Tbg.. ✆ +43/6244/8442-20, www.lammerklamm.at. **Bahn/Bus:** Golling Bhf Bus 470 bis Scheffau. **Auto:** A10 Ausfahrt 28 Golling, Lammertal B162. **Zeiten:** Mo – Do 8 – 16, Fr 8 – 12 Uhr.

▶ Die Gemeinde Scheffau teilt sich in Unter- und Oberscheffau und liegt an der *Lammer.* In **Unterscheffau** befindet sich das eigentliche Ortszentrum mit Geschäften und Gastronomieangeboten. In **Oberscheffau** ist die sonst so beschauliche Lammer ein reißender Fluss, der sich tief in die Felsen gegraben hat. Die daraus entstandene *Lammerklamm* ist ein besonderer Höhepunkt von Scheffau.

Abtenau
Tourismusbüro Abtenau, Markt 165, A-5441 Abtenau. ✆ +43/6243/4040, www.abtenau-info.at. **Bahn/Bus:** Golling-Abtenau Bhf Bus 470 bis Abtenau Ortsmitte. **Auto:** A10 Ausfahrt 28 Golling, Lammertal B162 bis Abtenau. **Zeiten:** Mo – Fr 9 – 12 und 14 – 17, Sa 9 – 12 Uhr.

▶ Abtenau liegt direkt am Fuße des Tennengebirges. Im Sommer locken Schwimmbad oder Sommerrodelbahn und im Winter geht es zum Skifahren, Snowboarden und Rodeln auf den *Karkogel.*

 Einen schönen Spielplatz für alle Altersgruppen findet ihr nahe den Tennisplätzen. Hier gibt es Kletter- und Schaukelspaß für die Kleinen. Gebolzt wird auf dem Fußballplatz.

Grödig
Tourismusverband Grödig, Gartenauerstraße 8, A-5083 Grödig. ✆ +43/6246/73570, www.groedig.net. **Bahn/Bus:** Salzburg Hbf Bus 25 bis Grödig Gartenauer Platz. **Auto:** A10 Ausfahrt 8 Grödig auf B160 Richtung

🦉 *Der Sage nach, lebt Kaiser Karl der Große im **Inneren des Untersbergs** und wird von den Untersberg Mandln versorgt.*

Hunger & Durst
Eisdiele GelatoK, Bayrhamerplatz 4, Hallein. ✆ +43/6245/87322. März – Sep täglich 9 – 23 Uhr. Leckeres Eis mitten in der Altstadt.

 **Dorfkäserei Pötzelberger,** Waidach 27, Adnet. ✆ +43/6245/83228. www.biokas.at. Di – Do 8 – 12, Mi 15 – 18, Fr 8 – 18, Sa 7 – 11 Uhr. Hausgemachte Naturprodukte aus Käserei und Landwirtschaft – mmmhh, lecker.

Deutschland, rechts Grödig. **Zeiten:** Mo – Fr 8.30 – 12 und 13 – 17 Uhr.

▶ Grödig liegt am Fuß des **Untersbergs.** Rauf geht's mit der Seilbahn. Sehenswert ist das Radiomuseum.

Hallein und Bad Dürrnberg
Tourismusverband Hallein/Bad Dürrnberg, Mauttorpromenade 6, A-5400 Hallein-Pernerinsel. ✆ +43/6245/85394, www.hallein.com. **Bahn/Bus:** Salzburg Hbf S3 bis Hallein Bhf. **Auto:** A10 Ausfahrt 16 Hallein, Richtung Zentrum. **Rad:** Am Tauernradweg. **Zeiten:** Mo – Fr 8.30 – 17 Uhr.

▶ Hallein und Bad Dürrnberg sind eng verbunden mit dem Salzabbau und der Keltengeschichte. Beides wird anschaulich und für Kinder spannend im *Keltenmuseum* und den *Salzwelten* präsentiert.

Adnet
Tourismusverband Adnet, Adnet 18, A-5421 Adnet. ✆ +43/6245/84041, www.adnet.info. **Bahn/Bus:** Hallein Bhf Bus 450 bis Adnet Ortsmitte. **Auto:** A10 Ausfahrt 16 Hallein, Kreisverkehr 1. Ausfahrt auf L107 Richtung Adnet, nach 2 km rechts auf L244. **Zeiten:** Mo – Fr 8.30 – 12 und 14.30 – 16.30 Uhr.

▶ Adnet ist bekannt für seinen roten Marmor. Vieles darüber könnt ihr im *Marmormuseum* oder auf dem *Marmorrundweg* erfahren.

St. Koloman
Tourismusverband St. Koloman, Dorfplatz 29, A-5423 St. Koloman. ✆ +43/6241/22215, www.stkoloman.info. **Bahn/Bus:** Hallein Bus 460 bis St. Koloman Ortsmitte. **Auto:** A10 Ausfahrt 22 Kuchl rechts auf B159, nach 2,5 km rechts auf L210 Richtung Bad Vigaun/St. Koloman. **Zeiten:** Mo – Fr 8 – 12 Uhr.

▶ Auf einem Hochplateau über dem Salzachtal gelegen, ist St. Koloman Sommer wie Winter einen Besuch wert. Wanderziele sind der *Trattberg* mit seinen Almen und der *Seewaldsee*.

Krispl-Gaißau

Tourismusverband Krispl-Gaißau, Gaißau 200, A-5425 Krispl-Gaißau. ✆ +43/6240/414, www.krispl-gaissau.at. **Bahn/Bus:** Hallein Bhf Bus 450 bis Krispl Ortsmitte. **Auto:** A10 Ausfahrt 16 Hallein, auf L207 Richtung Adnet/Krispl-Gaißau, nach 4 km rechts auf Krispler Landesstraße L209. **Zeiten:** Mo – Fr 8.30 – 12 und 14.30 – 16.30 Uhr.

▶ Viel Natur gibt es rund um die Ortschaft Krispl-Gaißau. Hier, am Rande des Wiestals und unterhalb des Almgebietes *Spielbergalm* könnt ihr wandern und vor allem lockt im Winter das *Skigebiet Hintersee-Gaißau*.

Kuchl

Tourismusverband Kuchl, Markt 38, A-5431 Kuchl. ✆ +43/6244/6227, www.kuchl.org. **Bahn/Bus:** Salzburg Hbf S3 bis Kuchl Bhf oder ab Hallein Bus 170 bis Kuchl Marktstraße. **Auto:** A10 Ausfahrt 22 Kuchl, B159 Richtung Kuchl. **Rad:** Am Tauernradweg. **Zeiten:** März – Okt Mo – Fr 8 – 12, 14 – 17 Uhr, Juli – Aug auch Sa 9 – 11 Uhr, Nov – Feb Mo – Fr 8 – 12 Uhr.

▶ Die Gemeinde Kuchl liegt im Tennengauer Salzachtal direkt am Fuße des *Hohen Gölls*. In der *Hofkäserei* könnt ihr euren eigenen Käse herstellen.

 Michi's Radladen, Markt 171, Kuchl. ✆ +43/6244/20304. www.radladen.at. Mo – Fr 8.30 – 18, Sa 8.30 – 13 Uhr, nach Absprache auch außerhalb der Öffnungszeiten. Kinderräder ab 7 € pro Tag.

Golling

Tourismusverband Golling, Markt 51, A-5440 Golling. ✆ +43 6244/4356, www.golling.info. **Bahn/Bus:** Salzburg Hbf S3 oder ab Hallein Bus 170 bis Golling-Abtenau Bhf. **Auto:** A10 Ausfahrt 28 Golling-Abtenau. **Rad:** Am Tauernradweg. **Zeiten:** Mo – Fr 8 – 12 und 14 – 17 Uhr.

▶ Golling ist eine der ältesten Tourismusgemeinden im Tennengauer Salzachtal. Sie liegt am *Tauernradweg* und ist sowohl mit dem Pkw als auch mit der Bahn gut zu erreichen. Naturspektakel der besonderen Art sind der *Gollinger Wasserfall* und die *Salzachöfen*.

 In den Sommerferien bietet der Tourismusverband 4 Wochen ein KreativAktiv Programm für Kinder an.

Rußbach am Pass Gschütt

Tourismusverband Rußbach am Pass Gschütt, Claudia Bleisch, Rußbachsaag 22, A-5442 Rußbach am Pass Gschütt. ✆ +43/6242/577, www.russbach.info. **Bahn/Bus:** Golling-Abtenau Bhf Bus 470 bis Rußbach am Pass Gschütt. **Auto:** A10 Ausfahrt 28 Golling, B159, 1. Abzweig B162 Richtung Abtenau, B166 bis Rußbach. **Zeiten:** Mo – Fr 8 – 12, 13 – 17 Uhr.

▶ Rußbach liegt zwischen dem *Wolfgangsee* und dem *Dachsteinmassiv*. Mit der *Hornbahn* geht es in wenigen Minuten auf den 1450 m hohen Hornspitz. Aber auch im Ort ist einiges los: Hier gibt es eine kleine Kinder-Kanustrecke im Wasserpark und der Brunnen am Dorfplatz ist ganz aus Schneckensteinen gebaut. Dass es in und um Rußbach sehr viele Fossilien gibt, erfahrt ihr auf einer spannenden **Schatzsuche.**

Schatzsuche, Rußbach am Pass Gschütt. ✆ +43/650/6366177. www.betty-jehle.at. Do in den Sommermonaten bietet der TV Rußbach eine geführte Wanderung zu ausgewählten Fundstellen. Dauer circa 4 Std, davon 2,5 Std Gehzeit. Kinder frei, Erw 15 €.

MOBIL MIT BUS & BAHN

Unterwegs in Salzburg und Umgebung

Mit dem Postbus unterwegs

Postbus Verkehrsstelle Salzburg, Gernot Hubner, Andreas-Hofer-Straße 9, A-5020 Salzburg. ✆ +43/0662/4660-330, www.postbus.at. **Zeiten:** Mo – Fr 7 – 15 Uhr.

▶ Der Postbus ist eine Art Überlandbuslinie, mit der ihr (fast) alle Orte im Salzburger Land anfahren könnt. Alle Informationen über die Strecken und Abfahrtszeiten findet ihr auf der Internetseite.

Ab Salzburg Hbf fahren folgende Linien:

111 Richtung Anthering, Nußdorf;
120 Richtung Elixhausen, Obertrum, Seeham und Mattsee;
130 Richtung Eugendorf, Henndorf, Neumarkt und Straßwalchen;
140 Richtung Eugendorf, Thalgau, Mondsee sowie Unterach am Attersee;

141 Richtung Hallwang und Eugendorf;
150 Richtung Fuschl, St. Gilgen, Bad Ischl;
152 Richtung Koppl;
154 Richtung Ebenau;
155 Richtung Hof, Faistenau, Hintersee;
160 Richtung Elsbethen, Puch, Oberalm, Hallein;
170 Richtung Anif, Hallein, Kuchl, Golling;
180 Richtung Bad Reichenhall;
260 Richtung Bad Reichenhall, Lofer, Zell am See.

Ins Skigebiet gratis mit dem Skibus
Kundenbüro Hallein, Baron Löwensternstraße 4, A-5400 Hallein. ✆ 0810/222333, +43/1/71101. www.postbus.at. **Bahn/Bus:** Gültig für Postbus 41, 450, 460, 470, 471. **Zeiten:** Mitte Dez – Mitte März.

▶ Eine umweltfreundliche und günstige Art, in die Skigebiete in Abtenau, Dürrnberg, Gaißau und Postalm zu kommen, ist der **Gratis-Skibus Tennengau.** Alle Personen, die einen Wintersport ausüben (Ski, Rodel etc.) sowie alle Gäste mit gültiger Tennengau-Gästekarte fahren gratis.

Super günstig mit dem Tennengau Ticket
Kundenbüro Hallein, Baron Löwensternstraße 4, A-5400 Hallein. ✆ 0810/222333, +43/1/71101. www.postbus.at. **Bahn/Bus:** Gültig für Postbuslinien 41, 160, 170, 450, 460, 470, 471, 359 (Postalm) und S-Bahn 3. **Zeiten:** Ganzjährig. **Preise:** 2 € (pro Pers und Strecke); Kinder 6 – 15 Jahre 0,50 € (pro Pers und Strecke); Ticket gilt für Besitzer der Tennengauer Gästekarte, Salzburgerland Card oder Salzburg Card.

🍎 Das Tennengau Ticket gibt es am Automaten der ÖBB. Auf der Startseite findet ihr schon den Button.

▶ Für einen Ausflug nach Salzburg kann das Auto stehen bleiben, günstiger fahrt ihr mit dem **Tennengau Ticket** und dem Postbus oder der S-Bahn in die Stadt. Das gesparte Geld könnt ihr dann für ein Eis oder die leckeren Mozartkugeln ausgeben. Natürlich gilt das Ticket nicht nur für eine Fahrt nach Salzburg, sondern im ganzen Tennengau. Infos erhaltet ihr in der örtlichen Tourist-Information.

GUT GEBETTET

Ihr möchtet euch nach einem aufregenden Tag in ein gemütliches Bett kuscheln? Die im Folgenden genannten Ferienadressen sind allesamt kinderfreundlich und für Familien bestens geeignet.

Ob ihr auf dem **Bauernhof** mit den Hühnern zu Bett gehen wollt, in der **Jugendherberge** mit anderen Kindern noch eine Runde Tischtennis spielen oder es euch auf der urigen **Hütte** gemütlich machen möchtet – für jeden findet sich der passende Tipp. Und sollte tatsächlich nichts dabei sein, dann informiert euch bei der örtlichen Tourist-Information.

Familienunterkünfte

Kolpinghaus Hallein GmbH, Jugendwohnhaus und Sommerhotel, Schöndorferplatz 3, A-5400 Hallein. ✆ +43/6245/72023, www.kolpinghaus-hallein.at. **Bahn/Bus:** Salzburg Hbf S3 bis Hallein Bhf, 10 Min Fußweg. **Auto:** ↗ Hallein, Richtung Zentrum. **Preise:** Familienzimmer (2 2-Bett-Zimmer mit Bad) pro Pers 34 €; Kinder 5 – 12 Jahre 50 % Ermäßigung im Zimmer der Eltern.
▶ Zentral in Hallein gelegen bieten die Zimmer im Kolpinghaus städtischen Komfort zu kleinen Preisen. Im Haus stehen Fitness- und Tischtennisraum sowie ein Billardtisch zur Verfügung.

Ferienwohnung Hirschpoint, Familie Moser, Hinterseestraße 130, A-5324 Faistenau. ✆ +43/6228/2471, www.hirschpoint.at. **Bahn/Bus:** Salzburg Hbf Bus 155 bis Hintersee Tauglbrücke. **Auto:** ↗ Faistenau/Hintersee, an der Hinterseestraße rechts. **Rad:** Radweg von Faistenau nach Hintersee. **Preise:** 2 Pers Tag 70 – 92 €; Kinder ab 6 Jahre 8 € pro Tag.
▶ 3 komplett ausgestattete FeWo für 4 – 7 Personen. Direkt am Hintersee mit eigenem Badestrand, Spielplatz und kleinem Streichelzoo.

Brunbacher – Ferienhütte, Theresia und Josef Eisl, Rußbach 11, A-5360 St. Wolfgang. ✆ +43/6137/

🍎 Gebt eine Einkaufsliste durch, dann kauft der Vermieter vor eurer Anreise ein und stellt alles in den Kühlschrank.

5247, www.urlaubambauernhof.at/brunbacher. **Lage:** Zwischen Wolfgang- und Schwarzensee. **Auto:** ↗ St. Gilgen weiter auf B158 Richtung St. Wolfgang, rechts auf Weißenbach, nach 2 km rechts auf Rußbach L1293. **Zeiten:** Ganzjährig. **Preise:** FeWo ab 60 € pro Nacht.

▶ Auf dem Gelände des Hofes wurde eine neue Ferienhütte erbaut. Es gibt 4 Betten, eine gemütliche Küche und viel Platz zum Spielen. Kinder dürfen im Stall mithelfen.

Almdorf in Abtenau, Zur Sonnleit'n Abtenau, Schratten 5, A-5441 Abtenau. ✆ +43/6243/28813, Handy +43/664/3079223. www.sonnleitn-abtenau.at. **Lage:** Oberhalb von Abtenau auf 850 m Seehöhe. **Bahn/Bus:** Golling-Abtenau Bhf Bus 470 oder ab Abtenau Ortsmitte Bus 471 bis Abtenau Schratten. **Auto:** ↗ Abtenau, nach Postamt links, nach circa 1 km links abbiegen Wegweiser. **Preise:** Ab 2 Pers Nacht 85 – 110 €, jede weitere Person 10 €, Frühstück 10 €, Kinder 5 €.

▶ Das Almdorf in Abtenau bietet jede Menge Komfort. 4 urige Hütten stehen auf dem Grund eines bewirtschafteten Gutes. Die Hütten sind Selbstversorgerhütten, doch können alle Mahlzeiten im Wirtshaus eingenommen werden. Seht zu, wie Brot und Käse hergestellt und dann im Hofladen verkauft werden.

Ferien auf dem Bauernhof

Muh und Mäh am Bauernhof, Urlaub am Bauernhof in Österreich, Gabelsbergerstraße 19, A-5020 Salzburg. ✆ +43/662/880202, www.urlaubambauernhof.at.

▶ Ein paar Tage auf dem Bauernhof, das ist immer etwas Besonderes. Für die Kinder gibt es hier viel zu entdecken und für die Eltern ist es sehr entspannend, zu wissen, dass die Kinder gut beschäftigt

Los geht's: Clara, Emilia und Luis im Heu
© Zauchtalerhof

Hunger & Durst

Wirtshaus Sonnleit'n, Schratten 5, Abtenau. ✆ +43/6243/28813. www.sonnleitn-abtenau.at. Juni – Sep Mo, Do ab 16 Uhr, Fr – So ganztägig, Okt – Mai Mo, Mi – So ganztägig. Eigener Hofladen.

@ Klickt euch auf die **Kinderseite** von Urlaub am Bauernhof. Hier gibt es viele Infos über die Tiere auf dem Bauernhof, lustige Spiele, Witze und vieles mehr.

Hunger & Durst
Hasinger's Heuriger, Viehhauserstraße 34, Wals. ✆ +43/662/854241. www.hasinger.at. Mi – Fr 17 – 24, So 10.30 – 24 Uhr. Spielplatz draußen.

🦋 Auf dem Dachboden könnt ihr nach Lust und Laune Holzstöckerl bauen. **Holzstöckerl** sind Fichtenholzstücke, die per Hand zugeschnitten und geschliffen werden. Mit den Stöckerl lassen sich fantasievolle Bauten errichten.

📖 Im Bilderbuch *Ferien auf dem Bauernhof* (Annette-Betz-Verlag, ISBN: 3219103-529), diente der Lindenhof der Familie Schober als Vorbild.

sind. Eine umfassende Datenbank von Ferienbauernhöfen findet ihr unter www.urlaubambauernhof.at. Außerdem bietet die Seite noch jede Menge Informationen rund um das Thema Bauernhof.

Bonauerhof, Familie Götzinger, Kapellenweg 3, A-5071 Wals-Viehausen. ✆ +43/662/853361, www.bonauerhof.at. **Bahn/Bus:** Salzburg Hbf Bus 27 bis Wals-Viehhausen Ortsmitte. **Auto:** A1 Abfahrt Salzburg West, B1 Richtung Wals-Viehausen, 3. Möglichkeit links Kapellenweg. **Rad:** An der Gemüselandroute. **Preise:** 55 € ÜF im Apartment oder Zimmer.

▶ Der Hof liegt vor den Toren Salzburgs. Hier gibt es Tiere, einen Spielplatz, ein Spielzimmer und für die Abkühlung an heißen Tagen einen Pool. Die Gästezimmer und Apartments sind geräumig. Räder können kostenlos ausgeliehen werden.

Baby- und Kinderhof Aicherbauer, Familie Greischberger, Talacker 3, A-5164 Seeham. ✆ +43/6217/6521, www.aicherbauer.com. **Lage:** Oberhalb vom Teufelsgraben. **Bahn/Bus:** Salzburg Hbf Bus 120 bis Seeham-Matzing, 2 km Fußweg. **Auto:** ↗ Seeham, im Ort links auf Wiesenberg, weiter auf Tur, dort abbiegen Richtung Innerwall, 100 m bis Talacker. **Preise:** FeWo 65 – 87 € pro Tag, max. 2 Erw und 3 Kinder oder 4 Erw.

▶ Der Hof bietet 2 FeWo mit jeweils einem DZ und einem Kinderzimmer mit Stockbett sowie einem Einzelbett, Wohnküche und Dusche/WC, mit Blick auf See und Gebirge. Viele Fahrgeräte (Räder, Dreirad etc.), Tiere zum Streicheln und Spielplatz im Freien warten auf Euch. Bei einer Sagenwanderung mit dem Bauern wird es märchenhaft und ein Spielzimmer sowie der **Holzstöckerlboden** garantieren, dass auch bei schlechtem Wetter keine Langeweile aufkommt.

Bauernhoferlebnis Lindenhof, Familie Schober, Brunn 7, A-5201 Seekirchen-Oberhaging. ✆ +43/6225/7930, www.bauernhoferlebnis-lindenhof.at. **Bahn/Bus:**

Salzburg Hbf Bus 130 bis Eugendorf Haging, 10 Min Fußweg. **Auto:** ↗ Eugendorf, Kreisverkehr 1. Ausfahrt, weiter B1, nach 2,7 km links auf Brunn, nach 450 m 3. Abzweig rechts. **Preise:** FeWo 66 – 76 € pro Tag, 2 Erw und 2 – 3 Kinder.

▶ Ferien auf dem Lindenhof, das heißt: draußen sein, mit den Tieren spielen und mit den Eheleuten Schober aktiv die Umgebung erkunden. Rauf auf den Traktor, die Jause gepackt und hin zu den Moorhexen oder dahin, wo Fuchs und Hase sich Gute Nacht sagen. Abends wird gegrillt oder im Heu geschlafen. Bei so vielen Möglichkeiten könnten die Ferien zu kurz sein.

Tierisch gut: Almbewohner in Sommerfrische

Weslhof, Helga und Rudolf Schneebauer, Abtsdorf 33, A-4864 Attersee. ✆ +43/7666/7943, www.urlaub-ambauernhof.at/wesl. **Lage:** 2,5 km von Attersee zwischen Abtsdorf und Altenberg. **Auto:** ↗ Attersee, B151 Richtung Nußdorf, nach 2 km rechts auf Aufham, nach 550 m rechts auf Abtsdorf. **Preise:** FeWo 2 – 5 Pers ab 57 €, FeWo 4 – 6 Pers ab 78 €.

▶ Ein toller Ferienhof mit Blick auf den Attersee. Neben den Kühen auf dem Hof könnt ihr Ziegen und Katzen streicheln, mit den Hasen kuscheln und im Garten spielen.

Babybauernhof und Kolomandl, Familie Niederbrucker, Kolomansbergstraße 8, A-4893 Tiefgraben. ✆ +43/6234/8217, www.babybauernhof.at. **Auto:** A1 Ausfahrt Mondsee, Richtung Zell am Moos/Straßwalchen, nach 4 km bei Gasthaus Kasten links abbiegen, nach 50 m links Jausenstation Hochserner. **Preise:** DZ ab 56 € pro Nacht, Familienzimmer ab 85 € pro Nacht, FeWo nur wochenweise buchbar ab 75 € pro Nacht; Kinder im DZ bei 2 Erw Alter x 1 €.

▶ Toller Hof mit viel Abwechslung für die Kinder. Hasen und Hühner freuen sich über Besuch im frei zugänglichen Gehege. Katzen und 2 Ponys mögen gestreichelt und auch ausgeführt werden. Im Juli und

@ Liegt euch das Wohl der Tiere auch am Herzen? Viele Infos rund um das Thema Tierschutz findet ihr auf der Internetseite www.tierschutzmacht-schule.at.

Um den Hof gibt es im Wald schöne Wanderwege.

Aug könnt ihr jeden Mi 10 – 11.30 Uhr am Kreativ-Programm *Mal dir dein eigenes Kolomandl* bei Frau Niederbrucker teilnehmen.

Leitingerhof, Familie Greinz, Kienbergweg 4, A-5303 Thalgau. ✆ +43/6235/6984, **Bahn/Bus:** Thalgau Schule Bus 148 bis Egg b. Thalgau Schule, 5 Min Fußweg. **Auto:** ↗ Thalgau, an der Kirche rechts Richtung Fuschl, Berg hinauf, weiter Richtung Fuschl, rechts in Seestraße, nach 100 m links in Kienbergweg. **Preise:** 38 – 65 € pro Person/Nacht.

▶ Sehr familiärer Hof mit einer FeWo. 2 Schlafräume, 1 Wohnraum mit Kochzeile und Essecke. Auf dem Hof gibt es Rinder, Katzen und Hühner und natürlich den Hofhund. Zum Fuschlsee könnt ihr in gut 20 Minuten laufen.

Hochreith, Familie Seidl, Moosegg 14, A-5440 Golling. ✆ +43/6244/6181, www.hochreith.at. **Auto:** ↗ Golling, B159 Richtung Kuchl, nach 2,4 km rechts auf St. Koloman Landesstraße L210, nach 600 m Wegweiser Berggasthof Hochreith, nach 3 km zur Hochreithalm links ab. **Zeiten:** Gasthaus täglich 10 – 22 Uhr. **Preise:** DZ mit Frühstück, FeWo, Preise auf Anfrage.

▶ Nicht nur eine schöne Ferienadresse, sondern auch ein tolles Ausflugsziel im Sommer. Als Gäste des Hauses erwartet euch Landleben zum Mitmachen, Hase und Schafe wollen versorgt werden. Der tolle Spielplatz mit Holzauto und Baumstamm zum Klettern ist Anziehungspunkt im Gastgarten.

Ferien auf dem Reiterhof Burghauser, Gerhard Ledl, Innerroid 5, A-5204 Straßwalchen. ✆ +43/6215/6407, Handy +43/664/1918546. www.burghauser.at. **Bahn/Bus:** Straßwalchen Marktplatz Bus 586 bis Straßwalchen Riemerhof, 15 Min Fußweg. **Auto:** ↗ Straßwalchen, B1 Richtung Norden weiter, nach 1,5 km rechts auf Märchenweg, weiter Innerroid. **Preise:** 350 € pro Woche inkl. VP und 10 Reitstunden.

▶ Pferdefreunde aufgepasst! Eine Woche lang mit euren Lieblingen den Tag verbringen und dabei noch jede Menge Freunde finden – das könnt ihr auf dem Reiterhof Burghauser. Geschlafen wird in Mehrbettzimmern und wenn ihr mal nicht auf oder bei den Pferden seid, dann könnt ihr euch die Zeit im Spiel- und Leseraum vertreiben. Gemeinsame Ausflüge sowie Grillabende stehen auf dem Programm.

Jugendherbergen & Gästehäuser

Jugendherbergen in Salzburg
Salzburger Jugendherbergswerk, Kaigasse 24, A-5020 Salzburg. ✆ +43/662/841185, www.salzburger-jugendherbergswerk.at. **Preise:** Mitgliedskarte für 1 Jahr 25 €; Kinder bis 15 Jahre kostenlose Mitgliedskarte, 16 – 26 Jahre 15 €; Familienausweis 25 €. **Infos:** Jugendherbergen und Gästehäuser nehmen auch Nicht-Mitglieder auf. Die Übernachtung ist dann um 3 – 3,50 € teurer.

Trotz des Begriffs *Jugend*herberge können auch Opa und Oma hier übernachten.

▶ In Jugendherbergen schläft man in 4- bis 6-Bett-Zimmern, isst in Speisesälen und spielt mit vielen anderen Kindern. Seit einiger Zeit sind viele Jugendherbergen so modern, dass Familien- und Zweibettzimmer keine Seltenheit mehr sind. Fast alle bieten im Haus und dessen Umfeld gute Möglichkeiten zu Sport und Spiel. Viele organisieren Freizeitprogramme für Kinder, Familien, Freizeitgruppen und Schulklassen, aber nur nach vorheriger Anmeldung. Manche bieten in Zusammenarbeit mit den umliegenden Forstämtern Programme zu Umweltschutz und Naturerkundung an.

Junges Hotel Eduard Heinrich Haus, Eduard-Heinrich-Straße 2, A-5020 Salzburg. ✆ +43/662/625976, www.salzburger-jugendherbergswerk.at. **Bahn/Bus:** Salzburg Hbf O-Bus 3 bis Polizeidirektion, 5 Min Fußweg. **Auto:** B150 Alpenstraße, auf Billrothstraße, links

Insektenhotel: Hier summt und brummt es nur so

Überall zu finden: Schneeindianer

auf Robert-Stolz-Promenade, links auf Eduard-Heinrich-Straße. **Zeiten:** Rezeption täglich 7 – 10 Uhr und 17 – 24 Uhr. **Preise:** ÜF im 4-Bett-Zimmer mit Du/WC 27 €, 2-Bett-Zimmer mit Du/WC 31,50 €, 1-Bett-Zimmer mit Du/WC 38,50 €; Kinder 4 – 5 Jahre 50 % des Elternpreises, 6 – 12 Jahre 30 % des Elternpreises, bei min. 2 Vollzahlern. **Infos:** Ohne Jugendherbergsausweis plus 3 €.

▶ Die 24 Gästezimmer im Haus können als 6-, 4-, 2- und 1-Bett-Zimmer gebucht werden. Günstiger wird es bei Zimmern mit Etagendusche und WC am Gang! Die Angebote im Haus reichen von Volleyballplatz und Tischtennisplatte bis zum Grillplatz. Das Haus liegt am Rand der Salzachauen, direkt am Tauern-Radweg.

Junges Hotel Salzburg-Aigen

Aigner Straße 34, A-5020 Salzburg. ✆ +43/662/623-248, www.salzburger-jugendherbergswerk.at. **Bahn/Bus:** Salzburg Hbf O-Bus 1 bis Hanuschplatz, Umstieg O-Bus 7 bis Rennbahnstraße. **Auto:** B150 auf Aignerstraße. **Zeiten:** Rezeption täglich 7 – 10 Uhr und 17 – 23 Uhr (Juli – Aug 17 – 24 Uhr). **Preise:** ÜF im 4-Bett-Zimmer mit Du/WC 27 €, 2-Bett-Zimmer mit Du/WC 31,50 €, 1-Bett-Zimmer mit Du/WC 38,50 €; Kinder 4 – 5 Jahre 50 % des Elternpreises, 6 – 12 Jahre 30 % des Elternpreises, bei min. 2 Vollzahlern. **Infos:** Ohne Jugendherbergsausweis plus 3 €.

▶ Familienfreundliches Haus in zentraler Lage. 16 Zimmer mit 6-, 4-, 2- und 1-Bett stehen zur Verfügung. Ein großer Park, die Nähe zu Eishalle und Freibad und die fußläufige Erreichbarkeit der Stadt sprechen für einen tollen Aufenthalt in Salzburg.

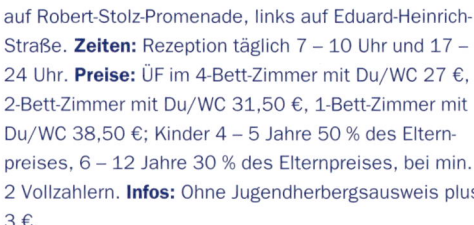

Leiht euch im Jufa ein Fahrrad aus und erkundet Salzburg per Rad.

Jufa Salzburg, Jugend- und Familiengästehäuser, Josef-Preis-Allee 18, A-5020 Salzburg. ✆ +43/05/7083-613, www.jufa.at. **Lage:** Fußläufig zum Zentrum. **Bahn/Bus:** Salzburg Hbf Bus 5, 25 bis Justizgebäude, 5 Min Fußweg. **Auto:** A10 Ausfahrt Salzburg Süd, Richtung

Salzburg, bis Kreisverkehr Nonntaler Brücke/Justizgebäude, linken Fahrstreifen wählen, Petersbrunnstraße, nach Zebrastreifen links in Josef-Preis-Allee. **Rad:** Innerstädtische Radwege Richtung Nonntal. **Preise:** Hauptsaison DZ ÜF 45,60 – 56,30 €, DZ mit Zustellbett ÜF 40,50 €, Stockbetten 35,40 €, Stockbetten mit Du/WC auf dem Gang 21 €, Aufpreis für 1 Nacht 2,50 €; Kinder 4 – 10 Jahre bis zu 66 %, 11 – 15 Jahre bis zu 49 % Ermäßigung auf Erwachsenenpreis. **Infos:** Die Kinderpreise gelten bei Unterbringung im Zimmer der Eltern, bei min. einem Vollzahler.

▶ Mitten in Salzburg könnt ihr als Familie günstig übernachten. Das Jufa Salzburg bietet über 50 Betten in modernen 2- und 3-Bett-Zimmern. Für Familien mit Kindern gibt es tolle Rabatte.

ARGEkultur Salzburg, Josef-Preis-Allee 16, Salzburg. ✆ +43/0662/84878-40. www.argekultur.at. Verschiedene Veranstaltungen, Kneipe, für Erwachsene und Jugendliche. Programm im Internet.

Jutel Weyregg, Kirchendorf 7, A-4852 Weyregg am Attersee. ✆ +43/7664/2780, Handy +43/664/8284-264. www.jutel.at. **Bahn/Bus:** Vöcklabruck Bus 562 bis Weyregg am Attersee Gemeindeamt. **Auto:** ↗ Weyregg. **Preise:** Familienzimmer pro Nacht VP 39 €, HP 33 €, ÜF 25 €; Kinder 3 – 6 Jahre zahlen 50 % des Jugendtarifs, Jugendliche 6 – 18 Jahre Familienzimmer VP 35 €, HP 30 €, ÜF 23 €. **Infos:** Ohne Jugendherbergsausweis plus 3,50 €.

▶ Insgesamt 53 Schlafplätze stehen in 2- bis 6-Bett-Zimmern zur Verfügung. Fast alle haben Dusche und WC. Das Jutel ist zentral gelegen, Aktivitäten in und um den Attersee stehen an vorderster Stelle.

Erlebnisbauernhof Bruckbacher, Reichholz 3, Weyregg am Attersee. ✆ +43/7664/2005. www.projektwochen.co.at. Ganzjährig. Schule am Bauernhof, Projektwochen, Naturschauspiel.at, Organisation von Kindergeburtstagen.

Jugendgästehaus Mondsee, Krankenhausstraße 9, A-5310 Mondsee. ✆ +43/6232/2418, www.jugendherbergsverband.at. **Bahn/Bus:** Salzburg Hbf Bus 140 bis Mondsee Busterminal, 10 Min Fußweg. **Auto:** ↗ Mondsee, Richtung Zentrum, Kreisverkehr Richtung Mondsee Nord, 1. Straße rechts. **Preise:** ÜF 1 – 2 Nächte (ab 3 Nächte) im 4-Bett-Zimmer 24,50 € (22 €), 2-Bett-Zimmer 27 € (24,50 €), 1-Bett-Zimmer 34,50 € (32 €), HP plus 6 €, VP plus 11,50 €; Kinder bis 3 Jah-

Spezielle Angebote für Gruppen, z.B. Naturerlebnis- oder Sportwochen; das Angebot wird an die Gruppe angepasst.

re frei, 4 – 6 Jahre 50 % des Elternpreises, 7 – 14 Jahre 30 % des Elternpreises, bei min. 2 Vollzahlern. **Infos:** Ohne Jugendherbergsausweis plus 3,50 €.

▶ Das zentral gelegene Haus wurde 2011 renoviert. Es gibt 21 Zimmer, alle haben Dusche und WC. Außerdem sind 3 rollstuhlgerechte Zimmer vorhanden. Ein Spielzimmer, Tischtennis und Tischfußball vertreiben die Langeweile.

Jugendgästehaus Bad Ischl, Am Rechensteg 5, A-4820 Bad Ischl. ✆ +43/6132/26577, www.jugendherbergsverband.at. **Bahn/Bus:** Bahn: über Linz oder Salzburg, Bus: Salzburg Hbf Bus 150 bis Bad Ischl. **Auto:** B158 bis Bad Ischl, durch Kaiserparktunnel, Abfahrt Richtung Zentrum, im Kreisverkehr rechts, geradeaus, grüner Beschilderung folgen, rechts abbiegen. **Preise:** ÜF 1 – 2 Nächte (ab 3 Nächte) im 4-Bett-Zimmer 24,50 (22,50 €), 2-Bett-Zimmer mit 27 (25 €), 1-Bett-Zimmer mit 34,50 (32,50 €), HP plus 6 €, VP plus 11,50 €; Kinder bis 3 Jahre frei, 4 – 6 Jahre 50 % des Elternpreises, 7 – 14 Jahre 30 % des Elternpreises bei min. 2 Vollzahlern. **Infos:** Ohne Jugendherbergsausweis plus 3,50 €.

▶ Das Gästehaus liegt im Zentrum von Bad Ischl. Die 30 Zimmer sind alle mit Dusche und WC ausgestattet. 5 der Zimmer sind rollstuhlgerecht und haben ein Behindertenbad. Es gibt einen Aufenthaltsraum mit Tischtennisplatte und Tischfußball sowie einen großen Garten mit Spielwiese.

Jugendgästehaus St. Gilgen, Mondseerstraße 7 – 11, A-5340 St. Gilgen. ✆ +43/6227/2365, www.jugendherbergsverband.at. **Bahn/Bus:** Salzburg Hbf Bus 150 bis St. Gilgen Busbhf. **Auto:** St. Gilgen, Ortsteil Winkl in Kurve rechts Parkplatz, links Einfahrt in Mondseestraße. **Preise:** ÜF 1 – 2 Nächte (ab 3 Nächte) im 4-Bett-Zimmer 24,50 (22,50 €), 2-Bett-Zimmer 27 (25 €), 1-Bett-Zimmer 34,50 (32,50 €). HP plus 6 €, VP plus 11,50 €; Kinder bis 3 Jahre frei, 4 – 6 Jahre 50 % des

Es gibt spezielle Angebote für die Übernachtung im Jugendgästehaus mit 5-Tages-Skipass für die Skigebiete Postalm oder Gaißau-Hintersee.

Elternpreises, 7 – 14 Jahre 30 % des Elternpreises, bei min. 2 Vollzahlern. **Infos:** Ohne Jugendherbergsausweis plus 3,50 €.

▶ Das Gästehaus mit großem Garten liegt zentral am See. Gegenüber befindet sich das Strandbad. Alle 40 Zimmer haben Dusche und WC. Im Haus könnt ihr Spiele ausleihen oder euch im Tischfußball und Tischtennis messen.

Übernachten auf der Alm

Auf der Alm geht's in die Hütte

▶ Auf der Alm, da ticken die Uhren anders. Hier ist es urig und gemütlich inmitten einer traumhaften Bergwelt. Hier könnt ihr in der Natur spielen und vieles entdecken, was bei euch zu Hause sicherlich nicht zu finden ist – besondere Blumen, eine einzigartige Tierwelt und vor allem Stille.

Oberhöferhütte auf 1200 m, Familie Pichler, Tiefenbrunnaustraße 9, A-5324 Hintersee. Handy +43/664/4430410. www.hoefern.com. **Lage:** Oberhalb von Hintersee in der Osterhorngruppe, 9 km bis Ortszentrum. **Auto:** ↗ Hintersee, Hütte per Pkw über Forststraße erreichbar, Fahrberechtigung und Schlüssel beim Vermieter. **Zeiten:** Mai – Mitte Okt. **Preise:** Ab 3 Pers 25 – 28 € pro Person und Nacht; Kinder bis 6 Jahre frei; Familie: bei 2 Erw und ab 3 Kinder über 6 Jahre wohnt das jüngste Kind gratis.

 Markierte Wanderwege führen von der Hütte zu spannenden Zielen.

▶ Die Hütte bietet bis zu 9 Personen Platz. Es gibt 1 DZ und 1 5-Bett-Zimmer, 2 Zusatzbetten können aufgestellt werden. Es gibt keinen Strom, geheizt wird mit Brennholz und die Lebensmittel werden im Keller gelagert. Viel Platz und Spielsachen sind vorhanden.

Mit den Bergen im Rücken: Yana auf großer Wanderung
© Conny Tavae

Alpin Hütt'n – Postalm, Wolfgang Schützinger, Seydegg 49 (Adresse Vermieter), A-5441 Abtenau. Handy +43/676/6056813. www.alpin-hütte.at. **Lage:** Auf 1150 m

Ein kühles Bad im Aubach gilt als Geheimtipp. Im glasklaren Gebirgsbach, der sich ganz in der Nähe der Hütte befindet, gibt es Kiesbänke und Tümpel.

Seehöhe auf der Postalm. **Bahn/Bus:** Strobl Busbhf Bus 159 bis Postalm Parkplatz Postalmhöhe. **Auto:** Im Sommer über Forstwege erreichbar, genaue Anfahrtsbeschreibung gibt der Vermieter. **Zeiten:** Ganzjährig. **Preise:** Pauschal bis zu 14 Pers 1 Ü 350 €, 3 Ü 710 €; Kleingruppen (bis 7 Pers) 10 % Ermäßigung, Familie L (bis 7 Erw, alle Kinder, insgesamt 14 Pers) 10 % Ermäßigung, Familie S (bis 7 Pers inklusive aller Kinder) 15 % Ermäßigung.

▶ Die traumhaft urige Selbstversorgerhütte liegt im größten Salzburger Almgebiet, der Postalm. Mit 7 Schlafzimmern, 1 Stube und 1 Gruppenraum bietet sie viel Platz für Gruppen und Familien. Im Außenbereich gibt es neben Terrassen und Garten einen tollen Grillplatz. Im Winter ist das Skigebiet Postalm in 3 km gut zu erreichen.

Im Sommer könnt ihr das Almgebiet der **Spielbergalm** auf einfachen Wanderungen kenne lernen.

Schnaitstadlhütte auf der Spielbergalm, Angela Walkner, Mitterangerweg 49, A-5425 Krispl-Gaißau. www.urlaub-anbieter.com/schnaitstadlhuette.htm#urlaub-anreise. **Lage:** Auf 1300 m Seehöhe auf der Spielbergalm. **Bahn/Bus:** Im Winter nur per Sessellift erreichbar. **Auto:** Im Sommer über Forstwege erreichbar, genaue Anfahrtsbeschreibung gibt der Vermieter. **Zeiten:** Dez – März. **Preise:** Grundpreis für 4 Pers, jede weitere Person 11 € pro Nacht, Mai 77 €, Juni – Okt 90 €, Dez – März 107 €; Kinder unter 3 Jahre frei. **Infos:** Mindestaufenthalt 2 Nächte.

▶ Die urige Almhütte ist modern eingerichtet, mit 8 Schlafplätzen, Küche, WC. Im Winter startet ihr direkt von der Hütte zu einem tollen Skitag im *Skigebiet Gaißau-Hintersee*.

Selbstversorgerhütte auf der Alm, Ebenhütte, Josef Weissenbacher, Mitterangerweg 44 (Vermieter), A-5425 Krispl-Gaißau. ✆ +43/6240/426, Handy +43/664/3433599. www.spielbergalm.at. **Lage:** Auf 1300 m Seehöhe auf der Spielbergalm. **Bahn/Bus:** Im Winter nur per Sessellift erreichbar. **Auto:** Im Sommer über

Forstwege erreichbar, genaue Anfahrtsbeschreibung gibt der Vermieter. **Zeiten:** Ganzjährig. **Preise:** Auf Anfrage.

▶ Die große Ebenhütte liegt auf der **Spielbergalm,** mitten im Ski- und Wandergebiet. 5 DZ bieten für insgesamt 12 Personen Platz. Mit 2 Wohnküchen und Bädern ist die Hütte gut geeignet für größere Gruppen und Familien.

Stadtalm, Peter Esterer, Am Mönchsberg 19c, A-5020 Salzburg. ✆ +43/0662/841729, www.diestadtalm.com. **Lage:** Oberhalb von Salzburg im Naturpark Mönchsberg. **Bahn/Bus:** Mönchsbergaufzug, 10 Min Fußweg zur Alm, Beschilderung folgen. **Auto:** Nicht mit dem Pkw zu erreichen. **Preise:** ÜF pro Pers 19 €, HP möglich; Kinder bis 10 Jahre ÜF 16,50 €.

▶ Hoch über Salzburg könnt ihr in der städtischsten Alm übernachten, mitten im Naturpark **Mönchsberg.** Im Naturfreundehaus Stadtalm gibt es 2-, 4- oder 6-Bett-Zimmer. Insgesamt gibt sind 22 Betten vorhanden – genug für eine Schulklasse!

Erentrudis- und Schwarzenbergalm, Thomas Gruber, Gfalls 9, A-5061 Elsbethen-Glasenbach. ✆ +43/662/622498, www.erentrudisalm.at. **Lage:** Oberhalb von Elsbethen auf 1000 m Seehöhe. **Auto:** A1 Ausfahrt 8 Salzburg-Süd, B150 bis Elsbethen-Glasenbach, Ausschilderung folgen. **Zeiten:** ganzjährig. **Preise:** Erentrudisalm Zimmer mit Du/WC ÜF 29 €, HP 38 €, VP 46 €, Schwarzenbergalm ÜF 24 €, HP 33 €, VP 41 €; Kinder 4 – 6 Jahre Erentrudis- und Schwarzenbergalm 50 %, 7 – 15 Jahre 30 % Ermäßigung.

▶ Mit 16 Zimmern bietet die **Erentrudisalm** Platz für kleinere Gruppen, aber auch für Familien. Es gibt DZ, 3-, 4- und 5-Bett-Zimmer. Kindergruppen können sich ein Matratzenlager in einem ausgebauten, angrenzen-

*Weitere **Selbstversorgerhütten** auf der Spielbergalm sind die Wallmerhütte, die Karhütte und die Woferlhütte. Alle Informationen zu den einzelnen Hütten findet ihr unter www.spielbergalm.at.*

*Die **Bergputzer** sind professionelle Kletterer, die die **Mönchsbergwand** mehrmals im Jahr nach losem Gestein untersuchen und dieses abklopfen. Wenn die Bergputzer unterwegs sind, werden Wege gesperrt bzw. Warnschilder aufgestellt.*

Kaiserlich reiten: Unterwegs mit Sisi

Die Erentrudisalm ist Sommer wie Winter ein beliebtes Ausflugsziel.

Holt euch die Broschüre zum *Salzburger Almsommer.* Darin findet ihr ausgezeichnete Almhütten, Wandertipps und Veranstaltungen. Infos unter: www.almsommer.com.

den Gebäude einrichten oder auf der nahen **Schwarzenbergalm** nächtigen. Die Erentrudis- und Schwarzenbergalm sind **keine** Selbstversorgerhäuser, die Versorgung erfolgt in der Erentrudisalm. Es gibt einen Gasthof mit tollem Spielplatz.

Selbstversorgerhütten Tobelmühlhof, Familie Breitfuß, Tobelmühlstraße 25, A-5164 Seeham. ✆ +43/6217/5347, www.tobelmuehlhof.com. **Lage:** Beim Hochseilpark Seeham. **Bahn/Bus:** Salzburg Hbf Bus 120 bis Seeham-Matzing, 5 Min Fußweg. **Auto:** ↗ Obertrum, Richtung Seeham, nach 3 km Matzing, links einbiegen. **Rad:** Seenland-Radweg. **Zeiten:** Ganzjährig. **Preise:** 8,50 € pro Person und Tag; Kinder bis 10 Jahre 6,50; Nebenkosten (Strom und Holz) nach Verbrauch.

▶ Einfache Selbstversorgerhütten auf dem Gelände des ↗ *Hochseilparks.* Familie Breitfuß organisiert gern ein umfassendes Rahmenprogramm mit Kutschenfahrt, Bogenschießen, Mühlenführung, Schifffahrt, Bockerlfahrt und Nachtwanderung durch den Teufelsgraben.

Wanderheime

Prälat-Sebastian-Ritter-Haus
Selbstversorgerhaus Katholische Jungschar, Wolfgang Hammerschmid, Sportplatzstraße 4 (Hausadresse), A-5165 Berndorf. ✆ +43/662/8047-7580, www.kirchen.net/jungschar. **Bahn/Bus:** Salzburg Hbf Bus 131 bis Berndorf. **Auto:** B156 Richtung Braunau, L101, Kreisverkehr 3. Ausfahrt, hinter Seeham links auf Kälberpoint Richtung Berndorf, im Ort links, hinter Kirche wieder links. **Preise:** 9 € pro Person und Nacht, Mindestgebühr 200 €. **Infos:** Sonderregelungen in den Sommerferien.

▶ Selbstversorgerhaus mit insgesamt 40 Betten, aufgeteilt auf 7 Mehrbettzimmer. Es gibt eine voll ausgestattete Küche sowie einen großen Speisesaal, das große Außengelände und ein Spielstadel laden zum Spielen ein. Und sollte das Wetter nicht mitspielen, befinden sich im Haus 3 Spielräume und ein Kaminzimmer für die gemütlichen Stunden.

Spechtenschmiede, Hüttenwart W. Kunrath, Klausweg, A-5321 Koppl. Handy +43/664/8284264. www.oenj.at. **Lage:** Nähe Koppler Moor. **Bahn/Bus:** Salzburg Bus 152 bis Koppl, circa 3 km Fußweg zur Spechtenschmiede. **Auto:** ↗ Koppl, Dorfstraße, weiter auf Aschaustraße, rechts auf Klausweg. **Preise:** 13 €; Kinder und Jugendliche 9 €; Mitglieder Österreichische Naturschutzjugend 7 €.

▶ Insgesamt gibt es 25 Schlafplätze, aufgeteilt auf 3 Schlaflager (8, 7 und 10 Schlafplätze), sowie ein Betreuerzimmer mit 2 Betten. Außenbereich mit überdachtem Sitzplatz, Tümpel und Lagerfeuerstelle.

Für Schulklassen werden ökopädagogische Programme (Naturerfahrungsspiele, Tierspuren, Entdeckungen im und um das Koppler Moor) angeboten. Infos bei Frau Amberger ✆ +43/662/854370.

Halleinerhaus, Markus Rehrl, Spumberg 55, A-5421 Adnet. ✆ +43/6240/21702, www.halleinerhaus.at. **Lage:** Im Almgebiet auf 1150 m Seehöhe. **Bahn/Bus:** Adnet Bus 450 bis Krispl Hinterhof, 3 km Fußweg. **Auto:** Adnet, auf L244 Richtung Krispl, nach 1 km rechts auf L209 Krispler Landesstraße, nach 6 km rechts auf Krispl Richtung Gasthof Zillreith, 500 m nach Gasthof. **Preise:** ÜF MBZ 29 €, Lager 24 €; ÜF Kinder 6 – 15 Jahre 19 €, Lager 16 €. **Infos:** Für Naturfreunde und Mitglieder des Alpenvereins günstiger.

▶ Insgesamt 40 Schlafplätze bietet das Haus. Es gibt DZ, 2- bis 5-Bett-Zimmer sowie 11 Schlafplätze in einem Lager. Vom Haus aus lassen sich im Sommer tolle Wanderungen im Schlenkengebiet unternehmen. Im Winter liegt das Skigebiet Krispl-Gaißau in der Nähe und ihr könnt direkt vom Haus aus Skischuhwanderungen unternehmen.

Hausschuhe und Handtücher mitnehmen. Für die Übernachtung im Lager ist ein eigener Schlafsack notwendig.

Pfadfinderdorf Zellhof, International Scout and Guide Centre, Zellhof 1, A-5163 Mattsee. ✆ +43/6217/7066, www.zellhof.at. **Lage:** Direkt am Grabensee.

Bahn/Bus: Salzburg Hbf Bus 120 bis Mattsee Zellhof. **Auto:** ↗ Mattsee, hinter Mattsee auf die L102 Obertrumer Landstraße, nach 200 m rechts. **Rad:** Am Seenland-Radweg. **Preise:** Lager 4,50 €, Häuser 5,80 – 7,90 € pro Nacht.

▶ Internationales Pfadfinderlager mit großem Lagerplatz und 4 Selbstversorgerhäusern für 15 – 60 Personen, jeweils mit Mehrbettzimmern, Aufenthaltsräumen und Sanitäranlagen. Großes Freizeitangebot mit Badesteg, Fußball- und Volleyballplatz und Schlechtwetterhalle.

Europacamp, Magdalena Kastner, Franz-von-Schönthan-Allee 42, A-4853 Steinbach am Attersee. ✆ +43/7663/8905, www.europacamp.at. **Lage:** Am Südufer des Attersees. **Bahn/Bus:** Ab Attersee mit dem Schiff bis Weißenbach am Attersee, ↗ Attersee Schifffahrt. **Auto:** ↗ Steinbach, weiter auf B152 bis Weißenbach. **Zeiten:** Mai – Sep. **Preise:** JH DZ 29 €, 6-Bett-Zimmer 78 €, Holzbungalows 46 – 110 €, Campingplatz Zelt bis 4 Pers/Nacht 4 €, Stellplatz WoWa/Nacht 8 €.

▶ Campingplatz mit großer Wiese, auch für Gruppen. Es stehen auch 13 Holzbungalows mit 4 – 10 Betten zur Verfügung, außerdem gibt es auf dem Gelände eine JH mit 4 DZ und 10 6-Bett-Zimmern. Der große Badestrand ist für Campimggäste frei zugänglich.

REGISTER & KARTEN

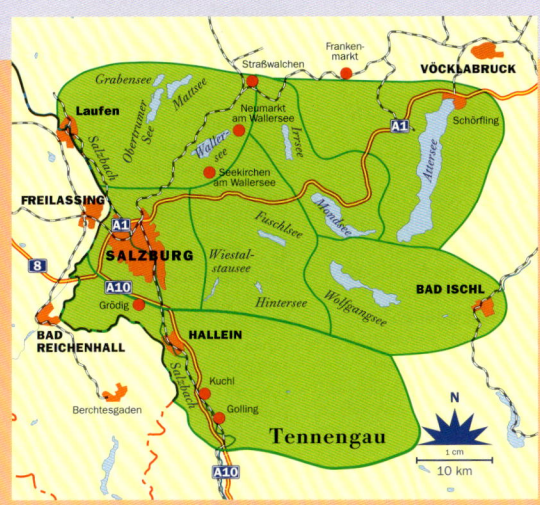

SALZBURG: NATUR & SPORT

SALZBURG: WISSEN & KULTUR

SALZBURGER SEENLAND

ATTERSEE & ATTERGAU

IRRSEE & MONDSEE

FUSCHLSEE

WOLFGANGSEE & BAD ISCHL

HALLEIN & TENNENGAU

INFO & FERIENADRESSEN

REGISTER & KARTEN

Register

A

Abenteuerspielplatz 24, 95, 113, 202
Abenteuertraining 26
Abersee 145, 155
Abtenau 166, 175, 178, 183, 184, 196, 217, 223, 231
Adnet 187, 193, 196, 218, 235
Alm 125, 231
Almeida Park 115
Almkanal 20
Almpassage 20
Anif 26–28, 202, 221
Anthering 16, 20, 202, 220
Antheringer Au 16
Aquarium Weyregg 208
Attergau 81, 100, 207, 210
Attergaubahn 98, 209
Attersee 81, 83, 85–88, 93, 98, 100, 207–210, 225
Auerhütte 170, 171

B

Baby- und Kinderhof 224
Babybauernhof 225
Bad Dürrnberg 177, 179, 190, 193, 218
Bad Ischl 143, 146, 147, 156–160, 162, 215, 221, 230
Bad Reichenhall 221
Bad Vigaun 172, 196
Bajuwaren 61
Bärenhof 177
Barfußpfad 67, 113, 114
Bärlauchpesto 90
Bartlhütte 128
Bastlerecke 48
Bauernhof 223
Bauernmuseum 115
Berchtesgadener Hochthron 189
Bergheim 12, 16, 32, 202
Berghotel Schafbergspitze 158
Bergwandern 127
Bergxi 12
Berndorf 234
Bibliothek 49
Bioimkerei Mondseeland 110
Blinklingmoos 146
Bluntaubrücke 173, 174
Bluntautal 173, 177
Bonauerhof 224
Bootfahren 107, 123
Buchberg 70, 204
Buchhandlung Motzko 202
Burg Golling 194, 196
Bürgerausee 167
Burgruine Wartenfels 128, 129, 212
Burgruine Wildenegg 110

C – D

Café Konditorei Fürst 41
Camping Fischhof 110
Dachstein 185
Dirndl 206
Ditlbach 150
Dom 38
Domkapellknaben 39
Dommuseum 38
Dorf der Tiere 155
Dult 50
Dürrnberg 165, 179, 191, 193
Dürrnberg, Jacobus vom 190

E

Ebenau 135, 138, 213, 221
Ebenhütte 232
Edtalm 190
Egg 128
Eichetwald 19
Eisarena 28, 29
Eisenmannbruch 188
Eislaufen 184
Eislaufhalle 29
Elisabeth 160
Elixhausen 220
Elsbethen 202, 221, 233
Energie-Rundwanderweg 206
Erentrudisalm 233
Erlachmühle 111
Erlebnis-Card 200
Erlebnisbauernhof 137
Eugendorf 30, 202, 220, 221

F

Faistenau 120–130, 133–140, 214, 221, 222
Falkensteinkirche 149, 150
Familienpass 200
Fantasiana Erlebnispark 68
Festung Hohensalzburg 19, 36, 201
Festungsberg 18
Filmkulturzentrum 46
Filzen 77
Fischachmühle 65
Fischtagging 63
Flachgau 53, 57
Forum Novum 205
Franz Joseph I. 159, 160
Franz-Josefs-Warte 146
Franziskischlössl 17
Freilichtmuseum 43, 115
Freilichttheater 23
Freudenthal 97, 210
Fürsterzbischof 37
Fuschl am See 119, 121–124, 130, 137, 140, 212, 214, 221
Fuschlsee 119, 140, 212, 214, 215

G

Gaisberg 23
Gaißau 180, 181
Gaißau-Hintersee 232
Gartenau 188
Gemüselandroute 13
Getreidegasse 41
Glan 14
Glansiedlung 14
Glasenbach 233
Gläsernes Tal 96, 99, 210
Glasmacherfest 210
Glasmuseum 96, 99
Goiser Wiesn 13, 14
Golling 166, 173–177, 185, 186, 194, 196, 219, 221, 226
Gollinger Wasserfall 165, 186, 219
Grabensee 53, 54, 62, 70, 204

Grödig 168, 188, 189, 192, 195, 196, 202, 217
Grögernalm 126
Großglockner 57
Großgmain 43, 44, 202
Gruberalm 125, 126
Gustav-Klimt-Zentrum 209

H

Hallein 165, 169, 177 – 179, 190 – 196, 216, 218, 221, 222
Hallwang 221
Hammerauer Brücke 15
Haunsberg 71
Haunsbergs 203
Haus der Natur 16, 31
Heckentheater 22
Helenental 111
Helenenweg 105
Hellbrunn 22, 37
Henndorf am Wallersee 56, 78, 220
HerzArt 175
Hexenkesselsteg 186
Hiabbauernhof 66
Himmelreich 202
Hintersee 119, 123, 125, 126, 129, 139, 140, 180, 214, 221, 231
Hochreith 226
Hochsattel 176
Hochseilpark 68, 234
Hof bei Salzburg 120, 138, 213, 221
Hofkäserei 219
Hohen Gölls 219
Hohenems, Markus Sittikus von 37
Hohensalzburg 36
Höllengebirge 208
Hoppolino 28
Hornbahn 185, 189
Hütte 231

I – J – K

Indoor-Spielplatz 28
Innerschwand am Mondsee 106
Irrsee 103, 116, 210
Jugendgästehaus 230
Jugendherberge 222, 227
Jungfernsee 105
Jurte 77
Käferheim 14
Kahlham, Konrad von 129
Kaiserpark 159
Kaiservilla 159
Kapuziner Kloster 17
Kapuzinerberg 11, 17, 202

Hunger & Durst

Almgasthof Kleefeld 153, 154
Asi's Seestüberl 122, 129
Asi's Tubinghütte 134
BABU Strandbad Seewalchen 82
Bärenhof 174
Berggasthof Bachrain 182
Berghof Dachsteinblick 30
Berghof Danter 91
Bergstation Untersberg 189
Bergxi-Treff 12
Brotzeitstube Röhrmoosmühle 74
Die Pflegerbrücke 19
Edenbergers Café am See 124
Edtalm 189
Eisdiele GelatoK 218
Enzianhütte am Trattberg 170
Erlachmühle 111
Erlbachhütte 148
Forsthaus Wartenfels 128
Franzl's Hütte 157
Gasthaus am Spitz 169
Gasthaus Salettl 44
Gasthaus Siriuskogl 146
Gasthof Alpenblick 64
Gasthof am Riedl 132
Gasthof Franz-Josef 206
Gasthof Krisplwirt 181
Gasthof Strubklamm 125
Gasthof Weißwand 152
Grögernalm 126
Grünauerhof 202
Hasinger's Heuriger 224
Holzknechtstube am Fuschlsee 121
Hotel Schafbergspitze 158
Hotel Schneeweiß 93
Jausenstation Aschinger 150
Jausenstation Hochserner 112
Karkogel Hütte 184
Katrin Almhütte 156
Kirchenwirt Gasthof Zur Post 93
Lammerklause 187
Landgasthof Spitzerwirt 95
Landgasthof Windinggut 32
Landhotel Gasthaus Traunstein 178
Laschenskyhof 14
Neuhofer 59
Neuwirt Landgasthof 172
Pfenningeralm 25
Restaurant zur Festung Hohensalzburg 36
Seealm 55
Seestüberl 167
Seestüberl Rindberger 106
Stadtalm 18
Stüberl Skilift Oberwald 133
Westernsaloon 68
Wiazhaus im Franziskischlössl 17
Wirtshaus in Freudenthal 96
Wirtshaus Schlößl am Haunsberg 71
Wirtshaus Sonnleit'n 223
Zinkenbachmühle 156
Zinkenstüberl 179
Zistelalm 23
Zum Fidelen Bauern 114

239

Karkogel 178, 183, 217
Karkogelbahn 178, 183
Käserei 191, 218
Katrinalm 156
Kelten 95, 165
Keltenbaumweg 95, 207
Keltendorf 193
Keltenmuseum 165, 192
Kinderfestspiele 45
Kindermärchenwanderweg 91
Kinderstadt Mini-Salzburg 48
Kino 46, 194
Kirtag 50
Klamm 213
Klangkarton 47
Kleines Theater 45, 46
Kletterhalle 179
Kletterhalle Anif 27
Kletterhalle Salzburg 25
Klettern 130
Kletterparcours 25
Kletterpark 26
Kogl 95
Königsache 168
Koppl 132, 213, 221, 235
Köstendorf 69, 72, 73, 205
Krippendorf 162
Krispl 181
Krispl-Gaißau 165, 180 – 182, 196, 219, 232
Kuchl 167, 179, 191, 196, 219, 221
Kugelmühle 65, 174
Künstlerhäuschen HerzArt 175

L

Laiter 103
Lammer 187, 217
Lammerklamm 165, 187, 217
Landesverband Salzburger Museen und Sammlungen 38
Laschenskyhof 13, 14, 15
Leitingerhof 226
Leonardo Kunstakademie 76
Leopoldskron 11, 12
Leopoldskroner Weiher 19
Lichtenberg 81, 207

Liefering 12
Lindenhof 224
Linzer Gasse 17
Little Amadeus 42
Litzlberg 85
Lofer 221
Lustschloss 37

M – N

Märchenwanderweg 126
Marionettentheater 44
Marmorkugelmühle 174, 175
Marmormuseum 193, 218
Marmorweg 187, 193, 218
Mattsee 53, 54, 59 – 64, 66, 70, 73, 76, 78, 203, 204, 220, 235
Matzing 64, 74
Maxglan 48
Mayerlehenhütte 126
Minigolf 12, 67, 84, 92, 178, 216
Mirabellgarten 22
Mitmachtheater 77
Moarhof Wildenegg 110
Mönchsberg 18, 19, 42
Mönchsbergwand 233
Mondsee 103, 104, 107 – 109, 111, 114 – 116, 210, 220, 229
Moosangerlalm 171, 172
Mozart, Wolfgang Amadeus 11, 35, 41
Mozart-Museen 47
Mozarts Geburtshaus 41
Mozartsteg 16
MS Herzog Odilo 109
Mühlenwanderweg 119, 136, 139, 213
Mühlenweg 175
Mülln 25
Müllner Schanze 25
Museum der freiwilligen Feuerwehr 139
Museum der Fronfeste 75
Museum der Moderne Salzburg Rupertinum 40, 42
Museum Fronfeste 205
Musik 45, 47
Musikinstrumenten Museum 160

Naturlehrpfad 73
Naturpark Attersee-Traunsee 94
Naturpark Buchberg 63, 64
Naturpark Mönchsberg 233
Naturschutzgebiet Blinklingmoos 216
Naturschwimmbad 167
Naturteich 73
Neumarkt am Wallersee 55, 60, 72, 75, 205, 220
Nixe Adhara 90
Nockstein 213
Nonntal 21
Nußdorf am Attersee 86, 88, 94, 209
Nußdorf am Haunsberg 62, 71, 220
Nussensee 147

O

Oberalm 221
Oberhaging 224
Oberhofen am Irrsee 103, 110, 111, 116, 211
Oberhöferhütte 231
Oberndorf bei Salzburg 61, 62, 74, 203
Oberösterreich 57
Oberscheffau 170, 217
Obertrum am See 53, 78, 203, 220
Obertrumer See 53, 70, 204
Oberwang 112, 113, 211
Orakel 32
Orangerie 22
Osterhorngruppe 129, 214
OVAL 46

P – Q

Pass Gschütt 220
Pernerinsel 218
Perwang am Grabensee 54, 62, 75, 77, 204
Pfahlbaumuseum 114
Philharmonie Salzburg 45
Pickerl 201
Piratenschiff 89
Plaudertasche 48
Plomberg/Gries 106
Plötz Wasserfall 135

Postalm 148, 153, 231
Postalmhütte 149
Postalmkapelle 149
Postbus 220
Puch 221
Puppenstubenmuseum 139
Quellhöhle 186

R

Radiomuseum 192
Raitenau, Wolf Dietrich von 191
Rauchhaus Mühlgrub 138
Red Bull 28, 35
Red Bull Arena 35
Regatta 107
Regenbogenbrücke 186
Reiterhof Burghauser 226
Reiterhof Grabensee 66
Ried 150
Rif 178
Rocheralm 175, 176
Rodelcenter Talstation 183
Rodeln 112, 182
Rödhausen 62
Röhrmoosmühle 65, 74
Römerbrücke 173
Rundweg R3 148
Rupertinum 40
Rußbach am Pass Gschütt 148, 167, 168, 185, 189, 220

S

Saalach 202
Salz 190
Salzach 16, 165, 186, 201
Salzachöfen 165, 185, 219
Salzachseen 12
Salzburg 11 – 50, 58, 199, 201, 220, 223, 227, 228, 233
Salzburg Card 200
Salzburger Almkanal 19, 20
Salzburger Bauernherbst 77
Salzburger Hochthron 189
Salzburger Kinderfestspiele 35
Salzburger Kletterhalle 16
Salzburger Seenland 60, 78, 202

Salzburger Stier 36
Salzburgerland Card 200
Salzkammergut 6
Salzkammergutbahn 145, 157
Salzweg 169
Salzwelten 165, 190
Sausteigalm 125, 128
Schafbachalm 125, 126
Schafberg 143, 157, 158, 216
Schafbergbahn 150
Schafbergblickhütte 148
Schafbergspitze 158
Schaukelweg 20
Scheffau a.Tbg. 165, 170, 175, 182, 187, 217
Scheffelblick 150
Schleedorf 65, 206
Schloss Glanegg 15
Schloss Hellbrunn 22, 37, 49, 50, 202
Schloss Mirabell 22, 201
Schloss Wiespach 165
Schörfling am Attersee 82, 208, 209
Schwarzaubach 213
Schwarzenbach 144, 151
Schwarzenbergalm 233, 234
Seeache 210
Seeblickhütte 149
Seeburg 67
Seeham 55, 61, 64, 66 – 68, 74, 78, 202, 204, 220, 224, 234
Seekirchen am Wallersee 57 – 59, 62, 67, 77, 78, 205, 224
Seenland Card 201
Seewalchen am Attersee 82, 85, 93, 100, 208
Seewaldsee 170, 171, 218
Segeln 88, 107
Segelschule 87
Selbstversorgerhütte 232
Sesselträger 158
Siezenheim 13, 15, 24, 25, 29, 35, 202
Singham 62
Sisi 143, 159, 160
Sittikus, Markus 23

Skaten 6, 11, 13, 14, 165
Ski fahren 30, 131, 179, 182
Skibus 221
Skihang 30, 93, 132, 221
Skilift 93
Ski 185
Skischule 132, 154, 182
Snowtubing 119, 134
Soccergolf 24
Solar Strandbad 82
Sommerrodelbahn 130
Spielbergalm 219, 232, 233
Spielplatz 11, 13, 14, 17, 19, 22, 23, 25, 30, 53, 55 – 58, 81 – 86, 92, 95, 96, 103, 104, 107, 119, 121, 122, 128, 129, 143, 144, 146, 147, 152 – 156, 165, 168 – 172, 182, 189, 194, 215, 217, 222, 224, 226, 234
Spielzeugmuseum 39
St. Georgen im Attergau 84, 95, 207
St. Gilgen 144, 145, 149, 152, 153, 155, 157, 160, 162, 215, 221, 230
St. Jakob am Thurn 196
St. Koloman 170, 171, 218
St. Leonhard 168, 195, 196, 202
St. Lorenz 105, 106, 113
St. Wolfgang 144, 145, 150, 151, 157, 158, 161, 162, 216, 222
Stadtalm 233
Steinbach am Attersee 82, 85, 89, 90, 208, 236
Steintheater 23
Sternwarte 32, 97
Steyr 94
Stiftsarmstollen 20, 21
Stiftung Mozarteum 47
Stille-Nacht- und Heimatmuseum 74
Stille-Nacht-Kapelle 75
Straß im Attergau 91
Straßwalchen 56, 68, 206, 220, 226
Strobl 143, 146, 148, 151, 153, 154, 162, 216
Südwand Kletterhalle Anif 27

T

Taferlklaussee 89
Tauernradweg 219
Taugl 172
Tauglgries 172
Tennengau 57, 165, 196, 216
Tennengau Ticket 221
Tennengebirge 187, 217
Teufelsgraben 64
Thalgau 119, 128, 131, 140, 212, 220, 226
Thalgauberg 131
Theater 45, 47, 194
Theaterschachtel 195
Themenweg Lebensroas 113
Thoralm 149
Tiefensteinklamm 65, 207
Tiefgraben 104, 110, 112, 225
Toihaus Theater 47
Torren 186
Trattberg 170, 171, 218
Trumer See 203

U – V

Unterach am Attersee 83, 88, 91, 92, 210, 220
Untersberg 15, 189, 218
Untersbergbahn 188
Unterscheffau 170, 217
Verein Menschen Werk 204
Verein Spektrum e.V. 48
Viehausen 224
Vöcklamarkt 98
Volksgarten 29
Voregg 182
Vulcanino Erlebniswelt 69

W – Z

Wachtberg 93
Waging am See 61, 62
Waldbad Anif 26
Wallersee 53, 58, 70, 205
Wallersee-Express 57, 205
Wals 13 – 15, 24, 25, 29, 35, 202, 224
Wals-Siezenheim 202
Wanderheim 234
Waschl-Mühle 139
Wassererlebnisweg 208
Wasserfall Plötz 119
Wasserspiele 37
WasserWunder 72
Weißenbach 85, 90, 208
Weißenkirchen im Attergau 96, 99, 210
Wenger Moor 63, 72
Weslhof 225
Westernreiten 111
Weyregg am Attersee 81, 84, 86, 92, 94, 97, 208, 229
Wieslerbach 149
Wildholzweg 94, 209
Wildkar Wasserfall 64
Wildschwein 16
Winnerfall 175
Wolfgangsee 143, 150, 162, 215, 220
Wundergarten der Sinne 23
Zauberflötenspielplatz 22
Zell am Moos am Irrsee 103, 105, 109, 116, 211, 221
Zeller Ache 111
Zinkenbachmündung 145
Zinkenlift 179
Zistelalm 23, 24
Zoll- und Heimatmuseum 75
Zoo Salzburg 30, 202
Zwergerlgarten 22
Zwölferhorn 143, 157

IMPRESSUM

Unsere Inhalte werden ständig gepflegt, aktualisiert und erweitert.
Für die Richtigkeit der Angaben kann der Verlag jedoch keine Haftung übernehmen.
© 1. Auflage 2014 | **Post bitte an:** Peter Meyer Verlag, Schopenhauerstraße 11, 60316 Frankfurt am Main | www.PeterMeyerVerlag.de, info@PeterMeyerVerlag.de
Umschlag- und Reihenkonzept, insbesondere die Kombination von Griffmarken und Schlagwort-System auf dem Umschlag, sowie Text, Gliederung und Layout, Karten, Tabellen, Piktogramme und Illustrationen sind urheberrechtlich geschützt.
Abdruck und Einspeisung in elektronische Medien, auch auszugsweise, nur mit Genehmigung des Verlags. | Die Aufnahme und Beschreibung von Adressen und Aktivitäten in diesem Buch unterliegt der Auswahl durch die Autorin und kann nicht erkauft werden. Anzeigenschaltung ist unabhängig davon möglich.
Druck & Bindung: Druckerei Hassmüller, Frankfurt a.M., www.hassmueller.de | **Umschlaggestaltung:** pmv Annette Sievers, Agentur 42, Mainz, www.agentur42.de | **Fotos:** Wenn nicht anders angegeben Katja Faby, alle Rechte beim Verlag, siehe Nachweis beim jeweiligen Bild.
Zeichnungen: Silke Schmidt | **Karten:** pmv | **Bestellweg:** über den Verlag, vertrieb@PeterMeyerVerlag.de, ✆ 069/40562570, Buchhandel auch über Prolit | **ISBN 978-3-89859-446-2**
Printed in Germany with love.
Klimaneutral und auf FSC®-Papier aus nachhaltiger Forstwirtschaft gedruckt.

MAINZ RHEINHESSEN MIT KINDERN
350 spannende Ausflüge und Aktivitäten rund ums Jahr
Eberhard Schmitt-Burk

Dieser umfangreiche Reiseführer präsentiert Familien mit Kindern die schönsten Ecken in Mainz, Rheinhessen und an der Nahe bis Idar-Oberstein. Die 350 Tipps zur Freizeitgestaltung sind optimal vorbereitet, sodass der Ausflug gleich beginnen kann.

»Das ultimative Nachschlagwerk für Familien.« Allgemeine Zeitung Mainzer Anzeiger

ISBN 978-3-89859-441-7
256 Seiten, 16 Euro [D]

Besucht uns auf
PeterMeyerVerlag

WIESBADEN RHEINGAU MIT KINDERN
300 Ausflüge & Aktivitäten rund ums Jahr
Eberhard Schmitt-Burk

Der Autor hat für die hessische Landeshauptstadt Wiesbaden nicht nur Bekanntes wie Opelbad und Leichtweißhöhle ausgekundschaftet, sondern auch vielerlei neue Ideen für spannende Aktivitäten im Sommer und Winter zusammengetragen.

»Das alles macht Spaß und ist zudem interessant.«
DIE ZEIT

ISBN 978-3-89859-442-4
256 Seiten, 16 Euro [D]

Der erfahrene Freizeitführerautor Eberhard Schmitt-Burk ist wieder mit großer Sensibilität für die Interessen von Kindern durch die Lande gereist. Jede einzelne Adresse hat er unbeeinflusst von Werbung neutral bewertet.

HANNOVER & REGION MIT KINDERN
400 spannende Ausflüge und Aktivitäten im Herzen Niedersachsens
Kirsten Wagner

In Hannover gibt es Abenteuerliches zu entdecken! Gekonnt führt die Autorin Familien mit Kindern zwischen 3 und 13 Jahre zu ägyptischen Mumien, sprechenden Laternen und einem lustigen Rattenmusical. Was sonst so zwischen der Lüneburger Heide und Deister, am Steinhuder Meer, an Leine, Weser und Aller los ist, hat Kirsten Wagner mit Lust recherchiert und beschrieben.

»Wer in Hannover noch Langeweile hat, braucht diesen Freizeitführer! Denn für die ganze Familie gibt es viel Abenteuerliches zu entdecken und zu erleben!«
www.reisegezwitscher.de

ISBN 978-3-89859-418-9
304 Seiten, 16 Euro [D]

pmv PETER MEYER VERLAG

HOLLANDS KÜSTE MIT KINDERN
400 spannende Aktivitäten für Ferien und Freizeit
Monika Diepstraten

An Hollands Küste wird es nie langweilig! Hier gibt es nicht nur den größten Sandkasten für Burgenbauer, sondern auch echte Festungen für kleine und große Eroberer. Vom Käsemarkt in Gouda über Segeltouren auf der Nordsee und Tierparks mit Erlebnis-Charakter bis zur Space Expo werden Ausflüge und Ferienadressen vorgestellt.

»Und wer dachte, dass man an Hollands Küsten nur im Sand spielen oder im Meer baden kann, wird sehr überrascht sein.«
Literatur-Report

ISBN 978-3-89859-439-4
256 Seiten, 16 Euro [D]

HAMBURG MIT KINDERN
300 preiswerte und spannende Aktivitäten für draußen und drinnen
Kirsten Wagner & Stefanie Wülfing

Für kleine Hamburger und Hamburg-Gäste gibt es fortan keine Langeweile mehr, denn mit über 300 Aktivitäten weiß dieses Buch bei jedem Wetter einen Rat: vom Freibad bis zum Museum, von der Radeltour bis zum Tierpark, von der Speicherstadt bis zum Kindertheater. In aller Früh den Puten-Peter auf dem Fischmarkt treffen und im Hamburger Dungeon die große Flut von 1962 erleben. Die Autorinnen haben alle Aktivitäten wie immer mit praktischen Informationen versehen, sodass es sofort losgehen kann. Karten und praktische Infos inklusive.

ISBN 978-3-89859-420-2
256 Seiten, 16 Euro [D]

OSTSEEKÜSTE LÜBECK MIT KINDERN
350 Aktivitäten & Adressen im Dreieck Lübeck, Plön und Fehmarn
Karolin Küntzel

Hühnergötter, Donnerkeile und Bernsteine – wo findet man all das? An der Ostseeküste Schleswig-Holsteins natürlich! Autorin Karolin Küntzel kennt die Hansestadt Lübeck sowie den Zipfel zwischen Lübecker Bucht, Fehmarn und der Holsteinischen Schweiz genau. Als einziger Familien-Reiseführer für die Region ist dieses Buch gefüllt mit allem was Kindern auch bei schlechtem Wetter Spaß macht. Bernsteinsammler, Vogelbeobachter und Strandläufer treffen auf Museumsmäuse und Stadtpiraten.

ISBN 978-3-89859-445-5
256 Seiten, 16 Euro [D]

 Besucht uns auf PeterMeyerVerlag

pmv PETER MEYER VERLAG

  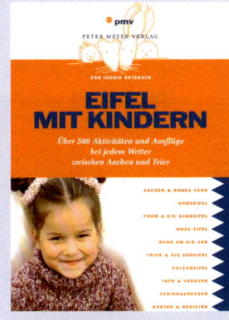

BERLIN UND UMGEBUNG MIT KINDERN
1001 Aktivitäten und Ausflüge mit S & U
Wolfgang Kling & Ina Kalanpé

Die tollsten Freibäder, Schlittschuhlaufen, Zoo-Besuch, Kindergalerie und Puppentheater – Berlin ist auch für Kinder eine Reise wert. Drumherum locken Draisinefahrt, Zirkusschule und Reiterferien. Immer mit Anfahrt per S- & U-Bahn sowie Öffnungszeiten und Preisen für eine entspannte Planung. Das Augenmerk der Autoren liegt dabei ganz auf Kinderfreundlichkeit. Ein entspanntes Wochenende oder ein neues, interessantes Ziel für die Klassenfahrt sind da schnell gefunden.

»Der pfiffige Freizeitführer für die ganze Familie.«
Berliner Rundfunk 91.4

ISBN 978-3-89859-436-3
320 Seiten, 16 Euro [D]

HARZ MIT KINDERN
500 spannende Ausflüge und Aktivitäten rund ums Jahr
Kirsten Wagner

Mit der Sommerrodelbahn den Bocksberg in Hahnenklee runterrasen oder doch lieber die Barbarossaburg erkunden? Im Harz gibt es für Familien Spannendes und Schönes zu erleben. Das neue Reisehandbuch des Peter Meyer Verlags bietet 500 Tipps für Ausflüge und Aktivitäten. So heißt es im Sommer wie im Winter: Langeweile ade!

»Das alles macht Spaß und ist zudem interessant.«
DIE ZEIT

ISBN 978-3-89859-419-6
320 Seiten, 16 Euro [D]

EIFEL MIT KINDERN
Über 500 Aktivitäten und Ausflüge bei jedem Wetter zwischen Aachen und Trier
Ingrid Retterath

Über 500 Ausflüge und Aktivitäten von Aachen bis Trier, von Luxemburg bis zur Aar, zeigen Kindern zwischen 3 und 13 Jahre wie spannend Freizeitvergnügen in der Eifel ist. Spaß in und am Wasser, Radeln und Natur erleben, Museen, Burgen und Schlösser – Unternehmungen jeder Art und rund ums Jahr, immer persönlich recherchiert und komplett mit Anfahrt, Öffnungszeiten und Preisen.

»Diese Vielfalt lässt nicht nur Kinderherzen höher schlagen.«
DIE ZEIT

ISBN 978-3-89859-440-0
320 Seiten, 16 Euro [D]

 Besucht uns auf PeterMeyerVerlag

pmv PETER MEYER VERLAG

TAUNUS MIT KINDERN
500 Ausflüge, Aktivitäten und Adressen für Ferien und Freizeit
Heike Ewald & Michael Köhler

Was der Taunus neben Wanderungen und Rodelpisten noch zu bieten hat zeigt dieses Buch: 500 spannende Aktivitäten zwischen Rüdesheim und Bad Homburg und von Wetzlar bis nach Lahnstein. Abwechslungsreiche Ausflüge zur Grube Fortuna oder in den Opel-Zoo machen den Wochenendausflug oder Urlaub im Taunus zu einem Höhenpunkt.

»Ferien und nicht weg? Gar nicht schlimm. Auch in der Frankfurter Umgebung können Familien viel erleben.«
Bild Frankfurt

ISBN 978-3-89859-438-7
320 Seiten, 16 Euro [D]

Die Buchreihe »... mit Kindern« ist mehrfach prämiert!

FRANKFURT RHEIN-MAIN MIT KINDERN
400 preiswerte und spannende Aktivitäten für draußen und drinnen
Eberhard Schmitt-Burk

Vom Miniausflug über leichte Wander- und Radeltouren, Spaß im und auf dem Wasser, von Naturerlebnissen an frischer Luft bis hin zu Aktivitäten, die bei schlechtem Wetter die miese Laune vertreiben: Der Freizeitführer »Frankfurt Rhein-Main mit Kindern« beweist, dass es in Frankfurt und Umgebung für Familien jede Menge zu entdecken gibt. Gegen Elternstress und Kinderlangeweile!

»Perfekt für die Ferien!«
BILD Frankfurt

ISBN 978-3-89859-434-9
304 Seiten, 16 Euro [D]

ODENWALD MIT KINDERN
500 x Abenteuer und Erlebnis von der Bergstraße bis zum Main, von Darmstadt bis zum Neckar
von Kindern getestet

Für die 7. Auflage des mehrfach prämierten Freizeitführers wurde der Odenwald erneut nach familientauglichen Aktivitäten durchforstet. Herausgekommen ist ein gewohnt zuverlässiger Begleiter für Freizeit und Urlaub, Kinder und Eltern. Leichte Wanderungen, Burgen, Ruinen, Museen, Tierparks, Badeseen, Fastnachtsumzüge, Ritterturniere und allerlei Feste stehen auf dem Programm.

»Ideal für die Vorbereitung von Tagesausflügen für die Familie«
Diether G.

ISBN 978-3-89859-429-5
320 Seiten, 16 Euro [D]

 pmv PETER MEYER VERLAG

PFALZ MIT KINDERN
350 spannende Ausflüge rund um Pfälzerwald und Weinstraße
Eberhard Schmitt-Burk

Die Pfalz ist in erster Linie eine beliebte Wanderregion. Was sie darüber hinaus für Familien mit Kindern noch zu bieten hat, zeigt dieser abwechslungsreiche Freizeitführer. Vom Abenteuerspielplatz über Paddeltouren bis zum Technik Museum bietet er 350 gründlich recherchierte Tipps für jede Wetterlage. Einkehrtipps und Ferienadressen helfen, Pausen und längere Aufenthalte im Voraus zu planen. Inklusive Anfahrtsbeschreibungen, Öffnungszeiten und Preisen.

»Höchst empfehlenswert«
ekz Bibliotheksdienst

ISBN 978-3-89859-444-8
320 Seiten, 16 Euro [D]

SCHWÄBISCHE ALB MIT KINDERN
450 spannende Ausflüge und Aktivitäten rund ums Jahr
von Kindern getestet

Anregungen für Ferienspaß und Wochenende: Ausflüge, Aktivitäten, Höhlen, Baden, Sport und Spiel zwischen Neckar und Donau, Schwarzwald-Ausläufern und Nördlinger Ries. Jeweils mit Beschreibung, Adressen, Anfahrt, Öffnungszeiten und Preisen. Zum Losstürmen für die ganze Familie und für jede Jahreszeit!

»In diesem Führer ist alles drin, was Spaß macht – und zwar der ganzen Familie.«
Die Neckarquelle

ISBN 978-3-89859-448-6
304 Seiten, 16 Euro [D]

BODENSEE MIT KINDERN
400 x Abenteuer und Erlebnis rund um den ganzen See
Wolfgang Taschner & Michael Reimer

Eine der beliebtesten Ferienregionen Deutschlands mit Kindern wieder- oder neu entdecken: Vom Bootsverleih über Tierparks bis zur kinderfreundlichen Unterkunft – hier finden alle Kinder zwischen 3 und 13 Jahren ihren Lieblingsausflug rund um den See. Mit Beschreibung, Adressen, Anfahrt, Öffnungszeiten und Preisen. So wird die Freizeitplanung kinderleicht und einem erholsamen Familienurlaub steht nichts mehr im Wege. Mit Gutschein für das SeaLIfe Konstanz!

»Voll gestopft mit Informationen, für die Eltern mehr als dankbar sein werden.«
DIE ZEIT

ISBN 978-3-89859-428-8
272 Seiten, 16 Euro [D]

 Besucht uns auf PeterMeyerVerlag

pmv PETER MEYER VERLAG

FRANKFURT AM MAIN
Sehen & Erleben, Ausgehen & Vergnügen. Mit 10 Stadtrundgängen
Annette Sievers

10 Spaziergänge, 33 Museen, 60 x Theater, Kabarett und Musik von klassisch über Jazz bis modern, 250 Cafés, Restaurants, Bars und Apfelweinkneipen – so viel geballtes Wissen gibt es kein zweites Mal. Besonders: Stadtgeschichte in chronologisch aufgebauten Rundgängen. Hintergründig: Jüdische Vergangenheit und Studentenrevolten der 70er. Informativ: 1001 Adressen, Anfahrten und Öffnungszeiten.

»Machen wir es kurz: Selten habe ich einen so guten, einen so informativen Reiseführer gelesen.«
hr-Info

ISBN 978-3-89859-200-0
416 Seiten, 22 Euro [D]

77 BESTE PLÄTZE BERLIN
Streifzüge, Sehenswertes & Museen. Mit 250 Adressen zum Entspannen & Vergnügen
Wolfgang Kling

Unsere Hauptstadt ist längst zur Kultmetropole geworden: Museen und Theater, gleich drei Opernhäuser, etliche Konzertsäle und Showbühnen, die weltberühmte Museumsinsel, verkramte Flohmärkte, extravagante Szeneclubs, hippe Strandbars am Ufer der Spree und verrauchte Kiezkneipen oder exklusive Gourmet-Restaurants sind ihre Markenzeichen! Das alte »Spreeathen« vibriert und quillt bald über vor Aktivität und Lebenslust. Hier bringt der Autor Wolfgang Kling mit seiner Auswahl der 77 besten Plätze zum Schauen und Entspannen Überblick in die Fülle.

ISBN 978-3-89859-201-7
256 Seiten, 18 Euro [D]

77 SCHÖNSTE ORTE RUND UM BERLIN
Ausflüge zu Schlössern, Seen und Sehenswürdigkeiten. Mit 133 Einkehrtipps
Wolfgang Kling

Raus aus der Stadt und rein in die Natur! Jedes Ziel ist mit der Bahn erreichbar. Vom Schloss Rheinsberg im Norden bis zur Spreestadt Lübbenau im Süden ist für jeden der passende Ausflug dabei. Zum Radeln, Wandern, Entspannen. Mit Beschreibung, Einkehrtipps und farbigen Karten.

»Ob Familien, Freunde, Senioren – der Reiseführer ›77 schönste Orte rund um Berlin‹ bringt jeden vor die Haustür.«
Berliner Woche

ISBN 978-3-89859-202-4
304 Seiten, 18 Euro [D]

 Besucht uns auf PeterMeyerVerlag oder www.PeterMeyerVerlag.de

pmv · PETER MEYER VERLAG

77 SCHÖNSTE ORTE HOLLAND
Schlösser, Parks und sehenswerte Orte. Mit Restaurant- und Hotelempfehlungen
Monika Diepstraten

U bent welkom! Holland heißt seine Nachbarn willkommen! Und dort entdecken wir, wie überraschend anders das Land der Windmühlen und Tulpen ist. Monika Diepstraten kennt die Winkel hinter den Grachten und Sanddünen, die sich zu entdecken lohnen. Übersichtlich und modern bringt sie Orte und Sehenswürdigkeiten mit allen Reiseinfos und besonderen Einkehr- und Übernachtungstipps auf den Punkt.

Die perfekte Ergänzung zu »Hollands Küste mit Kindern« der gleichen Autorin,

ISBN 978-3-89859-180-5
256 Seiten, 18 Euro [D]

199 KM MOSEL
Sehenswertes, Ausflüge & Einkehr von Trier bis Koblenz
Annette Sievers (Hrsg.)

Ob Rebhänge, Moselschifffahrt oder Porta Nigra – wer mit diesem prall gefüllten Reiseführer aufbricht, erlebt abwechslungsreichen Kulturgenuss. Ansprechend gestaltet und hintergründig beschrieben, führt dieses Buch zu den schönsten Orten und Sehenswürdigkeiten entlang der deutschen Mosel, Einkehr- und Übernachtungsmöglichkeiten inklusive.

»Genauestens recherchierte Anfahrtswege, Preise, Öffnungszeiten sowie ein Kartenatlas machen diesen Freizeitführer unentbehrlich.«
Blog »Lies mal wieder«

ISBN 978-3-89859-310-6
256 Seiten, 18 Euro [D]

66 SCHÖNSTE ORTE ODENWALD BERGSTRASSE
Ausflüge zu Burgen, Wäldern & Sehenswürdigkeiten. Mit Einkehr & Einkaufen auf dem Bauernhof
Anna Steinmaus

Die schönsten Orte, Burgen und Schlösser, alle Kultur-Highlights und interessantesten Naturtouren stets mit profunden Texten und Hintergrundwissen. Dazu Empfehlungen zum Einkehren, zu Unterkünften und Einkauf auf dem Bauernhof! Von Darmstadt bis Heidelberg, vom nördlichen Odenwald bis zum Neckar, von der Bergstraße bis Franken. Die Ziele lassen sich einzeln oder zur Route kombiniert ansteuern. Und da so ein Ausflug durstig und hungrig machen, gibt es rund 100 Tipps von der Weinstube über die Burgschenke bis zum Spezialitätenrestaurant.

ISBN 978-3-89859-211-6
256 Seiten, 18 Euro [D]

Besucht uns auf PeterMeyerVerlag

pmv PETER MEYER VERLAG

NÄHER REISEN

Seit seiner Gründung 1976 tritt der Peter Meyer Verlag für sozialverträgliches und umweltschonendes Reisen ein. Deswegen finden Sie in unseren Büchern stets konkrete Daten für die Anreise mit ÖPNV, bei Unterkunft und Einkehr bevorzugt Familienbetriebe mit regionalem Angebot, sowie inhaltsreiche Informationen zu Natur und Umwelt. Die Autoren schreiben und recherchieren unabhängig von fremden Geldgebern, so können Sie stets sicher sein, neutrale Bewertungen zu haben – neutral, aber mit großer Begeisterung für ungewöhnliches Engagement all derjenigen, die unsere Welt bereichern wollen.

Das möchten wir mit unseren Reiseführern auch. Und wir möchten Sie anstecken mit unserer Begeisterung für das Schöne in unserer Nähe.

NÄHER DRAN

pmv PETER MEYER VERLAG

Besuchen Sie uns auf PeterMeyerVerlag | www.PeterMeyerVerlag.de

DIE BELIEBTESTEN WANDERWEGE DER HESSEN
30 Touren zwischen Reinhardswald und Odenwald. Das Buch zur Sendung des hr-fernsehens
Annette Sievers

Welcher ist der beliebteste Wanderweg der Hessen? In einer großen Aktion haben die Zuschauer des hr-fernsehens abgestimmt: 30 abwechslungsreiche, landschaftlich interessante und wunderschöne Strecken aus dem Bundesland sind nun in Film und Buch festgehalten. Mit 3 – 5 Stunden sind die Wanderungen für Familien ebenso geeignet wie für Naturliebhaber und passionierte Wanderer.

ISBN 978-3-89859-327-4
256 Seiten, 18 Euro [D]

WEITWANDERN HESSEN
Die 10 schönsten Trekkingtouren. Mit Einkehr, Unterkunft & Bahntransfer
Michael Schnelle

Mit diesem pmv-Wanderführer kommen Sie weiter: 10 gründlich recherchierte Streckenwanderungen führen durch die schönsten Naturlandschaften und hin zu interessanten Kulturdenkmälern. Alle Ausgangs- und Endpunkte sind per Bahn erreichbar. Und weil bei jeder Tour Übernachtungs- und Einkehrtipps aufgeführt sind, kann mit extra-leichtem Gepäck gewandert werden!.

»Darauf haben Hessen-Liebhaber gewartet!«
Wiesbadener Kurier

ISBN 978-3-89859-306-9
256 Seiten, 16 Euro [D]

SCHLEMMERTOUREN RHEINGAU & TAUNUS
22 Touren zu Winzerhöfen und Gartenwirtschaften
Anna Steinmaus

Ausfliegen und Genießen je nach Lust und Laune, Zeit und Kondition: 22 Tourenvorschläge kombiniert mit 22 Einkehrtipps, aktuellen Informationen, schönen Bildern und detaillierten Karten – dieser pmv-Freizeitführer schmeckt der ganzen Familie, geselligen und sportiven Genussmenschen! Der ausflugswillige Genießer findet bei jedem Vorschlag präzise Angaben zu Schwierigkeitsgrad und Länge der Touren, bei den Restaurants genaue Preisangaben und Öffnungszeiten.

ISBN 978-3-89859-324-3
192 Seiten, 16 Euro [D]

 Besucht uns auf PeterMeyerVerlag

pmv PETER MEYER VERLAG

33 SCHÖNSTE RADTOUREN RHEIN-MAIN
Radeln von leicht bis weit rund um Frankfurt
Mit Extra-Tourenkarte
Alexander Kraft

33 x Radeln in Rhein-Main. Vom Rheingau bis zum Vogelsberg, vom Taunus bis zur Bergstraße. Mit Sehenswürdigkeiten, An- und Abreise mit Bahn, Höhenprofilen und einer extra-Tourenkarte mit genauer Navigation. GPS-Tracks im Internet.

»Schon beim Blick ins Inhaltsverzeichnis findet jeder, was er sucht, oder wird zumindest neugierig gemacht auf das, was er vielleicht nicht gesucht hat.«
Wiesbadener Kurier

ISBN 978-3-89859-320-5
224 Seiten, 18 Euro [D]

22 MTB-TOUREN TAUNUS VOGELSBERG
Mit GPS-Daten zum Herunterladen
Alexander Kraft

Auf den Sattel und in die Pedale getreten! Das Frankfurter Hausgebirge und der Vogelsberg rufen. Nördlich von Frankfurt geht's 22 x mit dem Mountainbike über Stock und Stein, mit Höhenprofil und GPS-Daten.

ISBN 978-3-89859-322-9
192 Seiten, 18 Euro [D]

»Hier finden Radanfänger, Profis und Genießer ihren Ausflug fürs Wochenende!«
mtb-rhein-main.de

außerdem:
22 MTB-Touren Odenwald Spessart
ISBN 978-3-89859-321-2

22 MTB-Touren Rheingau Rheinhessen
ISBN 978-3-89859-323-6

66 SCHÖNSTE AUSSICHTEN HESSEN
Burgen, Türme, Berge – Wandern, Radeln, Einkehren
Alexander Kraft

Sie sind oft die heimlichen Höhepunkte eines Ausflugs, liegen aber genauso oft eher zufällig an der Route: grandiose Aussichtspunkte. Anders bei diesem Buch. Hier stehen die Fernblicke im Mittelpunkt. Ob Türme, Burgen oder Klippen – das Panorama ist jedesmal einzigartig. Dazu Empfehlungen für die Einkehr vor Ort, außerdem Tipps, bei welchem Wetter die Aussichten wirklich schön werden.

»Wandertouren, Radtouren und die perfekten Einkehrmöglichkeiten vermitteln Hessens schönste Seite.«
Frankfurter Rundschau

ISBN 978-3-89859-319-9
256 Seiten, 16 Euro [D]

 Besucht uns auf PeterMeyerVerlag

pmv PETER MEYER VERLAG

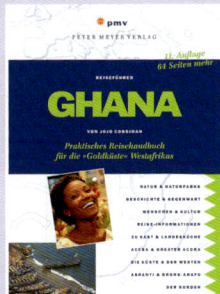

GHANA
Praktisches Reisehandbuch für die »Goldküste« Westafrikas
Jojo Cobbinah

Der erste und einzige deutschsprachige Reiseführer zu Ghana! Mit Humor präsentiert der ghanaische Autor Jojo Cobbinah sein Heimatland. Gründliche Landeskunde und umfassende praktische Infos zu Reisevorbereitung, Anreise, Unterkunft, Essen & Trinken, Verkehrsmitteln und Aktivitäten: stets aktuell.

Von der UNESCO als vorbildlich empfohlen!

ISBN 978-3-89859-155-3
576 Seiten, 34 Euro [D]

 GhanaReise

Zeichenerklärung Karte

Symbol	Bedeutung
Hallenbad, Freibad	
Badestelle, Strandbad	
Bootfahren, Paddeln	
Personenboot	
Wandern	
Reiten, Kutschfahrten	
Natursehenswürdigkeit, Park	
Wild-, Vogelpark, Zoo	
Naturlehrpfad	
Radeln	
Kletterpark	
Erlebnispark, Spielplatz	
Theater, Freilufttheater	
Wintersport	
Wasser-, Windmühle	
Kirche, Kloster	
Schloss, Burg	
Museum, Kino	
Essen & Trinken	
Betriebsbesichtigung	
Seil-, Bergbahn, Museumsbahn	
Aussichtsturm	
Bergwerk, Höhle	
Gipfel mit Höhe in m	1000 ▲
Pass mit Höhe in m	50
Aussicht	
Autobahn, Ausfahrt	7 / 22
Bundesstraße	333
Internat. Flughafen	✈
ICE-, Bahnhof	

 pmv PETER MEYER VERLAG

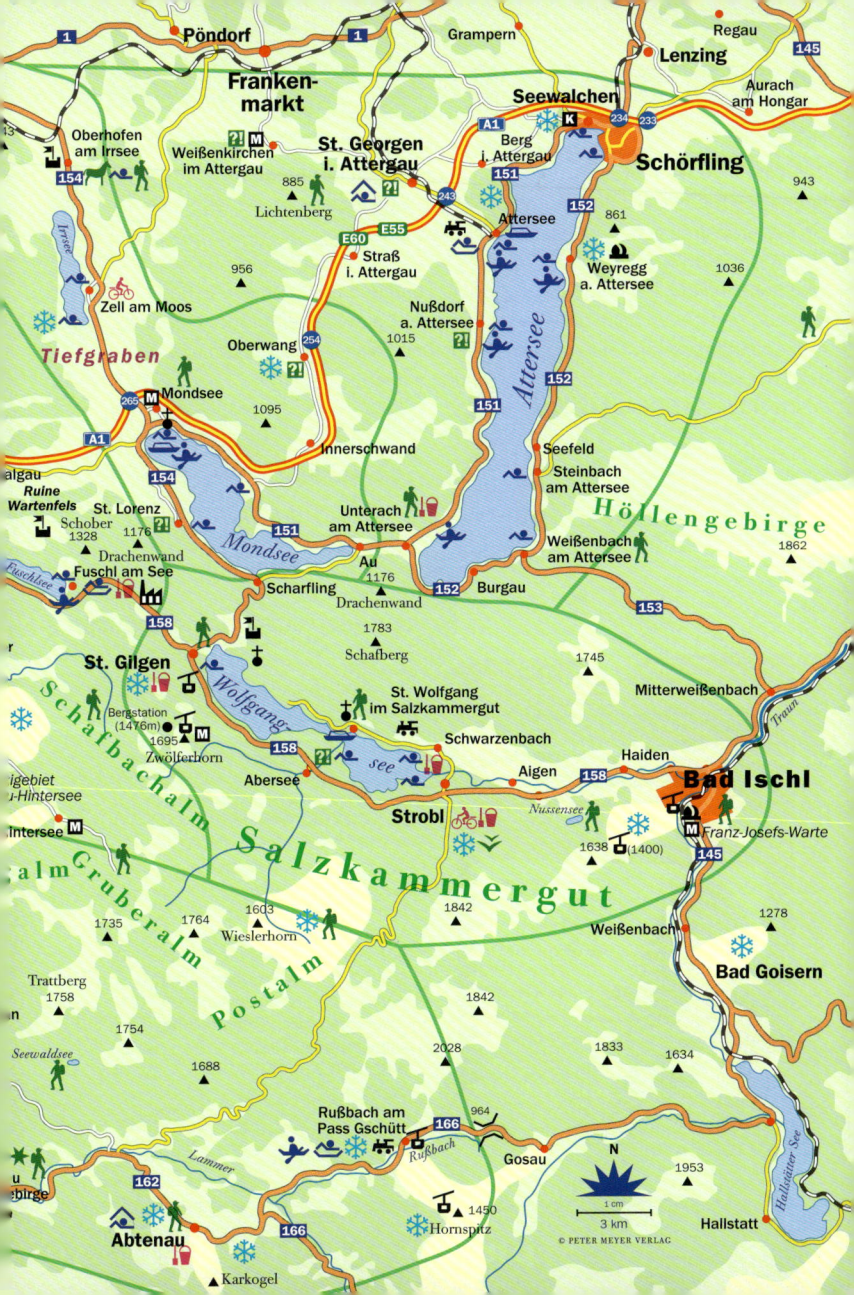

Noch mehr Seen & Berge?

Dann greift zu »**Berchtesgadener Land & Chiemgau mit Kindern**«!
Katja Faby hat hier mit ihrer Autorenkollegin Antje Kindler-Koch zusammen
ein weiteres prall gefülltes Ferienbuch geschrieben.

Was können Familien im Berchtesgadener Land und im Chiemgau neben
wandern und baden noch unternehmen? Dieser pmv-Freizeitführer stellt über
400 spannende Aktivitäten vor, die Urlaub und Freizeit verschönern und
auch bei schlechtem Wetter für gute Laune sorgen.
Frisch aufgelegt in bereits 3. Auflage!

*»Übersichtlich, vielseitig und
preiswert: Ein Reiseführer an
dem Eltern samt Kindern Spaß
haben werden.«
Berchtesgadener Land Tourismus*

**BERCHTESGADENER LAND
& CHIEMGAU MIT KINDERN**
400 spannende Aktivitäten vom Chiemsee bis zum Watzmann
Katja Faby & Antje Kindler-Koch

256 Seiten, 84 Tier-Cartoons
und 105 Farbfotos, Daumenkino,
Kartenatlas, Lesezeichen,
umweltfreundliche Herstellung,
klimaneutraler Druck.
ISBN 978-3-89859-449-3
16 Euro

pmv PETER MEYER VERLAG